HISTOIRE
DE LA PROVINCE
DE QUÉBEC

ROBERT RUMILLY
de l'Académie canadienne-française

HISTOIRE
DE LA PROVINCE
DE QUÉBEC

VI
Les "Nationaux"

FIDES
245 est, boulevard Dorchester, Montréal

Le texte du présent ouvrage est celui de la première édition parue en 1941, aux Éditions Bernard Valiquette. Il a été reproduit par offset.

ISBN-0-7755-0492-0

I

LE CURÉ LABELLE

Réorganisation ministérielle; le curé Labelle, sous-ministre — Nouvelle loi de colonisation — Mercier et le Conseil législatif — Mercier et la minorité anglaise — Les biens des Jésuites; les orangistes contre Mercier — La loi des magistrats de district; John-A. MacDonald contre Mercier — La volonté de Mercier maintient l'alliance "nationale".

1888

Au fédéral, il était encore question du chemin de fer du Pacifique.

La législature du Manitoba ne voulait pas reconnaître le monopole accordé au Pacifique-Canadien par le gouvernement fédéral. Le libéral Greenway, nouveau premier ministre, endossait sur ce point la politique du conservateur Norquay, son prédécesseur. Sous le régime Norquay, la législature manitobaine avait accordé une charte à une compagnie pour un chemin de fer de la Rivière-Rouge. Le Pacifique, craignant une diversion du trafic au profit de ses rivaux américains, obtint sans peine de John-A. MacDonald le désaveu de cette charte. On se rappelle la protestation de la Conférence interprovinciale de Québec. Et l'opinion manitobaine unanime — et très montée — récusa le veto fédéral. Un réseau de chemins de fer

devenait indispensable à la jeune province, pour
écouler ses produits agricoles; et le monopole du
Pacifique-Canadien était odieux aux Manitobains.
Greenway et son procureur général Martin vinrent
à Ottawa pendant la session fédérale du printemps
de 1888. Forts de savoir toute leur province derrière eux, ils exigèrent le retrait du monopole accordé au Pacifique.

L'opposition libérale appuya naturellement les
Manitobains. Laurier critiqua les largesses prodi-
guées au Pacifique, et les espoirs démesurés mis
dans le développement du Nord-Ouest. Selon lui, le
monopole consenti à la compagnie ne pouvait
s'étendre au Manitoba; il était restreint aux territoires sur lesquels le Parlement du Canada exerçait,
à l'époque du contrat, juridiction complète et
souveraine. Et voici qu'à Montréal la *Presse*, le
journal de Nantel, c'est-à-dire du secrétaire d'Etat
Chapleau, entre en campagne contre le Pacifique-
Canadien et l'appelle un gouffre impossible à combler, "car tel le tonneau des Danaïdes, il se vide à
mesure qu'on le remplit".

L'opposition de Laurier et des libéraux, l'attitude de la *Presse*, MacDonald pouvait passer outre.
Mais Greenway, Martin et le Manitoba tout entier se montraient irréductibles, et c'était beaucoup
plus inquiétant pour le vieux renard. La grande
idée de son règne — partagée par Georges-Etienne
Cartier — avait été d'étendre le Canada vers
l'Ouest jusqu'à l'Océan, et d'y tracer la route impériale du commerce entre la Grande-Bretagne et
l'Extrême-Orient; pour cela, il avait lié partie avec
la compagnie du Pacifique. L'arrêt des travaux ferroviaires anéantirait tous les efforts accomplis.
Mais la sécession du Manitoba produirait le même
effet. En agitant le spectre de la sécession devant
les impérialistes bleus ou rouges qui se sont succé-

dé à Ottawa, l'Ouest a toujours obtenu ce qu'il voulait. Force fut à John-A. MacDonald de céder à la fois à Van Horne et à Greenway. Il offrit de racheter le monopole du Pacifique, pour ce qui concernait le Manitoba; en échange, le fédéral garantirait l'intérêt d'un nouvel emprunt de $15,-000,000 lancé par la compagnie.

Immédiatement se reproduisit la scène traditionnelle. Les provinces non avantagées par ce projet exigèrent une compensation. La Confédération associe, sans les désarmer, des égoïsmes provinciaux. Il est difficile d'avantager une province, même dans l'intérêt général, sans compenser auprès des autres. Donc la province de Québec, qui fournirait sa part des subventions ou des garanties offertes au Pacifique et au Manitoba, voulut un dédommagement. Mais lequel?

Le curé Labelle avait son projet: prolonger le chemin de fer de Saint-Jérôme sur une vingtaine de lieues, puis le bifurquer. Un embranchement, vers l'Est, rejoindrait le chemin de fer du Lac-Saint-Jean. L'autre, vers l'Ouest, traverserait le nord ontarien jusqu'à Winnipeg. De grandes voies tributaires, lames du gigantesque éventail, longeraient les principales vallées, celles du Saint-Maurice, de la Lièvre et de la Gatineau. Dans la cure de Saint-Jérôme s'élaborait, en somme, le projet qui, plus tard et sous une forme modifiée, donnerait naissance au Transcontinental. Le curé Labelle documentait toujours Arthur Buies. Il lui écrivait:

"...Je ne crois pas qu'il y ait un chemin de fer au monde qui ait plus d'avenir et qui soit plus important pour la race française. Il devient naturellement comme le débouché pour la colonisation des trois quarts de la province. A vingt lieues de Montréal, il "branchera" au nord-ouest et au sud-est, comme par deux immenses bras, pour tout saisir et entraîner sur son parcours. Le nord

*lui appartiendra. Avec le temps, les lieux, les circonstan-
ces, la nature des choses, tout cela se fera. Mais j'en laisserai une partie à faire à nos descendants. Avant de
mourir, je veux donner à ce projet une poussée tellement forte qu'elle vaincra tous les obstacles...''*[1]

Le curé Labelle voyait grand. Il comptait sur
l'entrepreneur et capitaliste Beemer, sur Nantel à
la *Presse,* sur Chapleau à Ottawa et Mercier à Québec. Il comptait moins sur son évêque, puisque le
haut clergé, récemment échaudé avec le Père Paradis, craignait plus que jamais les prêtres trop dé-
bordants d'initiative.

Le curé Labelle voyait grand; et il voyait tout
en rose. Son projet débordait le cadre provincial.
Or, à Ottawa, Beemer, Nantel et Chapleau ne con-
tre-balançaient pas l'influence du Pacifique-Canadien, soutenu par Pope et peu disposé à tolérer la
création d'un réseau rival. Chapleau en avertissait
Nantel: "L'influence canadienne-française est nulle
dans le cabinet, nulle dans la direction de la politique. Il ne lui reste que la force motrice électorale,
et la force votrice (ça vaut la peine de créer un
mot) dans les Chambres.''[2]

De toute façon, le plan du curé Labelle était
prématuré, à l'époque où le premier transcontinental, le Pacifique, éprouvait de si graves difficultés.
La ville de Montréal réclamait à Ottawa une compensation toute différente. La compensation récla-
mée depuis six ans et plus: transfert à l'Etat fédéral de la dette contractée par la Commission du
port; octroi de subsides supplémentaires pour l'ap-

---

(1) *Lettre du 29 février 1888; citée par l'abbé Elie Auclair: "Le curé Labelle"*, p. 172.
(2) *Lettre de Chapleau à G.-A. Nantel, du 21 décembre 1887. Archives privées de M. le sénateur Athanase
David.*

profondissement du chenal et l'outillage du port. Quand il s'agit des intérêts de la ville, l'union sacrée se reforme à Montréal. La députation conservatrice fut énergique. Trudel l'appuya au Sénat. La *Presse*, inspirée par le secrétaire d'Etat Chapleau, et la *Gazette*, organe du ministre de l'Intérieur Thomas White, (qui mourut à ce moment, le 21 avril), ne furent pas moins nettes. Et le *Star* de Hugh Graham mit sir John en demeure de donner réponse, non pas à la prochaine session, non pas To-morrow, selon son habitude célèbre, mais tout de suite.

Et, comme à chaque demande de Montréal, Québec protesta. La *Justice* qualifia d'insensés les travaux accomplis dans le port de la grande ville: "Québec paiera pour que le lac Saint-Pierre soit navigable aux nouveaux steamers transatlantiques, qui ne passent sous ses murs que pour la saluer; elle paiera pour que sa rivale reste le port du Dominion!" Le port de Montréal avait, en 1887, de nouveau battu ses records, avec 767 océaniques jaugeant 870,773 tonneaux.

Tarte fit honte à ses concitoyens de leur entêtement, de leur attitude négative. Admirons au contraire les Montréalais. Imitons-les. Oublions nos divergences, pour réclamer une grande mesure indispensable à notre ville et utile à tout le pays: le pont de Québec à Lévis.

Le bon sens empruntait, ce jour-là, la voix d'Israël Tarte. Les Québécois l'entendirent. Une compagnie se constitua, présidée par le colonel Rhodes, et dont Tarte faisait partie, pour construire le pont de Québec si les gouvernements lui donnaient une aide suffisante. La compagnie émettrait quatre ou cinq millions d'obligations, et demanderait au fédéral de garantir l'intérêt. Une délégation impressionnante se forma pour accompagner le colonel Rhodes à Ottawa. Elle comprenait un ministre du cabinet provincial, Arthur Turcotte; des hommes politiques des deux partis: François Langelier, Philippe Landry, Edmund-James Flynn, Thomas-Chase Casgrain, Philippe-Baby Casgrain, Guillaume Amyot, Philippe Vallières, le conseiller législatif Guillaume Bresse; et d'autres personnalités du district de Québec. Plusieurs Montréalais, tel Horace Bergeron, se joignirent généreusement à eux; ainsi qu'Hippolyte Montplaisir, député de Champlain.

Mais, là-dessus, une délégation trifluvienne, conduite par le maire Gédéon Malhiot et par Gédéon Désilets, du *Journal des Trois-Rivières*, demande l'aide du gouvernement fédéral pour la construction du chemin de fer "Trois-Rivières et Nord-Ouest". Une délégation du comté de Berthier, conduite par Cléophas Beausoleil, demande l'aide du gouvernement fédéral pour la construction du chemin de fer "Montréal et lac Maskinongé". Une délégation de Mégantic demande l'appui de Pope pour faire subventionner un chemin de fer de Dudswill à Lévis, traversant les comtés de Brome, Mégantic et Lotbinière.

Devant les ministres fédéraux, le colonel Rhodes, porte-parole de la délégation québécoise, s'exprima en termes armers à l'égard de Montréal. Et la *Minerve* le reprit pour ce "chauvinisme". John MacDonald ne promit rien — il ne promettait jamais rien, du moins d'une manière formelle. Au retour, les délégués de Québec allèrent trouver Mercier, qui tint à faire contraste avec John MacDonald, en livrant par écrit sa réponse: une promesse d'appui sans réserve, pourvu que le fédéral fasse sa part.

C'est encore la requête montréalaise qui s'ajustait le mieux aux besoins et aux ambitions du Pacifique-Canadien. Le réseau songeait à se créer une flotte, de sorte que les améliorations du port de Montréal lui serviraient un jour. Andrew Robertson, président de la Commission du port de Montréal, avait accompli d'importantes missions pour le Pacifique-Canadien[1]. La puissante compagnie appuya tout probablement sa requête. Au contraire, deux Québécois influents n'aidèrent pas leurs concitoyens: l'entrepreneur-député Thomas McGreevy, qui s'était séparé de la compagnie Rhodes et la considérait comme une concurrente, et le ministre Hector Langevin, ami intime de McGreevy.

En fin de compte, à Ottawa, le Manitoba eut satisfaction totale. Le Pacifique aussi, naturellement. Montréal eut satisfaction partielle: l'Etat donnait à la Commission du port quittance des sommes qu'il lui avait avancées pour payer une partie de sa dette. Beausoleil et quelques autres obtinrent des bribes de subvention. Et Québec n'eut rien du tout.

Encore une lutte, écrivit Chapleau à Nantel; "Encore une lutte et encore une défaite pour le parti canadien-français dans la province de Québec..." Et il approuvait Nantel "de penser à créer une politique provinciale qui s'occupe enfin des intérêts du Bas-Canada, sans consulter les convenances ou les besoins d'Ottawa".[2] Autrement dit, d'envisager une séparation entre conservateurs provinciaux et conservateurs fédéraux — projet qui

---

(1) *John Murray Gibbon: Steel of the Empire*, p. 122.

---

(2) *Lettre du 30 avril 1888. Archives privées de M. le sénateur Athanase David.*

sera repris beaucoup plus tard, en particulier par un élève et continuateur de Nantel, Arthur Sauvé.

* * *

En donnant une réponse écrite à la délégation dont Tarte et Tom-Chase Casgrain faisaient partie, Mercier avait produit, à son avantage, un contraste avec les réponses verbales, prudentes et réticentes de sir John. Il eut plusieurs de ces gestes marquants, où il est difficile de discerner la part de spontanéité et la part de mise en scène.

Gabriel Dumont vint à Montréal et à Québec. On lui fit donner des causeries, devant des auditoires élégants. A Québec, le 24 avril, François-Xavier Lemieux le présenta. Le héros métis, racontant ses exploits sans forfanterie, dans sa langue incorrecte et directe, rehaussée de mots cris, fut très émouvant[1]. Il affirma, en particulier, que Riel n'était pas fou à ses yeux. Chose surprenante: Gabriel Dumont n'attira pas la grande foule, et les recettes des organisateurs n'eurent rien de fabuleux. Par contre, avant son départ, Mercier tint à le revoir, et lui remit cinquante dollars.

Puis, Saint-Hilaire venant à mourir, très pauvre, à Québec, Mercier paya de sa bourse les funérailles du député du Lac-Saint-Jean.

Autant de gestes frappants. Mercier fit davantage. Il réorganisait son cabinet, amputé de Mc-Shane. Il créa et s'attribua le ministère de l'Agriculture et de la Colonisation. Arthur Turcotte devint procureur général. Georges Duhamel devint commissaire des Terres de la Couronne. Pierre Garneau devint commissaire des Travaux publics.

_____

(1) *Compte rendu dans* l'Electeur *du lendemain.*

Joseph Shehyn restait trésorier provincial. Ernest Gagnon restait secrétaire provincial. David Ross restait ministre sans portefeuille (8 mai 1888). Mercier voulait montrer l'importance attachée au nouveau ministère de l'Agriculture et de la Colonisation. Il s'adjoindrait le curé Labelle, avec le titre de sous-ministre.

Il fallait toutefois l'autorisation de Mgr Fabre, archevêque de Montréal, dont dépendait la cure de Saint-Jérôme. Plus effacé que son prédécesseur, Mgr Fabre était un évêque prudent. Il s'entourait de prêtres distingués et diplomates — les abbés Bruchési, Emard, Joseph-Alfred Archambault, Zotique Racicot, futurs évêques ou même archevêques — qui ne dînaient ni avec Beemer ni avec Dansereau. Il n'avait pas goûté l'entremise du curé Labelle dans les fameux pourparlers de coalition entre Chapleau et Mercier. Plus que jamais, au lendemain de l'affaire Paradis. Mgr de Montréal bloquerait l'entrée d'un de ses prêtres dans la haute administration, et presque dans la politique provinciale. Mercier pria simplement Mgr Fabre d'autoriser le curé Labelle à consacrer un mois de son temps à la réorganisation des services de colonisation à Québec[1]. L'archevêque, qui eût refusé l'autorisation d'occuper un poste permanent[2], accorda, comme à regret, l'autorisation restreinte sollicitée par le premier ministre. Surpris de la voir si largement interprétée, il ne dit rien.

Voilà le curé Labelle assistant-commissaire, au-

---

(1) *Lettre du 9 mai 1888; aux archives de l'Archevêché de Montréal.*

(2) *Ainsi que le prouve sa lettre du 13 décembre 1899 à Mgr Labelle; copie aux archives de l'Archevêché de Montréal.*

trement dit sous-ministre, de l'Agriculture et de la Colonisation. Mercier adoptait ses plans, déjà endossés par les deux sociétés de colonisation, celle du diocèse de Montréal et celle du diocèse d'Ottawa. Le curé Labelle répétait, dans ses conversations et dans ses lettres: "Mon chemin de fer est plus assuré que jamais." Il se vit en mesure d'accomplir un bien immense. Car, Mercier le savait, et la faconde du personnage ne doit pas nous le faire oublier: un grand amour inspirait l'homme, le prêtre, qui voulait à tout prix créer des paroisses, soutenir des colons, "mettre des Canadiens à la place des pruches et des épinettes". Il s'attelait à la tâche canadienne par excellence, et c'est pourquoi son nom n'éveillait pas seulement la popularité et le respect, mais, dans d'innombrables coeurs, une affection reconnaissante.

Et c'est pourquoi aussi l'opinion fut encore frappée — et enchantée. Pour la première fois en Amérique, un prêtre occupait un tel poste officiel. A Saint-Jérôme, le curé Labelle annonça lui-même en chaire sa nomination, et son sermon dominical tourna au panégyrique de Mercier. Dans la *Presse*, Nantel, député conservateur, lieutenant et ami de Chapleau, félicita chaudement Mercier. Le Père Turgeon, le Collège Sainte-Marie, et l'ordre des Jésuites tout entier, ne juraient plus que par M. Mercier. Trudel se félicitait tous les jours d'avoir soutenu Mercier. Les orateurs "nationaux" entonnaient des dithyrambes en l'honneur de Mercier. La presse ministérielle, stylée par Pacaud, tressait des couronnes à l'honorable M. Mercier.

Cinq élections partielles eurent lieu avant la session de 1888. Un seul des cinq comtés, Shefford, avait élu un "national" le 14 octobre 1886. Il réélut un ministériel: de Grosbois. Evariste Leblanc se fit réélire dans le comté de Laval, et les bleus gardèrent aussi Missisquoi. Mais Hochelaga, citadelle conservatrice, élut le conservateur national Charles Champagne; et Maskinongé élut le conservateur national Joseph-Hormisdas Legris, cultivateur entreprenant, originaire de la Rivière-du-Loup, mais fixé à Louiseville et devenu secrétaire-trésorier de la municipalité. Deux sièges perdus pour les bleus, deux sièges gagnés pour Mercier. La population de Missisquoi était anglaise, et la minorité anglo-protestante boudait le gouvernement "national". Elle se plaignait de n'avoir qu'un représentant dans le ministère. A quoi les libéraux et les nationaux répliquaient: Commencez par élire des amis, non des adversaires du gouvernement, et nous choisirons parmi eux des ministres.

Mercier ne bâtissait pas sur les nues. Il était assuré d'une majorité accrue, à la rentrée — fixée au 15 mai. En même temps, il procédait à l'épuration du Conseil législatif. Il persuada plusieurs conseillers de démissionner, moyennant diverses compensations, et les remplaça par autant de ses partisans. Ce procédé, aussi simple que la suppression du Sénat provincial, ne hérissait pas le sénateur Trudel. La dernière fournée comprit Louis-Philippe Pelletier, Wilfrid Prévost (le vieux champion libéral des Deux-Montagnes), et le riche négociant montréalais Louis Tourville. A son arrivée au pouvoir, Mercier n'avait au Conseil qu'un seul partisan avoué: Rémillard. A la veille de la session de 1888, il en comptait une dizaine.

Et l'administration générale, la voirie, les ponts, les chemins de fer — Beausoleil aurait son embranchement! — marchaient de pair avec l'agriculture, la colonisation, et même le rapatriement des Canadiens des Etats-Unis, sous l'impulsion personnelle du premier ministre.

*   *   *

La session s'ouvrit le 15 mai, dans une atmosphère étonnante de calme: la bonace des marins. L'opposition et les ministres firent assaut de courtoisie. Joseph-Emery Robidoux, député de Châteauguay, prononçait des discours fleuris. "L'honorable député", dit Taillon, "nous offre un bouquet des fleurs les plus variées; il y manque seulement des pensées." Taillon n'alla guère au delà de pareilles boutades, souvent spirituelles, et toujours sans méchanceté. Décidément, il ne retrouvait plus l'énergie déployée pendant la campagne électorale. Même lui, ne se sentait pas de force à persévérer contre le victorieux. Mercier n'avait rencontré qu'un seul adversaire à sa taille: Chapleau. Les conservateurs provinciaux attribuèrent à leur chef des aspirations à la magistrature.

Dès le discours du Trône et les débats sur l'adresse, Mercier aborda de grandes questions, annonça de grandes mesures. Il parla de l'indépendance éventuelle du Canada, qui peut arriver sans secousse et sans haine, comme le fils atteignant sa majorité quitte la maison parternelle pour devenir lui-même chef de famille. Il indiqua l'importance qu'il attachait à la colonisation, ainsi qu'aux chemins de fer, reconnaissant avec élégance les oeuvres utiles entreprises par ses prédécesseurs, et qu'il se proposait de compléter. Il projetait de développer les vallées de la Gatineau, du Saint-Maurice et du Lac-Saint-Jean, de subventionner leurs chemins de fer, et de relier leurs régions septentrionales par une voie ferrée circulaire. En somme, il adoptait le grand projet du curé Labelle, dont il annonça officiellement la nomination au poste de sous-ministre. Le curé Labelle est un conservateur notoire, ami de M. Chapleau et de M. Nantel, mais, dit Mercier, "il n'y a pas pour moi de chemin de fer bleu ni rouge, et la vraie politique n'est pas de renverser les actes des adversaires, mais de les compléter... Le curé Labelle a mis sa main dans la mienne; nous irons au-devant du colon, nous lui porterons secours, et ce ne sera pas un parti, mais l'Eglise et l'Etat qui se donneront la main." Enfin et surtout, Mercier annonça la solution prochaine de la grande question des biens des Jésuites.

C'était un programme de politique large, positive, déroulé avec calme par un homme sûr de soi, par un chef. Dans les bureaux, dans les couloirs du Parlement, on rencontrait le curé Labelle rayonnant: "Mon chemin de fer est plus assuré que jamais!" La plupart des votes donnèrent à Mercier une majorité de treize ou quatorze voix.

Les débats commencèrent sur les résolutions de la Conférence interprovinciale, déjà homologuées par les législatures des quatre autres provinces représentées à la Conférence, en vue de leur communication au gouvernement impérial. Le débat le plus vif s'engagea sur le projet de transférer le droit de désaveu du gouvernement d'Ottawa à celui de Londres.

Flynn et Thomas-Chase Casgrain combattirent les résolutions; ils se prononcèrent en faveur d'un gouvernement fédéral puissant, et de la fusion des races en une nationalité canadienne. David protesta, réclamant avec éloquence le maintien de la race canadienne-française comme nationalité distincte. Entente, dit-il, soit, mais pas fusion; il serait aussi insensé de vouloir détruire la race canadienne-française en Amérique que de prétendre anéantir la race française en Europe.

La Chambre adopta les résolutions, mais le Conseil législatif témoigna d'autant moins d'enthousiasme qu'une des résolutions prévoyait, facilitait sa suppression. Mercier n'avait pas encore la majorité à la Chambre haute. Il ne courut point au-devant de l'échec. Il laissa les résolutions en suspens, et elles ne furent pas transmises à Londres. D'ailleurs le gouvernement d'Ottawa entretenait à Londres un agent, officieux mais influent, sir John Rose.

L'incident fortifia chez Mercier le désir de s'assurer au plus tôt une majorité au Conseil législatif. Louis Archambault abandonna son siège en faveur de son fils Horace, l'un des conservateurs nationaux qui avaient pris la parole à la grande assemblée du Champ de Mars, et suivi Mercier pendant toute la campagne Riel. Horace Archambault, professeur de Droit à la Faculté Laval de Montréal, n'avait que trente et un ans; il était le beau-frère de Louis-Philippe Pelletier, de sorte que les deux beaux-frères furent les benjamins de la Chambre haute provinciale. Horace Archambault resterait fidèle à Mercier jusque dans la mauvaise fortune.

A la Chambre, plusieurs lieutenants de Taillon dépassaient leur chef en opiniâtreté. C'étaient surtout Flynn, pointilleux; Thomas-Chase Casgrain, acharné; Evariste Leblanc, esprit distingué mais partisan jusqu'à la moelle des os; Louis-Georges Desjardins, méthodique et qui doutait de la sincérité de Mercier; Faucher de Saint-Maurice, qui harcelait les ministres de questions sur tous les sujets, comme avait fait Mercier dans l'opposition. Faucher de Saint-Maurice avait gardé la barbiche à l'impériale et le cran des chasseurs à pied. Grand admirateur du curé Labelle, il refusait toutefois de rendre les armes devant sa nomination infra-ministérielle. Faucher de Saint-Maurice, député de Bellechasse, somma le gouvernement de reconnaître l'importance vitale de la construction du pont de Québec, et de préciser son attitude à ce sujet. Mercier reconnut très volontiers l'importance du pont de Québec, réitéra sa promesse écrite à la délégation du 3 mai, et proposa lui-même (séance du 11 juin 1888) un amendement par lequel la province s'engageait à fournir sa part, pourvu que le fédéral fournît la sienne. Car, dit Mercier, il ne s'agit pas de sentiment, mais d'affaires. La province a contribué aux frais de construction du C.P.R.; les autres provinces doivent contribuer aux frais de construction du pont de Québec, entreprise d'intérêt national. Le pont de Québec sera le dernier chaînon du réseau canadien, ininterrompu de l'Atlantique au Pacifique, selon la grande pensée de Georges-Etienne Cartier. Il faut que le commerce de l'Ouest passe par Québec, non par les Etats-Unis. Tout cela est très réalisable, dit Mercier, moyennant la bonne volonté d'Ottawa; et il remercie Faucher de Saint-Maurice, qui lui a fourni l'occasion de relancer le gouvernement fédéral.

Peu après, en proposant de nouveaux subsides aux chemins de fer (à celui du Lac-Saint-Jean en particulier, afin d'en finir avec cette région pour passer à une autre l'année suivante), Mercier fit réserver $10,000 pour les travaux d'exploration préliminaires à la construction du pont de Québec. Il dit: "Québec est le boulevard de notre autonomie, la clef de voûte de nos institutions. En travaillant à la prospérité de Québec, nous travaillerons pour la province."

Du coup, Mercier s'assurait, dans le district de Québec, l'approbation du peuple, celle des hommes d'affaires, et celle de plusieurs chefs conservateurs comme Tarte, membres de la compagnie qui espérait construire le pont. Le *Chronicle* et le

Canadien applaudirent. *L'Electeur* promit à Mercier l'éternelle reconnaissance de la ville de Québec.

Le premier ministre fit encore voter la nomination de deux magistrats de district à Montréal, où le gouvernement fédéral se refusait à augmenter le nombre des juges, malgré la congestion des rôles. Puis il aborda la grande affaire de la session, l'une des grandes mesures de son règne, la question des biens des Jésuites.

Mercier avait négocié avec le Père Turgeon, rentré de Rome. Le gros point à débattre était le montant de l'indemnité. Autrefois, lors des premiers et vagues projets de règlement, on évaluait à un, voire deux millions, l'indemnité probable. Projets chimériques. Le Père Turgeon demande la moitié de la valeur d'un ancien terrain des Jésuites, celui qu'occupent aujourd'hui le Champ de Mars, l'Hôtel de Ville et le Palais de Justice à Montréal. Evaluation difficile, et chiffre encore trop élevé. Pourquoi ne pas s'en tenir aux $400,000 mentionnés dans le mémoire de Boucherville, du 14 février 1885? Mercier prévoit l'opposition de Laval et les clameurs des protestants. Il prie son ami Turgeon de l'aider, en réduisant ses exigences.[1]

Voici justement une escarmouche. Mgr Benjamin Paquet, devenu recteur de Laval, demande une subvention — indispensable, dit-il, pour empêcher la fermeture de l'Université. Laval tient-elle à la subvention, ou cherche-t-elle simplement à influencer en sa faveur le partage éventuel de l'in-

_____

(1) *Principales sources pour l'ensemble de ce passage:*

a) *Débats de la Législature de Québec pour 1888, publiés par Alphonse Desjardins (y compris plusieurs documents produits par Mercier).*

b) *Archives du Collège Sainte-Marie à Montréal.*

demnité, à fournir un argument à l'abbé Brichet, toujours au travail à Rome? Au seul nom de Laval, les ultramontains dressent l'oreille. Flynn, professeur à Laval, présente la demande à la Chambre. Mercier invoque le refus opposé par le gouvernement Ross, deux ans plus tôt, à la même requête. L'état financier de la province, a répondu M. Ross, ne permet pas d'augmenter les crédits affectés à l'instruction supérieure. Or, la situation n'a pas changé... Voilà Mercier, allié des Jésuites et des ultramontains, rejoignant les idées et reprenant les attitudes de Taillon. Plus encore: au cours de la discussion, Mercier rappelle qu'il a contribué, par son vote, à permettre l'établissement de Laval à Montréal; et il laisse entendre qu'il le regrette et le corrigera peut-être:

"En face de la situation qui nous est faite, je me demande si mon vote de 1880 n'a pas été nuisible à l'Université Laval, et si, en lui permettant de diviser ses forces, nous n'avons pas exposé cette excellente institution à une ruine certaine. Je me demande si le jour n'est pas arrivé où elle devra concentrer toutes ses forces à Québec pour se maintenir..."

—"On soulève de nouveau la question universitaire à Montréal!" observe Tom-Chase Casgrain. Cette question a-t-elle jamais disparu, depuis la Confédération? La bataille entre Laval et les ultramontains se rallume, avec Mercier, cette fois, dans le camp ultramontain.

C'est dans ces conditions très difficiles que Mercier présente son projet, le 28 juin. De nombreux prêtres, des Pères Jésuites, l'ancien lieutenant-gouverneur Masson et le prince Roland Bonaparte assistent à cette séance.

Dans un discours solide — documenté de première main par les Pères! — Mercier brosse l'his-

torique de la question, et souligne les avantages
d'un règlement définitif. Il n'hésite pas à qualifier
de spoliation le bref de George III. Et il explique
pourquoi. D'après le droit des gens, la conquête ne
confère au vainqueur aucun titre sur les biens des
particuliers et des corporations. Il faut remonter
aux temps barbares pour voir le vainqueur confis-
quer les biens du peuple vaincu. En régime civilisé,
le souverain vainqueur se substitue au souverain
vaincu, sans plus. Devant une Chambre attentive,
devant les galeries pleines de professeurs, Honoré
Mercier traite la question de haut et dans toute
son ampleur, en homme d'Etat.

Il offre aux Jésuites, qui l'acceptent. une indemnité de $400,000 et la rétrocession des droits du
gouvernement sur la commune de Laprairie. La
disposition des $400,000 sera laissée au pape.
L'accord deviendra définitif par la ratification du
Saint-Siège, sûr moyen de lier obligatoirement tous
les catholiques. Afin d'apaiser les Anglo-protestants, une somme de $60,000, destinée à leurs uni-
versités et collèges, sera mise à la disposition du
Comité protestant du Conseil de l'Instruction publique. L'affaire des Biens des Jésuites, pendante
et irritante depuis quatre-vingt-huit ans, sera réglée à jamais.

On eut l'impression d'un coup de maître. Une
infime poignée d'intransigeants esquissèrent des protestations. Tardivel trouvait dérisoire le chiffre de
l'indemnité. C'est une moquerie, écrit-il aux Pères
Jésuites: "Il ne sera pas dit que dans une circonstance aussi grave pas un seul laïc de la province de
Québec n'a élevé la voix pour dire: Non!" Sans
aller aussi loin, Mgr Laflèche donne longuement
ses instructions au député Duplessis, dans ce sens:
Le gouvernement doit, en principe, restituer la valeur intégrale des biens. S'il ne le peut, il doit, en

débiteur honnête, accomplir l'effort maximum.
Guidez-vous sur ces principes. [1]

Les Pères Jésuites calment Tardivel, ami trop
zélé. De son côté, l'Université Laval pense revenir
à la charge, réclamer une indemnité particulière.
Mais Flynn et Casgrain, professeurs à Laval, sentent le terrain peu propice, et renoncent à une nouvelle bataille. Autant agir à Rome, puisque le
Pape distribuera les fonds. Taillon déconseille toute
opposition. Seuls, deux députés anglais et protestants, Hall et Owens, se lèvent pour présenter des
objections. Ils n'insistent pas. Le projet passe
comme une lettre à la poste, à l'unanimité dans
les deux Chambres.

Un coup de maître. À tous les points de vue,
puisque les prédécesseurs de Mercier envisageaient
une indemnité plus forte. L'opinion admire le
chef qui a conclu ce règlement. Trudel jubile.
L'Electeur, dont plus d'un rédacteur, de Buies à
Fréchette, sent le fagot, célèbre, sur le mode lyrique,
le geste réparateur de Mercier, l'illustre compagnie
de Jésus, la diplomatie de Léon XIII. Thomas Chapais rend justice à Mercier, dans le *Courrier du
Canada,* comme il avait salué le triomphe oratoire de Laurier:

"*M. Mercier a fait un bel exposé de la question. Nous
pensons assez peu souvent comme lui pour être heureux
de lui rendre justice quand nous croyons qu'il a raison.*

"*Voilà une grande iniquité redressée, une grande spoliation réparée. La province de Québec devait faire cette
réparation.*"

La province de Québec devait faire cette répa-

_____

(1) *La lettre de Tardivel et l'original de la lettre de
Mgr Laflèche sont aux archives du collège Sainte-Marie,
à Montréal.*

ration; cependant, personne n'y est parvenu avant Mercier. La sensation est éclatante. Dans tous ces dithyrambes, on oublie un peu les autres artisans de cette grande réussite: le Père Turgeon, Rodrigue Masson. Esprit large, le Père Turgeon comprend les besoins de la politique, et ne chicane pas sur les détails. Il applaudit de tout cœur au succès de son ancien "général". Il repart pour Rome, où se règlera la distribution des $400,000. Mercier lui exprimera par lettre, à toutes fins utiles, son désir de voir le Saint Père attribuer toute la somme à la Compagnie. Quant à l'ancien lieutenant-gouverneur Masson, désabusé et désintéressé, il n'a cherché qu'à se rendre utile. "Votre affaire est réglée" a-t-il dit à Mercier, en lui remettant les documents. Ce sera bien "votre affaire", l'affaire de Mercier, qui ne fuit pas la publicité. Le chef, assez naturellement, assume la responsabilité et la gloire.

Le 2 juillet, Mercier reçoit à dîner, au Parlement, en l'honneur du prince Roland Bonaparte. Il invite Mgr Marois, de l'archevêché, le consul de France Dubail, le curé Labelle, l'Orateur du Conseil législatif de La Bruère, l'Orateur de la Chambre Marchand, le chef de l'opposition Taillon. Le surlendemain, un télégramme annonce que le Pape décerne à Mercier la grand'croix de l'ordre de Saint-Grégoire, la plus haute distinction jamais accordée à un laïc dans le nouveau monde (Masson est commandeur).

*   *   *

La session n'était pas finie. Georges Duhamel, commissaire des Terres de la Couronne, présentait un bill important: la nouvelle loi forestière promise par Mercier, au cours de l'été précédent, lorsqu'il fallait assurer l'élection d'Alfred Rochon, soutenu par le Père Paradis.

Et c'est le Père Paradis, le missionnaire barbu, entreprenant et démagogue, en délicatesse avec son provincial, qui avait préparé le nouveau projet, ensuite retouché par le curé Labelle.[1] Le sous-ministre de la Colonisation voulait une loi "conciliant les intérêts du colon, du marchand de bois et du gouvernement". En fait, il endossait les réclamations du Père Paradis, champion des colons. De sorte que la nouvelle loi supprimait la réserve forestière créée par la loi du 10 septembre 1883 (gouvernement Mousseau), et qui fermait à la colonisation les terres publiques de plusieurs cantons. Elle empêcherait, par diverses mesures, le retour d'incidents tels que les procès du Père Paradis. Les marchands de bois n'obtiendraient plus de 'limites" aux endroits habités. Le colon, usufruitier perpétuel de sa terre, avec droit de coupe et de vente du bois, verserait une redevance à l'État provincial, comme les marchands de bois. Il devrait toutefois respecter les arbres sur une "réserve" de vingt acres par lot de cent acres, afin d'éviter le déboisement. Les minéraux découverts sur les concessions appartiendraient à l'Etat provincial.

Il incombait à Georges Duhamel, ministre des Terres, de présenter le projet. Mais le curé Labelle préparait l'opinion. "Il faut seconder M. Duhamel, tous, le mieux que nous pourrons", écrivait-il à Buies. Et Buies chanta les louanges du projet dans *L'Electeur*. Le journal de Trudel, *L'Etendard*, applaudit à "l'émancipation du colon". A la Législative, le curé Labelle réussit, cette fois, à rallier deux députés conservateurs de ses amis, Nantel

(1) *Déclaration du secrétaire provincial Gagnon à la Législative, séance du 22 janvier 1889 (Débats de la Législature de Québec).*

et Faucher de Saint-Maurice. Tous deux approuvèrent la nouvelle loi. A peu près seul, William-
Joseph Poupore, député de Pontiac, plaida ouvertement la cause des marchands de bois; il dé-
crivit les terres constituant la réserve forestière
comme impropres à la colonisation. Le bill fut
adopté le 7 juillet par 30 voix contre 14: la majorité s'affermissait.

Enfin Mercier présenta son projet de conversion
de la dette. Des titres uniformes remplaceraient les
différents titres, bons et obligations émis par la
Province, lors de six grands emprunts déjà con-
tractés. Les détenteurs d'obligations pourraient,
soit les monnayer, soit les échanger contre les nouveaux titres, ne portant que 4 p. 100 d'intérêt. Des
banquiers européens financeraient l'entreprise.

Cette fois, l'intrépide Mercier touchait aux cof-
fres-forts, affrontait les gros intérêts économiques.
La Banque de Montréal détenait un fort paquet
d'obligations de la province. A l'assemblée annuelle des actionnaires, le président de la Banque, sir
Donald Smith, qui était aussi directeur du C.P.R.,
protesta hautement:

*"Nous avons lu dans les journaux que, d'après le pre-
mier ministre de la province de Québec, il serait possible et même parfaitement légal de faire rentrer ces obligations au pair et de les consolider à un taux d'intérêt
moins élevé, sans le consentement des porteurs. Nous
pouvons à peine supposer que l'honorable M. Mercier
ait fait une pareille déclaration. J'espère que les paroles
de l'honorable monsieur ont été mal interprétées. Je ne
puis croire que le gouvernement de la province se ser-
virait de ces obligations et de ces garanties comme s'il
n'existait aucune convention entre le débiteur et le
créancier. Il pourrait être préjudiciable au crédit du
pays qu'une pareille rumeur se répandît jusque sur les
marchés monétaires de l'étranger."*

De créancier à débiteur, sir Donald Smith infligeait un avertissement. Mercier passa outre. Faucher de Saint-Maurice vota encore pour cette mesure, adoptée par 30 voix contre 12. L'opposition, grignotée de mois en mois, de vote en vote, tombait à moins de quinze voix — comme l'opposition jadis commandée par Mercier et qui paraissait sans espoir!

Le Conseil législatif opposa encore la dernière résistance. Les adversaires de Mercier reprirent les arguments de Donald Smith, et prédirent que la conversion porterait un coup terrible à l'honneur et au crédit de la province. Le lieutenant-gouverneur Angers exprimait confidentiellement, et vainement, la même opinion à Mercier.[1] Au Conseil, partisans et adversaires de la conversion semblaient en nombre égal. Starnes et Charles-Louis Champagne se déclarèrent prêts à voter la conversion si le gouvernement la rendait facultative — si, agissant par persuasion plutôt que par force, il laissait les obligataires libres de garder ou d'échanger leurs titres. Garneau en prit l'engagement formel, au nom du gouvernement, et le bill fut voté par deux voix de majorité, celles des conservateurs Starnes et Champagne.

Les députés portèrent à $800 leur indemnité sessionnelle, et la deuxième session de la sixième législature fut close le 12 juillet 1888. Les subsides aux chemins de fer, le pont de Québec, la loi de colonisation, les biens des Jésuites et la conversion de la dette: aucune session précédente n'avait abordé et réglé autant de grandes questions. A plusieurs reprises, on avait élevé les débats, affirmé de hauts principes; et la plus importante et la plus

(1) *Correspondence of Sir John A. MacDonald, publiée par sir Joseph Pope; lettre d'Angers à MacDonald, du 13 septembre 1888.*

difficile des mesures, devant laquelle les gouvernements précédents avaient échoué, était passée à l'unanimité. Mercier réclamait, auprès du gouvernement fédéral, le recul de la frontière septentrionale jusqu'à la Baie d'Hudson, ce qui eût presque doublé la superficie de la province. Ses conceptions s'amplifiaient, après chaque série de réussites. Ce premier ministre ne possédait pas seulement une belle amplitude de vision et une grosse capacité de travail, mais aussi un instinct de grandeur. Un pareil élan chez les chefs force l'admiration du peuple, et souvent son amour. Mercier fit en Gaspésie, pour ses vacances, un voyage triomphal. Pendant ce temps, Laurier, chef de l'opposition fédérale, poursuivait une brillante tournée oratoire en Ontario.

* * *

Dans l'intervalle des séances, comme dans ses journées de vacances bien remplies, Mercier, reçoit, auprès du peuple et parmi les siens, les signes tangibles de son bonheur. A Saint-Jacques de Montréal, son église paroissiale, il marie sa fille Elise au jeune avocat Lomer Gouin. Le curé de Saint-Jacques est un des frères du marié; les deux jeunes frères de la mariée, Honoré et Paul-Emile, servent la messe. Mercier tient à une cérémonie simple et à une assistance restreinte: une soixantaine d'invités, parmi lesquels le consul général de France, Dubail.

Le petit confort bourgeois de Saint-Hyacinthe a rapidement fait place à la vie large. La maison de la rue Saint-Denis ne désemplit pas; et le voisin Fréchette — le poète — l'anime de son perpétuel entrain. Le premier ministre, maître du pouvoir et des faveurs, dispensateur de places lucratives, est encensé, adulé, parfois flagorné: on le sait sensible aux éloges. L'imprimerie de *L'Electeur* reçoit des contrats avantageux. Pacaud réunit une collaboration brillante: Fréchette, qui publie des récits de voyage en France; Ulric Barthe, qui publie des récits de voyage au Lac-Saint-Jean; Napoléon Legendre, qui traite de linguistique et de littérature; Arthur Buies, publiciste presque attitré du curé Labelle; James MacPherson LeMoine, futur président de la Société Royale du Canada. Et surtout, *L'Electeur* publie à toute occasion des louanges démesurées de Mercier — et Mercier, chez qui perce une pointe de mégalomanie, ne s'aperçoit pas qu'-elles sont démesurées.

*   *   *

L'opposition n'était tout de même pas anéantie; elle s'arc-boutait sur le parti conservateur fédéral, maître du pouvoir à Ottawa. Et des difficultés surgissaient au sein même du parti ministériel.

Les cinq commissaires désignés par le gouvernement pour enquêter sur les asiles d'aliénés avaient terminé leur mission. Trois d'entre eux, le Dr Duchesneau, le Dr Lavoie et le colonel Rhodes, remirent un rapport sévère pour l'asile de Saint-Jean-de-Dieu et bien plus sévère encore pour l'asile de Beauport. Nourriture chiche, salles malpropres, service médical négligent: à les en croire, tout allait mal. Ces trois commissaires recommandaient la résiliation du contrat conclu avec les propriétaires de Beauport — Philippe Landry et ses associés. Mais les deux autres commissaires, le Dr L.-B. Durocher et l'avocat Nazaire Bourgoin, n'approuvaient pas ce rapport. Les trois rapporteurs, et surtout le Dr Duchesneau, ancien préfet du pénitencier de Saint-Vincent-de-Paul, étaient de francs libéraux; les deux dissidents, et surtout le Dr Durocher, professeur à l'Ecole Victoria, de francs conservateurs. Les conservateurs et les ultramontains qualifièrent le rapport de tissu de mensonges, d'œuvre partisane et sectaire.

Autant de symptômes de la fragilité de l'alliance entre les libéraux et les ultramontains de *L'Etendard* et de la *Vérité*. Tout opposait ces deux groupes d'hommes: idées, tempérament, souvenirs du passé. Qu'ils fussent alliés pour une élection, voire pour une campagne électorale, passe encore. Que l'émotion de l'affaire Riel ait voilé un moment leurs divergences, cela se conçoit. Mais au cœur d'une telle alliance agissaient à la longue tant de forces centrifuges qu'il fallait la volonté formelle et persistante de Mercier pour maintenir le faisceau. Plusieurs grandes mesures de Mercier semblaient impliquer non plus un rapprochement d'opportunité, mais un rapprochement doctrinaire avec le sénateur Trudel.   Lorsqu'au lendemain de la session, le R. P. Turgeon et Mgr Paquet, recteur de Laval, partirent simultanément pour Rome, tout le monde comprit qu'ils allaient se livrer une dernière bataille, avant la répartition de l'indemnité par le Pape. Mais les initiés croyaient en savoir plus long: le Jésuite redemanderait une université indépendante à Montréal, et le recteur s'y opposerait. On se rappela la déclaration toute récente de Mercier en Chambre: "Je me demande si le jour n'est pas arrivé où l'Université Laval devra concentrer toutes ses forces à Québec..." Mercier, qui avait reconnu et indemnisé les Jésuites, leur procurerait-il encore le droit d'ouvrir une université à Montréal ?

Que de pareils coups fussent portés par le chef libéral, c'était bien le comble pour le camp de Laval, et pour ces libéraux avancés de l'école de la *Patrie,* naguère groupés autour de Beaugrand. Les plus âgés d'entre eux, les plus raisonnables, admet-

taient la nécessité des concessions: le pouvoir vaut
bien une messe, même célébrée par un Jésuite et
servie par le "grand vicaire" Trudel. Mais de jeunes intransigeants se rebellèrent. Ils fondèrent à
Québec un hebdomadaire, *L'Union libérale,* dans
le but affiché d'exiger la rupture avec les conservateurs nationaux. [1] Ils se réclamaient de "la
vieille garde libérale", Papineau, Dorion, Doutre,
Fournier, etc. Deux d'entre ces jeunes gens, Adélard
Turgeon et Alexandre Taschereau, devaient se
tailler de belles carrières, mais pour l'instant le futur président du Conseil législatif et le futur premier ministre — neveu du cardinal — ne son-
geaient qu'à rompre des lances avec Trudel et Tardivel, "les deux plus fameux cagots de la création".
A *L'Union libérale,* on appelait *L'Etendard* et la
Vérité "les organes des Jésuites"; au Collège Sainte-
Marie, on appelait *L'Union libérale* "l'organe des
anciens élèves de Laval".

Mercier maintient l'alliance, en répétant: "Je
ne demande jamais à un allié d'où il vient, mais où
il va." Les jeunes libéraux n'osent répliquer directement à Mercier, qui leur en impose. Mais, dans
leurs parlotes, ils reprochent au premier ministre
ses concessions "exorbitantes" aux conservateurs
nationaux. Ils disent: 'Nous avons le pouvoir; ils
ont les places." *L'Union libérale* entre immédiatement en polémique avec la *Justice.* Les jeunes ré-

(1) *Voici les noms et les pseudonymes des collaborateurs de L'UNION LIBERALE, les quatre premiers portant le titre de directeurs: Edouard Taschereau (Mar-
cellus), Nazaire Ollivier (Paul-Emile), Blaise Letellier
(Maso), Edmond Paré (Fantasio), Arthur Delisle
(Fernando), Philéas Gagnon (Biblo), Adélard Turgeon
(Donoso), Alexandre Taschereau (Turpin), Edouard Dorion (Carolus), Philéas Corriveau (Furet), L. Brunet
(Crispin), J.-P. Turcotte (Joseph-Pierre), Miville-De-
chène (Mets-ta-cent). Liste relevée sur une photo ap-
partenant à M. Maurice Ollivier, fils de Nazaire Ollivier.*

voltés — car c'est presque une révolte — se couvrent du prestige de Fréchette. Celui-ci remporte,
en France même, un réel succès avec sa *Légende
d'un peuple,* où l'on sent un souffle d'épopée. Il
demande à Mercier, poursuivant son épuration du
Conseil législatif, un siège à la Chambre haute.

Ancien député, vétéran de rudes campagnes dans
le comté de Lévis, Fréchette a l'âge de Mercier, à
quelques mois près. Ce beau garçon aimable, enjoué, récitant bien les vers — les siens, de préférence — est de toutes les fêtes, et fréquente assi-
dûment chez Mercier, son voisin et son ami, à
Montréal. Et cependant Mercier, lui refusant un
siège au Conseil législatif, le prie de ne pas insister.

C'est que Fréchette, prompt à la polémique et
même à l'écart de plume, se crée des inimitiés solides. Trudel et Tardivel s'opposent à la nomination
du poète qui, sous le pseudonyme de Cyprien,
les a ridiculisés, plusieurs années durant, dans la
Patrie. Mais la raison principale est plus curieuse.
A la suite d'un différend personnel et d'un procès,
une haine mortelle sépare deux amis de naguère,
Fréchette et Robidoux, également aimables mais,
une fois fâchés, également vindicatifs. Et Robidoux
s'oppose d'une manière résolue à la rentrée de Fréchette dans la politique active. Mercier, ami des
deux antagonistes, a plus besoin du député Robidoux que du poète Fréchette. Les mêmes raisons
font écarter la candidature de Fréchette lors d'une
élection dans le comté de Nicolet. *L'Union libérale*
néglige l'opposition de Robidoux pour mieux se
formaliser de celle des ultramontains. A l'en croire, le poète national est, à cause de ses idées avancées, victime d'un ostracisme de la part du gouvernement national. Un jeune député fédéral, Philippe-Auguste Choquette, approuve les campagnes de
L'Union libérale. Choquette a plus d'énergie que

de style; il appelle les conservateurs nationaux "des sangsues et des boodlers qui travaillent à tuer le parti".

L'Union libérale affichait un zèle intempestif. Fréchette démentit les sentiments qu'on lui prêtait: allié loyal de MM. Garneau et Duhamel, il n'avait nullement à se plaindre du ministère. *L'Electeur* protesta aussi. Il rappela que, sans les conservateurs nationaux, les rouges gémiraient encore dans l'opposition. Quant aux places, sur dix conseillers législatifs nommés par Mercier, trois seulement: Pierre Garneau, Louis-Philippe Pelletier et Horace Archambault, sont des conservateurs nationaux, contre sept libéraux. Puis Beaugrand, Préfontaine, Poirier, Fitzpatrick, C.-A. Geoffrion, etc., n'ont-ils pas reçu des postes ou des missions? Enfin des libéraux ne sont-ils pas à la tête des grandes commissions: le Dr Duchesneau, à la Commission des asiles; Bernatchez, (l'ami Barnèche, soutien de Choquette à Montmagny), à la Commission agricole; David Ross, à la Commission de codification?

Mercier lui-même, à son retour de vacances, profita d'une petite fête à Saint-Laurent de l'île d'Orléans pour affirmer une fois de plus le caractère national du gouvernement (19 août):

"Le gouvernement que j'ai formé est essentiellement national, et restera tel en dépit de tous les efforts qui pourraient être faits pour lui enlever ce caractère.

"Le gouvernement est le résultat d'un compromis, et ce compromis doit être respecté et le sera, quoi qu'on dise. Les conservateurs nationaux ont fait des sacrifices que j'apprécie pour s'unir aux libéraux, et les libéraux, de leur côté, ont fait des sacrifices que j'apprécie pour s'unir aux conservateurs nationaux. Nous n'avons point donné le caractère national au gouvernement par tactique ou manoeuvre politique, nous l'avons fait par conviction; et cette conviction n'étant pas changée, le ca-

ractère du gouvernement ne doit pas être changé non plus.

"*Je regrette infiniment la polémique engagée dans les journaux à ce sujet... Je ne veux point dire qui a tort; je me contente de rappeler aux libéraux, jeunes ou vieux, qu'en 1871 des hommes comme les Dorion, les Letellier, les Fournier, les Holton, les Jetté, les Laflamme, etc., n'ont pas eu honte de renoncer au titre de libéraux pour se contenter de celui de nationaux, et qu'ils ont donné là une leçon dont on devrait profiter en certains quartiers.*

"*Personne n'est obligé de s'appeler national, et personne n'est obligé d'être ministériel. Mais ceux qui sont ministériels doivent être nationaux. S'ils ne veulent pas être nationaux, ils ne peuvent pas être ministériels; c'est à prendre ou à laisser...*"

La *Patrie* et *L'Union libérale* affectèrent de croire ces paroles mal rapportées, car Mercier n'avait pu s'exprimer ainsi. Choquette demanda, par lettre, à Mercier, si les comptes rendus des journaux n'étaient pas tendancieux. Mercier, dans sa réponse, endossa le compte rendu de *L'Electeur* (celui que nous venons de citer).[1]   Beaugrand laissa entendre dans la *Patrie* que les vrais libéraux, les vieux rouges "n'hésiteraient pas à retourner dans l'opposition plutôt que de sacrifier leur nom, leurs traditions, leurs principes".

Mais entre Siméon Pagnuelo, qui voyait dans le rapport de la Commission des asiles la preuve du libéralisme impénitent de Mercier, et *L'Union libérale,* bien près de dénoncer son conservatisme, le peuple trouvait le premier ministre au juste milieu, et les symptômes d'une adhésion générale se multipliaient.

_____
(1) *Lettre aux archives privées du juge P.-A. Cho-quette.*

*   *   *

Restait toutefois le gouvernement fédéral, sur lequel l'opposition conservatrice s'arc-boutait. John MacDonald détestait Mercier, à qui tout l'opposait. Le père de la Confédération tenait à restreindre le plus possible les pouvoirs et le prestige des gouvernements provinciaux — l'étude de sa vie politique et de sa correspondance confidentielle en fait foi — et Mercier cherchait au contraire à développer l'autonomie et le prestige des provinces. John-A. MacDonald pourrait à la fois suivre une de ses maîtresses lignes politiques et faire pièce à Mercier en désavouant quelqu'une de ses grandes lois. Mais laquelle?

Les protestants demandaient le désaveu du bill des Jésuites. Mais n'avait-il pas rallié l'unanimité de la députation, l'unanimité de la province de Québec? La *Minerve* rappela (22 août) que les gouvernements conservateurs avaient amorcé ce règlement, accepté par les députés protestants comme par les députés catholiques, et conclut: "Il serait inopportun, à tous les points de vue, de rouvrir un litige que nous devons considérer comme clos." John-A. MacDonald n'ignorait d'ailleurs pas le rôle d'un grand chef conservateur, Rodrigue Masson, dans ce règlement.

Il y avait encore la conversion de la dette, fort combattue par les gros intérêts économiques. Sir Donald Smith, d'abord estomaqué, s'était plaint à John MacDonald, et ces deux madrés s'étaient mis à creuser leurs sapes. La protestation de Donald Smith, à l'assemblée de la Banque de Montréal, se terminait par cette menace: "Il pourrait être préjudiciable au crédit du pays qu'une pareille rumeur se répandît jusque sur les marchés monétaires de l'étranger..." John MacDonald crut avoir le moyen de réaliser la menace. Dès le 20 juillet, il écrivit à sir Charles Tupper, à Londres:

"...Mon idée est que nous devrions trouver des détenteurs de bons de Québec en Angleterre pour faire une protestation écrite auprès du ministre des Colonies... Il n'y a pas de détenteurs de ces bons au Canada, et par conséquent il n'y a personne de spécialement intéressé à combattre Mercier. Une dépêche pourrait être envoyée au gouverneur général, disant qu'une protestation a été faite, que le gouvernement de Sa Majesté considère le geste comme un acte de répudiation, et appelant l'attention sérieuse du gouvernement fédéral sur ce sujet... Je crois que vous pouvez facilement trouver à Londres un détenteur de bons de Québec pour faire la protestation..."

Et sir John expliquait à Tupper que, de cette manière, paraissant poussé par l'opinion anglaise et par le gouvernement impérial, il pourrait désavouer la loi de Mercier sans trop faire hurler (howl) la province de Québec.[1]

La manœuvre s'exécuta d'autant plus facilement qu'une des firmes anglaises créancières de la province, la firme Morton, Rose et Cie, était presque entièrement constituée par sir John Rose, ami intime et correspondant à Londres de John-A. MacDonald, et gros actionnaire du C.P.R. La Maison Morton, Rose et Cie en tête, de grosses banques de Londres présentèrent au ministre des Colonies, pour être transmise à Ottawa, une requête demandant le désaveu de la conversion.

Un accident déjoua le plan si bien monté: sir Rose mourut à ce moment. Les autres banquiers londoniens n'avaient pas les mêmes raisons de s'acharner. Mercier rassura leurs correspondants, en soulignant la promesse écrite faite au Conseil légis-

---

(1) *Correspondence of Sir John A. MacDonald: Lettre à sir Charles Tupper, du 20 juillet 1888.*

latif, et qui rendait la conversion facultative. Il s'engagea même à insérer cette promesse dans la loi, à la prochaine session.

Force fut aux amateurs de désaveu de se rabattre sur une loi d'importance secondaire: celle qui créait des magistrats de district à Montréal.

C'était l'"Acte amendant la loi relative aux magistrats de district". Elle abolissait la Cour de Circuit de Montréal, où des juges de la Cour Supérieure, déjà débordés d'ouvrage, siégeaient pour connaître de petites causes. Et elle soumettait ces petites causes à deux magistrats de district, nommés par le lieutenant-gouverneur en Conseil, c'est-à-dire par le gouvernement provincial, et recevant un traitement annuel de $3,000.

Mercier avait désigné les deux juges: le conseiller législatif Charles-Louis Champagne et l'avocat Dennis Barry, président de la Société Saint-Patrice de Montréal. Charles-Louis Champagne, l'un des deux conseillers conservateurs qui avaient approuvé la conversion de la dette, et assuré le vote du bill, entrait dans sa nouvelle carrière avec espoir d'avancement. Mercier le remplaçait, au Conseil législatif, par le Dr Marcil, le tribun de Saint-Eustache. Et Mercier se garantissait ainsi la majorité au Conseil, car il exigeait des nouveaux conseillers une promesse d'appui sans réserve.

Ce "noyautage" de la Chambre haute scandalisa les conservateurs, qui flétrirent Charles-Louis Champagne. "Il livre les clefs de la citadelle pour faire entrer l'ennemi dans la place", écrivait la *Minerve*: "c'est une trahison noire!" Et le *Courrier du Canada*:

"Cette honteuse désertion, cette trahison politique comparable à toutes les défections fameuses dont notre

histoire nous a transmis le triste et humiliant souvenir...
Son vote seul empêchait le gouvernement d'avoir la ma-
jorité au Conseil législatif, et ce vote il l'a livré comme
une marchandise!"

Plus pratique, la *Minerve* blâma Mercier d'imposer aux contribuables de la province, en nommant ses magistrats de district, des charges qui in-
combent au Trésor fédéral: Il sacrifie les intérêts
des contribuables aux intérêts de son parti!

Car la question se posait: Cette loi n'empiète-
t-elle pas sur la prérogative fédérale de nommer
les juges? On tenait l'occasion d'un désaveu. Angers ne désirait pas provoquer une crise, et l'écrivait
à sir John. Celui-ci lui répondait: "Il faut mettre
fin à cette tentative pour commencer un règne d'a-
narchie, et je suis sûr que vous serez ferme avec
ce monsieur."[1]   En 1878, lors du "Coup d'Etat"
de Letellier, John MacDonald siégeait dans l'opposition. Il réduisait alors, pour les besoins de la
cause conservatrice, l'autorité des lieutenants-gouverneurs. Il déniait à Letellier de Saint-Just le
droit de refuser sa sanction aux lois provinciales,
et de congédier le cabinet de Boucherville. Mais la
plupart des hommes politiques — et des journalistes — se soucient peu de se contredire.   En
1888, John MacDonald au pouvoir écrivait au
lieutenant-gouverneur Angers: "Je suis sûr que
vous serez ferme avec ce monsieur." Et il fit signer
le désaveu par le gouverneur général.

Le lieutenant-gouverneur devait proclamer le
désaveu, par la voie de la *Gazette Officielle.* Celle-
ci était entre les mains du secrétaire provincial, Ernest Gagnon. Or, Angers, réputé peu commode,

---

(1) *Pour ce passage et la suite: Correspondence . of*
Sir John A. MacDonald, publiée par sir Joseph Pope,
pages 420 et suivantes.

passait pour un ange de douceur auprès d'Ernest Gagnon. Angers fit part à sir John de ses appréhensions et de son désir constant d'éviter une crise. Si le secrétaire provincial refuse cette publication, répondit sir John, nommez-en un autre à sa place, et la responsabilité de la crise tombera sur Mercier.

Au soulagement d'Angers, Mercier laissa publier le désaveu dans la *Gazette Officielle*. Mais il convoqua une grande assemblée de protestation au marché Saint-Jacques de Montréal. Laurier vint à cette assemblée, dénonça "la politique néfaste de centralisation de sir John", et rappela la lutte triomphante du Manitoba contre un désaveu fédéral.

Ottawa fit la sourde oreille. Mercier modifia la loi de manière à ne pas prêter flanc à l'ennemi. La loi de 1869 permettait au gouvernement provincial de nommer des magistrats de district, ayant juridiction jusqu'à $50 et recevant un traitement annuel de $1,200; il y en avait un certain nombre à la campagne. Mercier nomma ses deux magistrats de district à Montréal, en portant leur juridiction à $100 et leur traitement à $3,000 — puisqu'à la ville la vie était plus chère et les causes plus importantes. Et Marcil assura la majorité au Conseil législatif!

Dans ces initiatives et dans ces luttes, Mercier, champion de la province, parlait haut au gouvernement fédéral. Ce n'est certes pas Mowat qui l'eût blâmé. Mowat, il est vrai, n'avait pas extirpé le fanatisme ontarien. De Kingston à Saint-Thomas, de Toronto à Fort-William, les loges et l'*Orange Sentinel* prêchaient la croisade contre "l'homme des Jésuites"; mais le pays de Québec s'attachait davantage à son premier chef nationaliste.

* * *

La voie triomphale était semée de chausse-trappes. Mercier les évita, et n'enregistra, parmi tant de victoires, qu'un demi-échec. Le député fédéral Coursol vint à mourir. C'était, avec Guillaume Amyot, un des derniers conservateurs nationaux de l'arène fédérale que l'affaire Riel séparait encore de son ancien parti. Qui recueillerait sa succession dans la division ouvrière de Montréal-Est, la plus populeuse et la plus versatile de la province?

A.-E. Poirier se porta candidat national "avec les principes affirmés par l'honorable M. Mercier depuis la fondation du parti national". Laurier acquiesçait implicitement à cette reconnaissance de Mercier comme chef de file — symptomatique, puisqu'il s'agissait d'une élection fédérale. Les conservateurs eurent l'adresse d'oublier leurs griefs récents contre Coursol pour ne rappeler que ses services anciens. Ils eurent l'adresse supérieure de ne pas présenter de candidat sous leur étiquette, et d'appuyer le candidat "ouvrier" A.-T. Lépine.

Laurier, Mercier, François Langelier, David, représentant le comté à l'Assemblée de Québec — et promoteur d'une loi exemptant de la saisie les trois quarts des salaires ouvriers —, Louis-Philippe Pelletier, Amyot, Lareau, Préfontaine, Robidoux, Horace Archambault, Sauvalle, Lebeuf, Rodolphe Lemieux, entrèrent en campagne pour Poirier. Les chefs conservateurs Taillon, Chapleau, Langevin, Caron, Alphonse Desjardins, Louis-Georges Desjardins, Joseph Tassé, Vanasse, Curran et Cornellier, entrèrent en campagne pour le candidat "ouvrier".

On discuta le désaveu de la loi des magistrats, et Laurier et François Langelier approuvèrent chaleureusement Mercier. Mais on discuta beaucoup plus les grandes questions fédérales de caractère économique.

Le souvenir de l'élection de Jetté contre Cartier planait encore, après seize ans, sur Montréal-Est. Les libéraux attaquèrent le C.P.R. A son assemblée du 20 septembre, Poirier fit une charge à fond de train contre la puissante compagnie, alliée du gouvernement fédéral:

> "...Le gouvernement aurait pu construire ce chemin pour une somme moindre que celle qu'il a donnée au Pacifique, et le chemin aurait été la propriété du pays au lieu d'appartenir à une corporation qui maltraite aujourd'hui la province de Québec. Je dis que le gouvernement a accordé trop de faveurs à cette compagnie, et le gouvernement vient chercher l'argent dans les vieilles provinces; c'est nous qui fournissons la plus forte partie des revenus du pays; on vient chercher notre argent pour le dépenser d'une manière extravagante dans les régions de l'Ouest, au profit de riches capitalistes. Les directeurs de cette compagnie se retirent tous après avoir triplé, quadruplé leur fortune. C'est ainsi que dernièrement nous avons vu M. Stephen se retirer et céder sa place à un Américain, M. Van Horne, qui la cédera lui-même à d'autres avant longtemps. Nous, nationaux, nous sommes pour une politique d'avancement et de progrès, mais cela ne veut pas dire qu'il faut gorger d'or les compagnies, leur jeter des millions à la pelle, pour en retirer des fonds électoraux..."

Cette doléance des vieilles provinces, fournissant les fonds pour le développement de l'Ouest, contenait du vrai et devait revenir souvent dans l'histoire fédérale. Mais peut-être Poirier choisissait-il mal le moment et l'endroit. La circonscription comptait plusieurs centaines d'ouvriers ou employés du Pacifique, et d'autres électeurs en tiraient indirectement leur provende. D'ailleurs, la prospérité de Montréal, toujours supérieure à celle du reste de la province, fournit un argument majeur dans cette

élection locale. La population, la valeur des propriétés, le nombre des usines, et le total des salaires augmentaient sans cesse. L'industrie de la
chaussure occupait à Montréal 15,000 ouvriers, la
métallurgie 11,000, la confection 2,000. Dix-huit
cents ouvriers fabriquaient la moitié de la production totale de cigares du pays. Comparez, disaient
les orateurs ministériels, comparez Montréal à ce
qu'elle était il y a 25 ans, et même 20 ans, au
lendemain de la Confédération!

A quoi cet état florissant est-il dû? A la protection qui prévient l'avilissement des prix, la fermeture des usines! Ouvriers, voulez-vous tuer la poule
aux œufs d'or?

Or les chefs libéraux, Laurier, Cartwright, etc.,
libre-échangistes notoires, venaient d'adopter, comme article essentiel de leur programme, la "réciprocité", c'est-à-dire la suppression des droits de
douane entre le Canada et les Etats-Unis. On se rappelle le lancement de cette idée par Erastus Wiman,
son adoption par le théoricien libéral Goldwin
Smith, sa recommandation par la conférence interprovinciale de Québec. L'apostille de la conférence
— où siégeaient Mowat, Blair, Fielding, Norquay,
et Mercier lui-même, grandes vedettes — avait sti-
mulé les partisans de la réciprocité. Au lendemain
même de la conférence, le 3 décembre 1887, Erastus
Wiman parlait à Saint-Thomas, Ontario, sur son
sujet favori. Son texte fut édité en brochure, et
répandu. [1] A la suite de l'homme d'affaires Erastus Wiman, le professeur Goldwin Smith se fit
l'apôtre de l'union commerciale. A son tour, Laurier, libre-échangiste de principe afin de mieux rattacher le libéralisme canadien à l'école anglaise de

---

(1) *"The perfect Development of Canada. Is it incon-
sistent with British Welfare?"* (New-York, 1887).

Gladstone, adopta l'idée, la plaça en tête de son programme. Son lieutenant Cartwright voulait encore aller plus loin, et supprimer toutes barrières douanières avec tous les pays.

La "réciprocité" fournirait, dans les campagnes électorales, un objectif à la fois vague et précis, élevé et d'apparence pratique. Le projet, propre à faciliter la vente des produits de ferme dans les centres américains, séduisait les circonscriptions rurales. Mais il était honni dans les villes industrielles. Pour leur malchance, les libéraux affrontaient leur première élection partielle depuis l'adoption de ce projet dans la circonscription la plus industrielle de tout le Canada. Poirier se dit partisan d'une protection "modérée et raisonnable"; mais il ne pouvait désavouer formellement les idées, trop connues, de ses chefs. A Montréal-Est, une fois de plus, les patrons persuadèrent leur personnel que le libre-échangisme des libéraux produirait la ruine et le chômage. Les associations ouvrières, déjà disciplinées, prirent parti pour la protection. Et la *Presse* apporta un puissant renfort à Lépine.

Sous la direction politique de Nantel, la *Presse* était alors rédigée par un Israélite français, Jules Helbronner, qui n'avait pas renoncé à ses idées socialistes en venant au Canada. Intelligent et habile journaliste, il devint le bras droit de Blumhart, et lui succéda comme principal rédacteur. Il procédait par campagnes vigoureuses, à objectif précis, toujours pour réclamer quelque réforme en faveur des ouvriers. Ainsi la *Presse* avait-elle à Montréal-Est le gros de sa circulation — qui atteignait 14,000 exemplaires quotidiens, dépassant nettement la *Minerve*.

Depuis assez longtemps, la *Presse* s'éloignait de Mercier. Le 11 septembre, elle publia un article important, affectant de demander compte à Mercier du programme arrêté en commun, et publié dans ses colonnes à la veille des élections du 14 octobre. A lire la *Presse*, ce n'est pas elle, c'est Mercier qui avait évolué, pour redevenir entièrement, uniquement un libéral. Le journal de Nantel conclut:

"Notre devoir est tout tracé, et nous devons combattre aujourd'hui avec le même désintéressement, la même conviction qu'en 1886, les hommes que nous défendions alors et qui ont si indignement trompé la confiance publique sous d'hypocrites apparences et de machiavéliques calculs."

Mais surtout la *Presse* soutint le candidat "ouvrier" et protectionniste. Elle disait: "Montréal doit sa prospérité: A la protection, au pont et au Pacifique." Helbronner conduisit la campagne en vrai politicien socialiste, multipliant dans ses articles les passages sur ce thème: "Rien d'honorable comme un bon ouvrier!" et encore: "Les ouvriers ont assez d'hommes de talent parmi eux; ils n'ont plus besoin d'avocats ni de marchands pour les représenter!" Et si *L'Etendard* appelait Lépine "le candidat de la "juiverie socialiste", Helbronner s'indignait de cette insulte adressée, disait-il, non pas à lui, mais aux ouvriers!

Cette tactique réussit. Avec l'appoint du vote anglais (contre Mercier, l'homme de l'agitation Riel et des Jésuites!), Lépine remporta une victoire nette, par 663 voix de majorité (3,818 contre 3,155).

La *Minerve* pavoisa et proclama: "Nous avons vaincu la hideuse coalition rouge-castor." Conclusion abusive, puisque l'élection s'était faite sur une question de politique économique fédérale. On peut

à peine parler d'un demi-échec pour Mercier. Et la
série de ses succès n'en fut pas interrompue.

*　*　*

Le 4 octobre, à Saint-Gabriel-de-Brandon, Mer-
cier inaugura le chemin de fer de Montréal et Lac
Maskinongé — le chemin de fer de son associé
Beausoleil.

Depuis des années, les députés successifs promet-
taient cet embranchement — treize milles de long,
de Saint-Félix-de-Valois (comté de Joliette) à
Saint-Gabriel-de-Brandon (comté de Berthier)
— qui éviterait aux "gens du Nord" d'aller à
Saint-Félix ou à Berthier prendre le train de Montréal. Il avait fallu Beausoleil et Mercier pour réaliser la promesse. Et l'on attendait beaucoup de cette ligne pour le développement de la région. Saint-
Gabriel-de-Brandon, bourg de quarante maisons,
doublerait, quadruplerait, décuplerait d'importance. C'est dire la joie de la population — et sa gratitude. L'inauguration fut quasi grandiose. Le
curé sous-ministre Labelle servit la messe et prononça le sermon. Il emplissait la chaire; il abandonnait vite le style académique de son exorde
pour le langage direct et cru des habitants; il communiquait aux fidèles son enthousiasme débordant.
L'après-midi, Mercier prit la parole. A la retraite
aux flambeaux du soir, la joie populaire rompit
tous les barrages. Cette journée est restée mémorable dans le comté de Berthier. Peu après, Beausoleil, président et principal actionnaire de la Compagnie, loua son embranchement au Pacifique-Canadien pour 99 ans.

Le 10 octobre, Mercier assiste à la réception du
lieutenant-gouverneur Angers à l'Hôtel de Ville
de Montréal. Angers, flanqué de Mercier et de

Chapleau, écoute, de son air morose, l'adresse lue par David au nom de la Société Saint-Jean-Baptiste. Le lendemain, à Saint-Hyacinthe, Mercier accompagne encore Angers. Les visiteurs sont accueillis par le maire Casimir Dessaulles, par de La Bruère et par Louis Tellier devenu juge. Adversaires dans plusieurs chaudes contestations électorales, Mercier et Louis Tellier n'ont jamais cessé de s'estimer et de se bien traiter. Mercier s'entend même assez bien avec Angers. Au couvent de Saint-Hyacinthe, c'est une fille de Mercier qui lit l'adresse de circonstance au lieutenant-gouverneur. Voilà qui, avant longtemps, sera curieux à rappeler.

Le 18, c'est à la fête de la Saint-Luc, organisée par l'Ecole de Médecine et de Chirurgie de Montréal, qu'assiste le premier ministre. Le Dr Emery-Coderre est mort le mois précédent, doyen des médecins de Montréal. Son successeur à la présidence, le Dr Hingston, est un Irlandais catholique, digne de maintien et de vie, à la réputation de gentilhomme, et qui fait ses cours en français. Savant médecin, il préconise volontiers des remèdes de simple bon sens. "Voici la manière d'éviter les cors au pied", dit-il, en montrant ses chaussures confortables à bout carré. C'est lui qui dit à un client riche: "Renvoyez votre cocher", et, ceci fait: "Maintenant, rentrez chez vous à pied, car vous manquez d'exercice. Et donnez-moi cinq dollars pour la consultation." La fête de la Saint-Luc comporte un défilé auquel participent Mercier et Mgr Clut, vicaire apostolique du Mackenzie, de passage à Montréal. David prononce un discours. Mercier louange l'Ecole de Médecine, et lui promet son appui. Il a beau ajouter que la promesse n'implique aucune hostilité à l'égard des autres institutions, on voit dans ce geste une nouvelle avance aux ultramontains.

Mercier tient, il est vrai, à son rôle de chef *national* et *catholique*. Cependant, fort de ses réalisations pratiques, il rêve d'une union sacrée autour de sa personne, embrassant les principaux groupes de la province, des ultramontains aux Anglo-protestants, en passant par l'admirable curé Labelle. Mais il rencontre des résistances tenaces. Parmi les ultramontains même, Mgr Laflèche et son entourage, résistant à la propagande du Père Grenier, restent décidément "bleus". D'autres évêques, tel Mgr Duhamel, partisans des méthodes discrètes, n'aiment pas la manière de *L'Etendard* et de la *Vérité*, inspirés, dit-on, par les Pères Jésuites. On n'épargnera rien contre les Jésuites, dans la dernière bataille livrée à Rome autour de leur indemnité. Mercier met le Père Turgeon sur ses gardes[1], et doit aussi se tenir sur les siennes. Enfin, deux autres centres de résistance à la politique nationale de Mercier: le groupe radical et les Anglo-protestants.

Les Anglo-protestants ne sont pas tous farcis de préjugés. Mais ils sentent en Anglais, en protestants, en loyalistes. Le Pape n'est à leurs yeux qu'un souverain étranger, et son intervention dans les affaires d'une province britannique les froisse. Puis ils subissent l'influence des loges, des pasteurs, et des journaux tels que le *Chronicle* à Québec, le *Witness* et le *Star* à Montréal, et le *Gleaner*, de Huntingdon, dans les cantons de l'Est. Hugh Graham, propriétaire et directeur du *Star*, explore et connaît à fond les ressources de la presse. Lorsqu'il a lancé le *Star*, Hugh Graham tenait du pamphlé-

_____

(1) *Lettre de Mercier du 7 octobre 1888, aux archives du collège Sainte-Marie, à Montréal.*

taire, aux ambitions limitées. Mais le *Star* réussit, au delà des espérances; c'est un instrument puissant. Le baron de la presse cherche à frayer avec les barons de la banque et du Pacifique. Hugh Graham interprète et influence les milieux d'affaires anglais. Plus intellectuel, moins ambitieux, Robert Sellar, propriétaire et directeur du *Gleaner*, croit à une conspiration ourdie par le gouvernement provincial et le clergé pour éliminer graduellement la population anglaise des cantons de l'Est. Sellar correspond avec les loges ontariennes.

Pour amadouer la minorité anglaise, Mercier renonce au portefeuille de l'Agriculture, qu'il offre au colonel William Rhodes (7 décembre). Le colonel Rhodes, autrefois mal disposé à l'égard des Canadiens français, est un des rares Anglo-Canadiens qui aient blâmé l'exécution de Riel. C'est un grand vieillard encore vigoureux, au teint coloré, propriétaire d'une grosse entreprise agricole, et qui mêle, comme beaucoup d'autres, la politique et les affaires. Il a présidé la Compagnie du Chemin de fer du Nord avant son acquisition par la province; il préside maintenant la compagnie formée en vue de la construction du pont de Québec. Mercier l'a déjà nommé membre de la Commission d'enquête sur les asiles. En l'appelant dans le cabinet, il espère se concilier les milieux d'affaires anglais, et peut-être le *Chronicle*. On présentera le colonel Rhodes, qui n'est pas député, à l'élection partielle de Mégantic.

Deux autres élections partielles durent se tenir, en cette fin d'année, l'une dans le comté de l'Assomption, l'autre dans le comté de Dorchester. Louis-Philippe Pelletier, trop ardent pour se contenter du Sénat provincial, permuta avec Louis-Napoléon Larochelle. Celui-ci devint conseiller lé-

gislatif, et Pelletier pria les citoyens de Dorchester de l'élire à la place de Larochelle.

L'Assomption et Dorchester étaient sûrs: Pelletier fut élu par acclamation. Mais à Mégantic, de
majorité anglo-canadienne et conservatrice, Mercier eut la partie plus difficile. On évita la question
des biens des Jésuites, et quand elle surgit malgré
tout, on fit valoir les $60,000 librement et géné-
reusement donnés aux institutions protestantes.
Deux jeunes gens de *L'Union libérale,* Nazaire
Ollivier et Adélard Turgeon, participèrent à la
campagne en faveur du candidat de Mercier, ce
qui prouve encore une fois qu'au plus fort de leurs
querelles, libéraux modérés et libéraux avancés ne
coupaient jamais les ponts.

Mercier gagna la partie difficile. Il remporta les
trois élections partielles sur lesquelles finit l'année
1888. John MacDonald avait pris ses désirs pour
des réalités, et s'était bien trompé, en écrivant dans
une lettre confidentielle: "Mercier est en train de
se tuer dans l'Est, comme fait Greenway dans
l'Ouest. J'espère, avant longtemps, me débarrasser
de ces deux chenapans." [1]   Sur dix-huit élections
complémentaires (provinciales) tenues depuis le
14 octobre 1886, les nationaux avaient pris quinze sièges et l'opposition trois, ce qui représentait
pour Mercier un gain de six sièges.

Il est vrai qu'Ernest Pacaud était un organisateur remarquable. Trouvant le nerf de la guerre,
auscultant l'opinion, décidant du jour opportun,
dépêchant les orateurs à droite et à gauche, maniant

---

(1) *"Mercier is killing himself in the east, as Greenway is doing in the west. I hope, ere long, to get rid of
both these scamps." Lettre du 22 octobre 1888 à sir
George Stephen. Correspondence of Sir John A. Mac-
Donald, publiée par sir Joseph Pope.*

les électeurs influents, il faisait la nique à Israël Tarte.

Sur la manière dont il trouvait le nerf de la guerre, Pacaud n'a pas laissé de confidence, et l'on ne peut qu'affirmer sa dextérité. Il faut bien que la cuisine politique se mijote, et Mercier la laissait mijoter par les hommes de son entourage. Cela lui permettait de prendre une vue ample des grands problèmes, de consacrer plus de temps aux entreprises d'envergure. Et ces entreprises aussi, chemins de fer, routes, colonisation, prestige, réussissaient. Le curé Labelle, sous-ministre, rédigeait des rapports baignés d'optimisme, et documentait Arthur Buies, prédicateur laïc — ultra laïc — de l'évangile colonisateur. Le curé Labelle imaginait la création, parmi les cultivateurs de la province, "d'une classe d'honneur qui serait comme le Sénat de l'Agriculture".[1]   Car cet homme d'une idée fourmillait d'idées de détail au service de son idée unique. Quel collaborateur manifique! Quel cadeau de nouvel an lui offrir?

Mgr Fabre, archevêque de Montréal, se trouvait à Rome pour l'inauguration du Collège Canadien[2] — l'œuvre conçue et réalisée par M. Colin, pour la formation théologique des jeunes prêtres canadiens. Mercier écrit à Mgr Fabre, le priant d'obtenir "un titre important" pour le curé Labelle, sous-ministre, apôtre de la colonisation, "qui a servi considérablement la cause de la religion et de la patrie".[3] Mercier le spécifie dans sa lettre:

---

(1) *Rapport officiel du curé Labelle, sous-ministre, à la fin de décembre 1888 (Documents de la Session, 1889).*

(2) *Le 11 novembre 1888.*

(3) *Lettre du 13 décembre 1888, aux archives de l'archevêché de Montréal.*

prêt à payer tous les frais de chancellerie, il désire être le premier informé, pour annoncer lui-même la nouvelle à son sous-ministre.

Nos Seigneurs les Evêques goûtaient peu les initiatives religieuses du premier ministre de la province, qui traitait directement avec Rome, et leur adressait des requêtes à forme d'instructions camouflées. Mgr Fabre, ennemi des complications, put hésiter une fois de plus entre la manière douce qui lui était naturelle et la manière ferme qu'il jugeait parfois nécessaire. Mais la prière de Mercier tombe doublement mal, puisque Mgr Fabre, par principe, sollicite le moins d'honneurs possible pour ses prêtres. A plus forte raison s'il s'agit de l'entreprenant curé de Saint-Jérôme, devenu sous-ministre par subterfuge, en interprétant d'une manière singulièrement large l'autorisation de consacrer un mois de son temps — il y a déjà sept mois! à la réorganisation des services de colonisation à Québec. L'archevêque de Montréal répond à Mercier:

"*Paris le 1er janvier* 1889,

Confidentielle

Monsieur le Premier,

"*C'est ici que votre lettre m'a trouvé. Voilà plus d'un mois que j'ai quitté Rome. En réponse, vous me permettrez de vous dire franchement, et avec la confiance d'un ami sincère, que, en devenant Evêque, j'ai pris la résolution de ne jamais solliciter d'aucun ministre du Gouvernement aucune faveur pour qui que ce soit. A peine, en conversation, ai-je quelquefois fait valoir les aptitudes de quelques-uns pour telle ou telle occupation, mais jamais de manière à insister et jamais par écrit. Je vous demande, Monsieur le Premier, de vouloir bien en user de même à mon égard...*"[1]

_____

(1) Copie *aux archives de l'archevêché de Montréal.*

Eh bien, Mercier se sent assez fort pour agir directement à Rome. Il soutiendra le curé Labelle, dont les amples visions d'avenir s'accordent si bien aux siennes. Le curé Labelle, collaborateur éminent de l'œuvre d'expansion à laquelle Mercier attachera son nom. Dans son seul chef-lieu de Saint-Jérôme, le curé Labelle a fait construire un aqueduc et macadamiser les rues à peine ouvertes; il a fondé un collège commercial, appelé les Soeurs de Sainte-Anne pour ouvrir un couvent. Les fils de J.-B. Rolland maintiennent active la fabrique de papier; Chapleau leur a procuré la clientèle de plusieurs services fédéraux, et les chèques du Trésor canadien sont imprimés sur du papier Rolland. À la belle saison, des trains de plaisir déversent chaque dimanche les Montréalais à Saint-Jérôme. En prenant ceux du matin, on peut arriver à temps pour entendre le sous-ministre tonner dans la chaire qui tremble sous son poids. Ailleurs s'ouvrent une gare, une banque, un bureau de poste, un hôtel. Les plus grandes villes commencent à s'éclairer à l'électricité, mode d'éclairage qui remplace déjà le pétrole sur les wagons de l'Intercolonial. Les hommes d'affaires, encouragés, élaborent de nouveaux plans. Le Lac-Saint-Jean a son chemin de fer. Le comté de Berthier aussi. Un pont monumental enjambera le Saint-Laurent à Québec. Avec les $10,000 accordés par le gouvernement provincial, la Quebec Bridge Company fait poursuivre des études topographiques et des sondages par un ingénieur de Québec, E.-A. Hoare, qui soumet en janvier 1889 un excellent rapport. L'argent entre, sort, circule; l'optimisme du curé Labelle gagne tout le peuple. Mercier promet l'agrandissement de la province jusqu'à la baie d'Hudson et, d'accord avec le curé de Saint-Jérôme, engage les fils de familles nombreuses à coloniser le nord plutôt qu'à se diriger vers le sud; de cette manière, l'émigration des jeunes gens se fera dans la province, et non plus au profit des Etats-Unis.

Après-demain, pensent Mercier et le curé Labelle, peut-être demain si l'élan continue, le pays de Québec — inerties secouées, émigration enrayée, nouveaux districts défrichés, routes tracées, rails posés, enthousiasmes enflammés—le pays de Québec, maître de l'artère du Saint-Laurent, riche en familles fécondes et confiant en soi, prendra la tête des Etats d'Amérique pour achever une pacifique et éclatante revanche française. Il n'y faut plus qu'un peu de temps et l'union autour du chef.

Le temps... l'union... Denrées précieuses, denrées bien rares!

II

"CESSONS NOS LUTTES FRATRICIDES; UNISSONS-NOUS!"

L'agitation "equalrightiste" — Querelles intestines; les radicaux contre Mercier — Retentissant appel de Mercier — La constitution apostolique Jam dudum — *En plein élan — Mercier, chef national et catholique.*

1889.

Le premier événement politique de 1889 fut le jugement rendu par les juges Jetté, Gill (le gendre de Sénécal) et Loranger dans la contestation électorale de Laprairie. Il constatait formellement le vote des morts. Il annulait l'élection de Goyette, condamnait McShane à $400 d'amende et le déqualifiait. L'ex-ministre, son mandat perdu, n'était plus électeur ni éligible, au provincial, pendant trois ans. *L'Electeur* salua cette "victime de son zèle et de son dévouement".

Goyette fut réélu à Laprairie. On refit aussi une élection fédérale — invalidée — celle de Guilbaut dans Joliette. Cette fois il s'agissait d'un comté rural. Les libéraux, à qui les bleus avait opposé un ouvrier à Montréal-Est, leur rendirent la pareille en opposant à Guilbaut, industriel à l'aise, le cultivateur Hilaire Neveu. Laurier vint prêcher l'évangile libre-échangiste, et la réciprocité fit gagner à la campagne ce qu'elle faisait perdre à la ville: le libéral fut élu.

Vers le même temps, de Boucherville et le juge Routhier démissionnèrent du Conseil de l'Instruction publique. Mercier les remplaça par l'ex-lieutenant-gouverneur Masson et François Langelier: un castor, ancien adversaire de Laval, et un professeur à l'Université. Le groupe de *L'Union libérale* ne goûta guère la nomination de Masson, tandis que la *Vérité* protesta contre celle de Langelier "avocat de l'influence indue".

Et Mercier fait ouvrir la session, le 9 janvier. Pour cette solennité, le juge Bossé remplace Angers, malade. Mercier exprime ses regrets de cette maladie, et décerne au lieutenant-gouverneur un brevet de correction: "Il était connu depuis de longues années comme un homme de talent; il s'est aujourd'hui révélé gouverneur constitutionnel dans toute l'acception du mot. Il surveille les affaires publiques avec intelligence, mais sans s'écarter jamais des règles constitutionnelles." Le premier ministre et le lieutenant-gouverneur ont décidément évité les heurts auxquels Tarte et John MacDonald s'attendaient sans doute. Louis-Philippe Pelletier, très ami d'Angers, assure la liaison. Et *L'Electeur,* outré dans le panégyrique comme dans l'anathème, rend hommage, en toute occasion, à l'urbanité du lieutenant-gouverneur, son adversaire politique — réputé peu aimable.

L'opposition provinciale a moucheté ses épées, et Mercier prononce aussi l'éloge de Taillon. Le discours du Trône, reconnaissant les difficultés rencontrées par la conversion de la dette, ajoute que le projet n'est pas abandonné. Selon sa promesse, Mercier biffe la clause rendant la conversion obligatoire.

Quant aux désaveux ou menaces de désaveu du gouvernement fédéral, Mercier fait affirmer sa doctrine par le jeune député de Shefford, Tancrède de Grosbois, secondant l'adresse:

> "*Notre province n'occupe pas à l'égard du Canada la position que celui-ci occupe vis-à-vis de la Grande-Bretagne. Nous ne sommes ni une colonie ni une dépendance de la Confédération; nous en sommes une partie intégrante. La source des pouvoirs, on ne saurait trop le répéter, ne va pas du Canada aux provinces, mais bien des provinces au Canada. Elles sont constituantes, il est constitué. C'est là une doctrine à laquelle le gouvernement semble vouloir s'attacher avec une énergie inébranlable, et qui lui assure l'appui effectif et l'adhésion morale de tout ce que le pays et l'univers civilisé peuvent contenir d'amants éclairés de la liberté.*"[1]

C'était aussi une doctrine diamétralement opposée à celle de sir John. Celui-ci tenait à fortifier le pouvoir fédéral, à augmenter ses prérogatives par rapport aux provinces. Il traitait les lieutenants-gouverneurs en fonctionnaires fédéraux. D'après sir John, l'énumération de l'Acte constitutionnel de 1867 limitait strictement les pouvoirs des provinces, et toute fonction omise dans cette énumération, ou née des circonstances depuis 1867, appartenait de droit au fédéral. On se rappelle que sir John et Mercier, le premier ministre fédéral et le champion des droits des provinces, s'étaient déjà trouvés en opposition formelle, sur les mêmes principes. En avril 1884, au sujet de la loi des licences, Mercier avait étayé sa doctrine d'arguments solides et provoqué un débat de ton très élevé à la Législative. Le choc des deux hommes et des deux doctrines devait se reproduire sur la nouvelle loi des magistrats de district.

Mercier fit en effet ratifier ses dernières mesures

---

(1) *Débats de la Législature de Québec*, 1889.

par la législature. La nouvelle loi renonçait à abolir la Cour de Circuit, mais créait la Cour des magistrats de district (deux juges au traitement de $3,000, assistés d'un greffier au traitement de $1,-400), pour connaître des contestations n'excédant pas cent dollars, des litiges en recouvrement de taxes municipales, taxes d'écoles ou d'église, et des litiges résultant de la loi des licences. C'était l'essentiel des attributions de la Cour de Circuit; les tarifs de la Cour des magistrats étant moins élevés, les plaideurs s'adresseraient à celle-ci plutôt qu'à celle-là, et la Cour de Circuit mourrait d'inanition. Taillon prétendit que les trente juges de la Cour Supérieure suffiraient à la tâche s'ils travaillaient davantage et prenaient moins de congés. La nouvelle loi n'en fut pas moins votée par 28 voix contre 15.

Un gros travail s'accomplit encore. Secondé par le curé Labelle et par Georges Duhamel, Mercier poursuivit son entreprise d'arracher le plus possible de réserves forestières aux grands propriétaires, pour les mettre à la disposition des colons. Le curé Labelle exultait.

Tout marchait de pair. Le 26 et le 29 janvier, Albani donna deux concerts à Montréal, en présence de son vieux père, qui vivait toujours à Chambly, et renouvela son immense succès de 1883. Puis elle donna un concert à Québec le 31.

Albani voyagea de Montréal à Québec dans un wagon spécial, mis à sa disposition par les autorités du Pacifique. Mercier et François Langelier — le premier ministre et le maire — l'attendaient à la gare pour la conduire en voiture à l'hôtel Saint-Louis. Par le même train venait aussi McShane, que les jeunes libéraux voulaient acclamer pour protester contre sa déqualification. De sorte qu'une double manifestation égaya les abords de la gare, en l'honneur d'Albani et en l'honneur de McShane. Les fervents de l'art et les fervents de la politique mêlèrent leurs acclamations. Le soir de son arrivée, la cantatrice assista, dans un fauteuil spécial près du fauteuil de l'Orateur F.-G. Marchand, à une partie de la séance de la Chambre. Mercier donna un grand dîner, auquel assistèrent les ministres, le poète Fréchette, le curé Labelle, et l'abbé Lajeunesse, frère de l'héroïne. D'ailleurs ce voyage d'Albani au pays natal fut encore triomphal; à Ottawa, sir John et lady MacDonald la reçurent chez eux pendant son séjour, transformèrent leur maison, pour la circonstance, en une suite de salons, et donnèrent un grand bal.

McShane avait interjeté appel. Ses amis politiques voulurent lui restituer son siège en attendant le résultat de l'appel. Taillon, Leblanc, Casgrain, Blanchet et Flynn s'y opposèrent en vain: la Chambre, par 28 voix contre 12, permit à McShane de siéger.

La question la plus irritante à traiter pendant cette session est bien celle des asiles d'aliénés. Les ultramontains n'acceptent pas la loi de 1885, qui a contribué à les séparer du gouvernement Ross. Les Sœurs de la Providence ne l'acceptent pas non plus; elles résistent à l'ingérence du bureau médical, avec l'aide de leur avocat, Gustave Lamothe, le jeune associé de Trudel[1]. Mgr Laflèche envoie aux commissaires une longue lettre, approuvant les Sœurs. Le cardinal Taschereau lui-même conseille

_____

(1) *Pour le détail des démêlés des Soeurs de Saint-Jean-de-Dieu avec le bureau médical, voir les délibérations de cette session, en particulier le discours de Louis-Philippe Pelletier (Débats de l'Assemblée législative de Québec, publiés par Alphonse Desjardins, pour 1889).*

de leur céder. Il faut bien le constater: la loi viole des contrats et reste inopérante. Cependant les trois commissaires libéraux répondent au sentiment de leur parti en souhaitant, dans leur rapport, le maintien sinon le développement du contrôle gouvernemental. Entre les deux groupes de ses partisans, les ultramontains et les libéraux, pour qui Mercier optera-t-il? Les libéraux crient fort, mais finissent presque toujours par rallier le drapeau. Âmes apostoliques et despotiques, les ultramontains sont plus malcommodes.

Mercier opte pour un compromis qui, dans l'ensemble, donne satisfaction à Trudel et aux ultramontains. Gagnon, chargé de l'affaire à titre de secrétaire provincial, revient au contrôle médical atténué, prévu par les contrats, laissant aux propriétaires l'administration des asiles. En somme, on supprime la loi de 1885 et l'on remet à l'expiration des contrats la réforme d'ensemble, s'il en faut une. La Supérieure de l'asile Saint-Jean-de-Dieu approuve cette solution. Louis-Philippe Pelletier l'appuie sans réserve, dans un discours important. Seuls les anciens membres du gouvernement Ross — dont on souligne un échec — combattent le compromis de Gagnon. Sur cette question des asiles, le gouvernement obtient dix-huit voix de majorité.

Au Conseil législatif, Starnes vota régulièrement avec les ministériels, consolidant leur toute petite majorité. Avec son allure de vieux gentleman un peu cynique, l'ancien commissaire des chemins de fer du gouvernement Mousseau n'en était pas à une évolution près. Le *Courrier du Canada* le secoua comme il faisait pour chaque transfuge, attribuant sa dernière métamorphose à des ambitions sénatoriales déçues.

Mercier avait presque complètement retourné en sa faveur l'opinion du clergé — sinon de l'épiscopat. David sollicitant une subvention pour les Frères des Ecoles Chrétiennes, Mercier prononça en Chambre l'éloge de ces religieux. Le correspondant de *L'Etendard* écrivit à son journal: "M. Mercier s'est montré chef national et catholique sans restriction, trouvant des paroles dignes d'un Lacordaire."

Il est vrai que Mgr Duhamel répudiait *L'Etendard* et la *Vérité* pour leur attitude à l'égard du provincial des Oblats, tandis que Mgr Laflèche les répudiait pour leur alliance avec les libéraux, et que le cardinal Taschereau les répudiait pour leur opposition à l'Université Laval. On considérait comme une victoire de Laval la nomination toute récente de l'abbé Bégin, principal de l'Ecole Normale de Québec, au siège épiscopal de Chicoutimi. (Tant l'histoire religieuse s'oriente, à cette époque, sur la querelle universitaire!) Le pauvre Tardivel écrivait de Rome au Dr Desjardins: "On m'a fait une si mauvaise réputation ici que je ne pourrai guère faire autre chose que visiter des églises. Vous comprenez que quatre évêques ne sont pas venus à Rome pour rien. On prétend même que Mgr Moreau aurait dit au Saint-Père que *L'Étendard* et la *Vérité* devraient être supprimés comme l'a été le *Journal de Rome*. Mgr Duhamel est ici... En voilà encore un qui est très monté contre moi."[1] Disons aussi que l'épiscopat refusait d'abdiquer la direction du Canada français catholique entre les mains de MM. Mercier, Trudel et Tardivel — sans oublier le curé sous-ministre Labelle. Mais le clergé en général, étranger à ce raisonnement, continuait de lire *L'Eten-*

_____

(1) *Lettre du 15 janvier 1889; aux archives du Collège Sainte-Marie, à Montréal.*

dard et la *Vérité*. Le curé Bédard, de Saint-Constant, collaborait à *L'Etendard*. Le curé Tassé, de Sainte-Scholastique, le disciple de Mgr Bourget qui avait dix fois rompu des lances avec les libéraux, approuvait hautement l'attitude du sénateur Trudel et restait propagandiste de *L'Etendard*. Bien d'autres l'imitaient. Et la cause de *L'Etendard*, c'était, à ce moment, la cause ministérielle, la cause de Mercier. Mgr Fabre rédigea, pour son clergé, une circulaire confidentielle, véritable mise en garde contre un journal qui ne prend pas ses directives auprès de l'Ordinaire, adopte des attitudes politiques que l'évêque ne peut pas toujours approuver, et passe cependant pour "l'écho reconnu d'une portion du clergé du diocèse". Mais les sénateurs Armand et Bellerose, le Dr Edouard Desjardins, les gros négociants Charles Chaput, Alphonse Leclaire et Damase Masson, signèrent, au nom d'un groupe de diocésains, une respectueuse et ferme protestation contre cette circulaire[1]. *L'Etendard* restait l'organe favori du clergé, et Mercier le chef politique favori de *L'Etendard*. A Saint-Hyacinthe, à l'occasion de la fête de Saint-Joseph, le premier ministre suivit la messe dans le choeur de la cathédrale, auprès de trois évêques, et revêtu de l'uniforme de grand'croix de Saint-Grégoire: long manteau de velours, culottes blanches, épée, chapeau à plumes. Nous avons déjà vu chez Mercier une pointe de mégalomanie.

Le premier ministre recevait avec un plaisir évident les témoignages de sa puissance et de sa popularité. Il se déchargeait des tracas de la cuisine politique sur des amis habiles, Pacaud, Charles Langelier et d'autres. Cependant cette cuisine com-

---

(1) *Circulaire du 10 mars 1889; protestation du 6 avril. Archives du Collège Sainte-Marie, à Montréal.*

portait bien des ragoûts douteux, suspects aux gens de vertu rigide. On parlait à mots couverts de scandales dans lesquels des amis de Mercier seraient compromis. Puis les accusations virent le grand jour.

Il y eut d'abord l'affaire Lockwood, tout analogue à l'affaire Beemer et impliquant les mêmes personnages. Depuis plusieurs années déjà, William-Perfect Lockwood, propriétaire de mines, se prétendant lésé par des lois provinciales, réclamait une indemnité. Plusieurs gouvernements successifs, depuis celui de Joly, avaient rejeté sa réclamation. Duhamel la rejeta comme ses prédécesseurs. Des malins conseillèrent alors à Lockwood de prendre pour avocat Ernest Pacaud, tout puissant auprès du cabinet Mercier. Et en effet Pacaud persuada Duhamel, et obtint pour son client les quelques milliers de dollars réclamés en vain depuis sept ou huit ans. Mais la combinaison transpira. Le *Monde,* la *Presse,* et surtout le *Courrier du Canada,* protestèrent. Le gendre de Langevin — Thomas Chapais — avait conservé ce sens de l'honneur trop souvent émoussé dans la vie politique; et l'intérêt de son parti s'accordait avec la révolte de son intégrité.

Pacaud justifia d'abord cet exercice de sa profession d'avocat (quasi abandonnée, depuis longtemps, pour le journalisme), et cette utilisation de son influence politique. Il cita des précédents, établis par des avocats conservateurs: Désiré Girouard, Isidore Belleau, Tom-Chase Casgrain, etc.

Puis, l'affaire ne se calmant pas, Pacaud répliqua en dévoilant un scandale analogue, et sur une plus grande échelle, à la charge du gouvernement Ross-Taillon: En 1886, avant les élections du 14 octobre, les entrepreneurs Alphonse Charlebois,

John Patrick Whelan et Daniel Ford avaient sous-
crit entre les mains d'Elisée Beaudet et de Téo-
phred Hamel, trésoriers du parti conservateur, qui
leur facilitaient le règlement de créances sur la Province. C'était presque une réédition de l'affaire
Mousseau-Charlebois de 1884. Il faut s'empresser
de dire que l'entrepreneur Whelan souscrivait aux
caisses des deux partis, misait sur les deux tableaux;
et nous le retrouverons.

A cette contre-attaque, les bleus répliquèrent,
car leurs munitions n'étaient pas épuisées. Il y eut
l'affaire du Table Rock; le gouvernement aurait
vendu à des amis politiques, pour $3,000, une pro-
priété (une île rocheuse au pied de la chute de la
Chaudière, entre Hull et Ottawa) évaluée dix fois
plus cher. Il y eut surtout la mise en cause de Cléophas Beausoleil, associé de Mercier dans son étude,
et qui profitait comme avocat de l'influence de son
associé. Beausoleil, garçon intelligent et actif, avait
des ennemis personnels; et d'aucuns reprochaient
à ce député fédéral, ami et associé du premier ministre de la province, son ingérence continuelle
dans les affaires provinciales. Evariste Leblanc
proposa là-dessus un vote de blâme au premier
ministre, qui ne fut repoussé que par 34 voix contre 24: trois libéraux, Lareau, Lafontaine et Lus-
sier, votant avec l'opposition, et deux conservateurs nationaux, Pelletier et Bourbonnais, s'absen-
tant pour ne pas voter — ce que *L'Union libérale*
souligna. Enfin Leblanc porta en Chambre les
protestations de la *Vérité* contre l'entrée du "héros
des contestations d'élections pour influence indue
cléricale" (François Langelier) au Conseil de
l'Instruction publique.

La courtoisie du début de la session avait graduellement fait place à ces accusations violentes,
et, lors de la prorogation, le 21 mars, l'atmos-

phère politique de la province virait encore à l'o-
rage. Le *Courrier du Canada,* poursuivant sa campagne, publiait la liste des honoraires versés par
le gouvernement à des avocats-politiciens, pour
services juridiques. Mais les libéraux rétorquaient
sans peine qu'ils n'avaient pas inauguré ce système, vieux comme la démocratie, et élevé par Chapleau à la hauteur d'une institution. Quand les
bleus régnaient, le bureau Lacoste, Globensky, Bisaillon et Brosseau recevait de gros honoraires.
Quand les rouges régnaient, c'était François Langelier à Québec, Cléophas Beausoleil à Montréal.

Ces accusations, ces rumeurs, fournirent un nouveau sujet d'alarme à Mgr Fabre. Inquiet de voir
un de ses prêtres fort engagé dans ce milieu, l'archevêque de Montréal forma le projet de rappeler
le curé Labelle à sa cure de Saint-Jérôme. Trop
d'affaires délicates obligeaient déjà l'Eglise canadienne à côtoyer la politique!

*   *   *

Nombre de Canadiens séjournaient encore à
Rome, au début de 1889. Le Père Paradis, mis en
demeure de se soumettre ou de quitter l'ordre, portait plainte contre le Supérieur général des Oblats.
Mgr Duhamel demandait l'érection du Collège
d'Ottawa en université canonique. Il exprimait,
en l'approuvant, l'opinion des Oblats de sa ville
épiscopale, très sévère à l'égard du Père Paradis
et de la presse ministérielle — *Electeur, Justice,
Vérité* — qui avait soutenu le religieux "révolté".
Mgr Fabre et Mgr Benjamin Paquet discutaient
le statut de la succursale de l'Université Laval à
Montréal. Le Père Turgeon et le Père Vignon rec-
tifiaient l'information des prélats susceptibles d'influencer la répartition de l'indemnité; car les en-

voyés de Laval exagéraient la valeur de la commune de Laprairie, à laquelle ils eussent volontiers
réduit la part des Jésuites. Le Supérieur de Saint-
Sulpice, M. Colin, petit homme vif et mystérieux,
appuyait les Jésuites, mais avec une extrême discrétion. Enfin, Tardivel visitait les églises.

Le 2 février, Rome décréta la constitution apostolique *Jam dudum,* modifiant les relations entre
l'Université Laval et sa succursale, dans un sens
favorable à Montréal. Le Conseil de l'Université
Laval continuait de nommer les professeurs, et les
évêques de la province conservaient le contrôle de
l'enseignement et de la discipline; mais le vice-
recteur serait désormais désigné par les seuls évêques de la province ecclésiastique de Montréal, ce
qui accentuait le contrôle de l'archevêque de Montréal et rapprochait la succursale de l'autonomie.
Motif de réjouissance pour les ultramontains!

Une autre grande décision romaine concernait
le Canada français. Mgr Duhamel, appuyé par l'épiscopat canadien-français, demandait l'érection
du Collège d'Ottawa en université catholique. Le
Collège d'Ottawa détenait déjà du Parlement canadien le titre et les privilèges d'université depuis
1866. Ses élèves étaient en majorité des Canadiens
français, venant de l'archidiocèse d'Ottawa (qui
comprenait plusieurs comtés de la province de
Québec), mais susceptibles d'exercer leur profession, de poursuivre leur carrière en Ontario. L'Université d'Ottawa préparait aux diplômes ontariens, suivait les programmes ontariens, et réservait une part considérable, voire prépondérante, à
l'enseignement de l'anglais. Elle pourrait enlever
des élèves à l'Université de Toronto, non à celle
de Québec. Ce qui explique que Laval, si résolue
à empêcher l'érection d'une université montréa-

laise, ne vit pas d'inconvénients à l'érection canonique de l'Université outaouaise.

Cependant cette université ontarienne d'Ottawa
était et entendait rester une institution canadienne-
française, dirigée par des Oblats canadiens-français. Un poste avancé de la province de Québec en
terre ontarienne. Ces traits plaisaient peu aux Anglais, et moins encore aux Irlandais d'Ottawa, qui
manoeuvraient en vain pour s'emparer de l'Université. Habile, distingué — portant perruque sous
la calotte violette — et secret, Mgr Duhamel déjouait ces manoeuvres et travaillait, lui aussi, à
Rome. Le 5 février 1889, un nouveau bref apostolique érigea le Collège d'Ottawa en université
catholique. (En fait, l'Université resta un grand
collège, sans faculté de droit ni de médecine). A
l'inauguration officielle assisterait presque tout l'épiscopat canadien-français, et — en dépit des invitations — pas un seul évêque irlandais.

Ces froissements n'étaient rien auprès de l'agitation menée en Ontario contre la loi québécoise indemnisant les Jésuites. De Boucherville, Masson,
Mercier, tous les hommes politiques mêlés à la
question, avaient prévu la clameur anglo-protestante, et ne s'étaient pas trompés. Passe encore si
Mercier indemnisait des Oblats, des Dominicains,
des Sulpiciens, des Franciscains, ou quelque autre
communauté à peu près tolérable! Mais les Jésuites! Cette quintessence du papisme! L'obsession
du Jésuite hantait certains Ontariens comme l'obsession du franc-maçon hantait Tardivel. Plus encore: le Saint-Siège disposerait de l'indemnité; et
cette soumission d'une province britannique à la
décision du pape offensait le sentiment loyaliste.
La Société des Orangistes d'Ottawa, l'Eglise presbytérienne de Miramichi, et d'autres associations
à leur suite, demandèrent à sir John le désaveu

de la loi. Sous l'influence de Robert Sellar — l'éditeur du *Gleaner* — des protestants du comté de Huntingdon se joignirent à leurs coreligionnaires ontariens. A Rome, le bon clergé irlandais tenait Léon XIII au courant. Le pape ajournait sa décision. Les Pères Turgeon et Vignon vivaient de nouvelles heures d'inquiétude. Pour hâter les choses, Mercier pria le pape de désigner les bénéficiaires de l'indemnité. Léon XIII voulut d'abord savoir si la loi était définitive, si la menace de désaveu ne subsistait pas. Mercier fit alors demander à sir John si son gouvernement comptait user du droit de veto. Sir John répondit que le désaveu, demandé par les orangistes, était à l'étude. Mercier protesta d'avance contre un désaveu éventuel, et insista pour obtenir une réponse nette, lui permettant de répondre à son tour à Léon XIII.

Le désaveu n'était guère réclamé, dans toute la province de Québec, que par l'irréductible *Witness* et les pétitionnaires de Huntingdon, entraînés par Sellar. La majorité des protestants de la province, sans sympathie pour Mercier, tenaient compte d'is $60,000 versés à leurs écoles, et se refusaient à blâmer un geste de justice et d'apaisement; on se rappelle qu'à la Législative, l'unanimité s'était faite. Et le désaveu du bill des Jésuites eût aliéné à sir John plus d'un conservateur canadien-français, péniblement rallié après l'affaire Riel. John-A. MacDonald laissa passer plusieurs occasions, plusieurs séances du conseil des ministres, sans désavouer la loi québécoise. Le gouvernement fédéral renonçait au désaveu. Sir John avait évidemment pesé les inconvénients respectifs de mécontenter, soit les orangistes, soit Mercier et la province de Québec unie derrière son chef. Cette fois, Mercier avait paru le plus fort; et c'était encore pour lui une victoire.

Mais en Ontario, les sectaires se livrèrent à une agitation endiablée. Sous l'influence de Mowat, le parti libéral ontarien abandonnait la tradition francophobe et anticatholique de George Brown. La majorité des orangistes adhéraient, en conséquence, au parti conservateur. Victorieux dans l'affaire Riel, ils avaient fini par se considérer comme l'aile marchante de ce parti. Ils combattaient Mowat, et s'arrogeaient un droit de remontrance auprès du gouvernement fédéral. Leur importance numérique n'était sans doute pas écrasante, mais ils se remuaient tant qu'ils donnaient le change là-dessus. A les en croire, la province de Québec était gouvernée par le pape. Toronto surtout s'agita, car il y régnait une étroitesse d'esprit surprenante pour une grande ville. Deux journaux conservateurs, le *Mail* et le *World,* dénoncèrent "l'agression catholique-romaine". L'influence du *Mail* à Toronto correspondait à celle de la *Gazette* à Montréal. Son rédacteur, Edward Farrer, aussi francophobe et antipapiste que jadis George Brown, qualifiait d'abdication les prudentes consignes de sir John, et passait outre. Dans cette affaire des Biens des Jésuites, il alla jusqu'à la révolte contre l'attitude du grand chef. Le troisième journal conservateur de Toronto, *The Empire,* défendit l'attitude de sir John, l'un de ses fondateurs, mais il y perdit une foule de lecteurs. A son tour le journal libéral *The Globe,* fondé par George Brown, passa outre à l'inconvénient de frapper un gouvernement libéral en la personne de Mercier, et emboîta le pas au *Mail* et au *World.* Le *Mail* insérait, sous des pseudonymes, les correspondances de Robert Sellar signalant l'expansion canadienne-française dans les cantons de l'Est. Le *Globe* inséra des lettres ouvertes de l'avocat J.-J. MacLaren — libéral avancé que nous avons vu prendre parti contre Mercier dans un club à Montréal, et qui habitait maintenant Toronto — signalant la pénétration rapide — terrifiante à ses yeux — de la population canadienne-française dans le nord et l'est de l'Ontario. Les progrès de l'Université catholique et canadienne-française d'Ottawa constituaient d'ailleurs plus qu'un symptôme: une pièce à conviction. Ainsi fut déclenchée une croisade contre Mercier et la province de Québec; les loges manifestèrent, des pasteurs prêchèrent la guerre sainte dans leurs temples. On s'étonne même de ce fanatisme à froid; car si la fureur ontarienne avait un semblant de motif dans l'affaire Riel: rébellion, exécution de Scott; il n'en était plus de même dans cette affaire intérieure de la province de Québec, ne lésant personne.

Des députés ontariens portèrent la querelle au Parlement fédéral. Un colonel O'Brien, député de Muskoka, réclama le désaveu:

"1°—*Parce que cette loi dote, à même les fonds publics, une institution religieuse, violant ainsi le principe de droit constitutionnel reconnu, quoique non écrit, de la séparation de l'Eglise et de l'Etat, et l'absolue égalité de toutes les religions devant la loi.*

"2°—*Parce qu'elle reconnaît l'usurpation d'un droit par une autorité étrangère, Sa Sainteté le Pontife romain, en reconnaissant que son consentement est nécessaire pour disposer d'une portion du domaine public, et aussi parce que la loi, aussi bien que les sommes accordées, dépendent de ce pontife.*

"3°—*Parce que, en dotant la Société de Jésus, qui est une association étrangère secrète, politico-religieuse, qui a été expulsée de toutes les communautés chrétiennes où elle s'est implantée, à cause de son intolérance et de son ingérence dans les affaires civiles, la loi met en danger les libertés civiles et religieuses du peuple du Canada."*

Un grand débat sur la motion O'Brien s'enga-

gea aux Communes le 26 mars, au lendemain de
la prorogation de la Législature québécoise. O'-
Brien dit dans son discours:

> *"Le Jésuite est un être anormal. Il n'a ni parents
> ni famille; il est sous le contrôle d'un pouvoir occulte,
> et la société a toujours trouvé en lui un instrument
> puissant pour le bien ou pour le mal. La plupart des
> Jésuites en effet sont mauvais, mais il est néanmoins
> peut-être possible d'en trouver de bons.*

> *"Notre pays doit être anglais, et rien qu'anglais..."*

En cas d'échec aux Communes, O'Brien en
appellerait au pays. Clarke Wallace, grand-maître
en exercice des loges orangistes, fit une histoire
fantaisiste de la Compagnie de Jésus. Enfin Dalton McCarthy, avocat réputé, affectant de se tenir sur le terrain légal, affirma l'inconstitutionna-
lité de cette loi, à cause de l'intervention d'un souverain étranger, le pape. On imagine quelles sor-
nettes les députés entendirent sur l'action occulte
des Jésuites. En même temps, la presse ontarienne
poursuivait sa campagne; le *Mail* prétendit que les
Jésuites prêtaient un serment incompatible avec la
fidélité à la Couronne britannique.

Plusieurs Anglais leur répondirent. L'orangiste
Rykert, député de Lincoln, refusa de se joindre
à la "croisade criminelle" entreprise contre ses
compatriotes catholiques. Le pape n'est pas un
souverain étranger, dit-on au cours des débats,
puisqu'il est actuellement privé de son pouvoir
temporel. Et encore: "Supposez qu'une législature,
accordant une indemnité à l'Eglise anglicane, en
confie la répartition à l'archevêque de Cantorbéry;
protesteriez-vous? Certainement pas!"

Un seul Canadien français prit la parole dans
ce débat: Laurier, chef de l'Opposition, qui, cette

fois, votait et faisait voter pour sir John. Il en
profita pour répéter: 1°—Que les Canadiens français, fidèles à leurs souvenirs français, sont loyaux
à la Couronne britannique, et ne songent absolument pas à retourner sous la domination française.
2°—Que le libéralisme canadien, se rattachant à
l'école anglaise de Gladstone plutôt qu'à l'école
française, n'est pas hostile à la religion. 3°—Que
le libéralisme canadien comporte, comme un article de sa doctrine, le respect de l'autonomie des
provinces:

*"Nous avons toujours soutenu que le seul moyen
de maintenir la Confédération, est d'admettre ce principe que, dans sa sphère, dans la sphère qui lui est
attribuée par la constitution, chaque province est tout
aussi indépendante du contrôle du Parlement fédéral
que le Parlement fédéral est indépendant du contrôle
des législatures locales."*

Puis Laurier rappela que les conservateurs de
Boucherville, Chapleau et Ross avaient eu, comme
Mercier, l'intention de régler l'affaire des biens
des Jésuites: la réussite de M. Mercier, dans cette
affaire ancienne et délicate où ses prédécesseurs ont
échoué, suffirait à le classer parmi les grands hommes d'Etat.

Assuré du renfort de tout le groupe libéral, sir
John obtint l'unanimité de ses collègues, y compris le ministre des Douanes MacKenzie Bowell,
ancien grand-maître orangiste. Le ministre de la
Justice, sir John Thompson, catholique de la Nouvelle-Ecosse, à la voix basse, à l'allure ecclésiastique, parla au nom du gouvernement; il fit un
très bon discours. Mais on attendait, dans un débat de cette importance, l'intervention personnelle du premier ministre. John MacDonald adopta le mode ironique. Il dit que les 71 Jésuites ré-
partis dans tout le Canada n'étaient point redou-

tables, mais, au contraire, utiles. Puis il disposa de la petite opposition par une plaisanterie à sa manière, d'un humour anglo-saxon typique:

"En écoutant tous ces beaux discours et toutes ces belles tirades, je ne pouvais m'empêcher de songer au Juif de la légende. Vous savez, celui qui s'était laissé entraîner à manger un morceau de porc, et qui, surpris par une effroyable tempête, avec tonnerre et éclairs, s'écriait: "Je n'aurais jamais pensé déchaîner tant de bruit pour un si petit morceau de lard"... De quoi s'agit-il? D'une affaire de quelques centaines de milliers de dollars. Je ne croyais pas qu'on pût faire autant de bruit pour un si petit morceau de lard!"

L'effet de ce genre d'esprit, de la part du vieux sir John, était immanquable: la motion O'Brien fut mise en déroute par le fou rire. Rejetée par 118 voix contre 13 — cinq libéraux et huit conservateurs, tous ontariens sauf Scriver, député de Huntingdon, et qu'on appela quelque temps "les noble treize" (The noble thirteen).

La *Minerve* demanda si Trudel, avocat des Pères Jésuites, et son journal *L'Etendard,* cesseraient d'appeler sir John "le vieil orangiste".

Ce vote est du 29 mars. Le 1er avril, dans le *Canadien,* Tarte imputa le soulèvement des protestants ontariens aux maladresses de la diplomatie pontificale et jésuitique. Il feignit de croire que tout aurait mieux marché si l'on avait négocié avec le cardinal, et représenta la Cour de Rome cédant aux intrigues de Mercier et des Jésuites:

"Pour dire nettement notre pensée, la diplomatie pontificale et celle de l'Institut des Jésuites nous ont placés dans une situation fausse et pénible.

"La Cour de Rome avait chargé le premier dignitaire de l'Eglise au Canada, Son Excellence le cardinal Taschereau, de s'aboucher avec le gouvernement de la province de Québec au sujet des biens des Jésuites.

"*Sans même prévenir ce prélat, nous a-t-on assuré, la Cour papale lui enlève son mandat et lui substitue les Pères de la Compagnie de Jésus...*

"*Evidemment, une intrigue de cour avait eu lieu; l'Institut, influent à Rome, avait, avec l'aide de M. Mercier, convaincu que les Jésuites étaient plus en état de traiter avec le pouvoir civil que le cardinal Taschereau ou tout autre membre de l'épiscopat canadien.*

"*C'était souffleter, en face du pays, un prince de l'Eglise et ses collègues dans la hiérarchie, amoindrir leur prestige aux yeux des catholiques. Les circonstances particulières dans lesquelles cet incident se développait en aggravaient la portée. Une portion du clergé était en résistance ouverte contre l'épiscopat. Rome, sans le savoir, sans s'en douter, donnait contenance à cette fraction qui avait appuyé M. Mercier aux élections sur l'affaire Riel...*"

Paroles piquantes, sous la plume de Tarte, qui avait tant reproché à *L'Etendard* la thèse—séditieuse! — du pape "mal informé"! Et encore:

"*...Si cette affaire des biens des Jésuites avait été menée avec prudence, si la Cour de Rome eût, dans cette circonstance, fait preuve du tact et de l'habileté qui la distinguent ordinairement, la tempête actuelle eût été évitée...*"

La *Presse* et la *Minerve* "regrettèrent" l'article de Tarte; tous les autres journaux le blâmèrent avec énergie. L'article créait une sensation intense. Les Pères Jésuites se plaignirent à Mgr Fabre. L'archevêque consulta son secrétaire et ses vice-chanceliers — les abbés Bruchési, Emard et Joseph-Alfred Archambault, ce dernier, frère d'Horace Archambault — et chargea l'abbé Bruchési d'admonester discrètement, diplomatiquement, le directeur du *Canadien*. Mais l'enfant terrible revint à la charge les jours suivants:

"...Nous le disons de nouveau: le Premier ministre de la province, d'accord avec l'Institut, a induit la Cour de Rome à charger les Jésuites de traiter la question de leurs anciens biens, aux lieu et place de Son Eminence le cardinal Taschereau et des autres membres de l'épiscopat, à une époque où une pareille décision impliquait, au Canada, un soufflet à la hiérarchie catholique, et la glorification, au détriment de l'Autorité, d'une école politico-religieuse coupable des plus grands écarts et des plus dangereuses provocations à nos concitoyens d'origine et de croyances étrangères aux nôtres..."

Les journaux anglais reproduisirent ces articles avec complaisance. Le *Toronto World* les coiffa de manchettes flamboyantes; le *Mail* les dit inspirés par l'archevêché de Québec. Et voici que *L'Union libérale,* dans le sillage du *Canadien,* vole à la défense du cardinal contre les ténébreuses intrigues ourdies par Mercier et les Jésuites. La présence d'un jeune neveu du cardinal, Alexandre Taschereau, dans le groupe de *L'Union libérale,* accréditait l'hypothèse d'une inspiration prise à l'archevêché. Les ultramontains n'appelaient-ils pas *L'Union libérale* "l'organe des anciens élèves de Laval"? Les Pères Jésuites ne furent pas les derniers à soupçonner Laval. Ils écrivirent au Père Turgeon, à Rome: "Après le grand triomphe remporté à Ottawa, nous espérions avoir la paix; cela fut au contraire le commencement d'une agitation plus violente que toutes celles qui ont précédé. Le *Canadien* a sonné la charge par un article abominable... *L'Electeur,* la *Justice,* mais surtout le *Courrier du Canada* et encore plus *L'Etendard* ont noblement vengé l'honneur du Saint-Siège et de la Compagnie. Les journaux orangistes, bien entendu, sont dans la jubilation et reprennent courage. La *Minerve* n'a soufflé mot. Mgr Fabre a fait exprimer à Tarte par M. Bruchési combien cet article l'avait peiné. Mgr Laflèche a écrit au cardinal pour lui dire que son silence lui paraissait regrettable. Mais voilà que *L'Union libérale* de Québec, organe des anciens élèves de Laval, a commencé à son tour à tirer sur nous à boulets rouges... et tous ces articles, sauf ceux de Tarte, ont été, nous en sommes sûrs, inspirés sinon écrits par des gens de Laval..." [1]

Le cardinal dut émettre un avertissement, blâme implicite au *Canadien* et à *L'Union libérale*. Mais tous ces incidents, connus et au besoin amplifiés à Rome, n'arrangeaient pas l'affaire des Jésuites. Le Père Turgeon, désespéré, écrivait au Supérieur général: "Il est bien certain que Notre Seigneur seul pourra nous protéger contre tant d'obstacles." [2]

* * *

Tarte cherchait sans doute à semer la discorde entre l'archevêché de Québec et le gouvernement. Mercier, pendant ce temps, poursuivait son offensive contre les îlots de résistance. Naturellement généreux, mais gâté par ses courtisans, il y mit parfois de la rudesse. Il cassa aux gages Alphonse Desjardins, le laborieux qui sténographiait et éditait depuis dix ans les débats de la Législature.

Entre la sténographie et l'édition, Desjardins soumettait le texte aux députés, pour corrections de forme. Mercier voulut apporter à son texte des corrections de fonds, en modifier le sens. Desjardins, homme de principes rigides, s'y opposa. Le premier ministre eut beau dire: "Je veux", le modeste sténographe resta inflexible. Mercier crut à

---

(1) *Lettre du 16 avril 1889; archives du Collège Sainte-Marie, à Montréal.*
(2) *Lettre du 20 mai 1889; archives du Collège Sainte-Marie, à Montréal.*

un parti pris politique, car l'éditeur des débats était le frère d'un député de l'opposition — Louis-Georges Desjardins, le traditionnel et vigoureux adversaire de Charles Langelier dans Montmorency, et l'un des bleus les plus irréductibles, à la Législative, avec Evariste Leblanc et Thomas-Chase Casgrain. Privé de sa subvention, Alphonse Desjardins dut cesser la publication des débats.[1]

La dernière résistance à briser gîtait au Conseil législatif. Au cours de la session, Mercier avait fait modifier la loi prévoyant la nomination du président du Conseil législatif pour la durée de la législature. Le président du Conseil, nommé ou plutôt maintenu par Ross et Taillon au lendemain des élections du 14 octobre 1886, était de La Bruère, l'ancien camarade de Mercier à Saint-Hyacinthe. Fortement charpenté, robuste et racé à la fois, l'air sévère, avec une sorte de distinction rurale, de La Bruère était un des rares adversaires que Mercier semble avoir redoutés. La haute dignité de vie et d'allure qu'il tenait d'une lignée de gentilshommes accentuait la dureté de ses attaques. Avec le *Courrier de Saint-Hyacinthe*, il ridiculisait, dans son propre comté, le premier ministre tant flagorné. Mercier ressentait ces blessures d'amour-propre. Dès qu'il eut la majorité au Conseil législatif, il destitua de La Bruère et le remplaça par Starnes. En même temps Fréchette fut nommé greffier du Conseil législatif, ce que la *Minerve* approuva:

---

(1) *M. Malenfant publia les débats de 1890, mais ne persévéra point dans cette entreprise, écrasante pour un homme seul. Quant à Desjardins, sténographe expert, il trouva sans peine un emploi à la Chambre des communes. Et, nous le verrons, la rudesse de Mercier eut des suites heureuses, puisque Desjardins put consacrer ses loisirs à la préparation et à la fondation d'une grande œuvre, celle des caisses populaires.*

"Quoique nous ayons souvent croisé la plume avec M. Fréchette, nous croyons que ses amis ont bien fait de lui donner cette place, l'une des meilleures du service provincial, qui est à la fois la récompense de bien des luttes et un hommage à son grand talent.

"Nous espérons même que M. Robidoux s'unira à nos félicitations."

La nomination de Fréchette n'arrêta point les campagnes de *L'Union libérale,* campagnes si vives que *L'Electeur* compara ses jeunes confrères à des roquets. *L'Union libérale* s'efforçait de torpiller la coalition en dénigrant les ultramontains et les conservateurs nationaux, alliés de Mercier. Cette querelle, ajoutée à la série de scandales dévoilés pendant la session, finissait par créer un malaise. *L'Evénement,* le *Canadien* et le *Courrier du Canada* se tenaient prêts à l'exploiter, espérant la rupture de la coalition ministérielle.

Cependant le premier éclat se produisit à Montréal.

Calixte Lebeuf devint président du Club National. C'était un jeune homme de très jolies manières, mais gardant son franc-parler; scrupuleux sur le point d'honneur; au demeurant, un "rouge" bon teint, qui se réclamait ouvertement de l'école Doutre-Laflamme-Dorion. Il adressait deux graves reproches au gouvernement de Mercier. D'abord de tailler une part trop belle aux conservateurs nationaux, aux "castors" dans la distribution des faveurs. Ensuite de tolérer les tripotages de Pacaud et consorts. Lebeuf collaborait à la *Patrie,* et son opinion était celle de Beaugrand. Celle aussi d'Edmond Lareau, député de Rouville. Trois hommes sincères, et d'une haute intégrité; la politique mise à part, Edmond Lareau, professeur de droit à l'Université McGill, était un esprit pondéré, un chercheur, auteur de "mélanges" historiques et littéraires. Les déclarations de Lebeuf, répétées à tout venant, causèrent un esclandre. Loin de se rétracter, le jeune libéral dénonça "la clique de Québec". Il exposa en public ses griefs contre "Pacaud et sa bande qui mènent Mercier à la mort politique". La *Patrie* publia une lettre ouverte de Lebeuf à Pacaud. Le sénateur libéral Rosaire Thibaudeau approuva Lebeuf et se plaignit à son tour des "parasites de Québec", au premier rang desquels il plaçait les Langelier et Pacaud. Thibaudeau confirma ses griefs dans une entrevue accordée au correspondant de l'*Empire* — le journal de John MacDonald, enchanté de l'aubaine. "Il faut que Pacaud et Charles Langelier s'en aillent", dit le sénateur.

Or Mercier ne tolérait plus qu'on lui fît la leçon. Il prenait des colères. Il fallait que Lebeuf perdît sa présidence, comme Desjardins sa subvention. Et voilà le Club National en effervescence.

Les partisans de Mercier et de l'alliance nationale voulurent enlever la présidence du Club à Lebeuf. Celui-ci leur tint tête. Préfontaine, Ernest Tremblay, Lomer Gouin, Raoul Dandurand, J.-A. Mercier, le mirent en accusation, avec emphase, à la manière des Conventionnels — à la séance du 8 mai.[1] Une séance mouvementée! Les membres du Club sont au complet: les aînés, les vétérans de l'affaire Riel, portant chapeau haut de forme et déjà pourvus de quelque mandat, titre ou fonction; les plus jeunes, affectant des allures de rapin, et qui n'ont point payé leur cotisation. Les conjurés en chapeau haut de forme attaquent tout de suite. Beaugrand soutient son lieutenant Lebeuf. Lareau l'appuie aussi. Lebeuf a écrit à Pacaud une

---

(1) *Les procès-verbaux du Club National sont en possession de Mme Lebeuf (veuve du juge Calixte Lebeuf), qui nous les a communiqués.*

lettre très dure, dont une copie court sous le manteau; on le somme de la lire; il s'y refuse, et dénonce le piège qu'on lui tend: Préfontaine, avocat de la Couronne, l'eût arrêté séance tenante pour
libelle. Cette révélation déchaîne un tumulte. On
propose des ordres du jour contradictoires, on se
dénie mutuellement le droit de vote et même de
présence au Club. On arrache des mains de Rodolphe Lemieux la liste des membres.   Les uns
crient: "À bas la dictature!" et les autres: "Vive le
président!" Malgré la force de ses cordes vocales,
Dandurand ne parvient pas plus que les autres à se
faire entendre. Le grand Sauvalle dégage la tribune assiégée. Dans l'atmosphère embrumée par la
fumée des pipes, une quinte de toux saisit Beaugrand; un défenseur de moins pour Lebeuf, encer-
clé d'yeux furibonds, mais qui ne cède pas. On
entend encore: "Parasites de Québec... Valets des
castors... Discipline de parti... "En fin de compte,
à minuit passé, Philippe-Honoré Roy fait reconnaître à l'affaire Lebeuf-Pacaud un caractère personnel. On laisse la présidence à Lebeuf, et l'on
vote un ordre du jour de confiance en Mercier:

"Ce Club, après avoir entendu les explications données de part et d'autre, sans se prononcer sur le
mérite d'icelles, profite de la présence d'un grand nombre de visiteurs distingués pour exprimer son entière
confiance dans l'administration de M. Mercier."

Les discussions et les éclats de voix se conti-
nuèrent, aux petites heures, sur les trottoirs de la
rue Saint-Jacques.

Ces incidents firent le tour de la presse.   Le
Canadien — organe conservateur que cette querelle intestine ne regardait sans doute pas — approuva les libéraux révoltés contre l'alliance des
castors:

"En s'identifiant à cette secte bigote, rancunière, animée de sentiments étroits et d'une intolérance avouée, M. Mercier expose la province au discrédit, à la déconsidération aux yeux des autres parties du Canada comme aux yeux de l'Empire..."

Dans *L'Union libérale,* le neveu du cardinal Taschereau et ses jeunes camarades continuaient aussi de traiter Trudel et Tardivel de cagots.

La *Patrie* accentua son libéralisme doctrinaire, un peu mitigé ces dernières années, et annonça le retour au "vieux libéralisme". Elle somma Mercier de rompre avec Trudel et avec le groupe de la *Vérité.* Celle-ci répliqua en sommant Mercier de rompre avec le groupe de la *Patrie* et avec ceux pour qui la politique "est une immense vache à lait qu'il faut traire jusqu'à complet épuisement".

Pacaud voyageait en Angleterre, en compagnie de Charles Langelier et de... Tarte. Ce voyage n'était pas sans rapport avec la conversion de la dette municipale de Québec. Le maire François Langelier avait engagé Tarte à lui prêter son concours, ce qui peut nous laisser rêveur, puisqu'aucune compétence spéciale ne désignait Tarte pour ce genre de transactions — mais ce n'est ni la première ni la dernière fois que nous le trouvons dans les petits papiers de ses adversaires politiques.

L'Electeur publia la note suivante (14 mai) :

"Nous sommes priés de déclarer que M. Mercier n'abandonnera pas ses amis MM. Langelier et Pacaud, et qu'il ne reconnaît à personne le droit de lui imposer ses amis ou de lui dicter sa conduite dans ses relations personnelles."

Et *L'Electeur* interviouva Laurier, qui répondit :

*"Mon opinion invariable a toujours été que les con-
servateurs nationaux, qui ont aidé M. Mercier à former
son gouvernement, devraient être traités non seulement avec loyauté, mais avec une généreuse sympathie. Je ne comprends pas qu'on puisse faire aucun
reproche à M. Mercier à ce sujet. M. Mercier a fait une
alliance pour arriver au pouvoir; il doit la maintenir
par tous les moyens légitimes."*

L'opinion de Laurier ne suffit pas à calmer la
tempête. À son tour le Dr Ladouceur, candidat libéral aux dernières élections dans le comté de Richelieu, et qui voulait contester l'élection de son
adversaire, accusa Beausoleil d'avoir, au nom du
parti, renoncé à cette contestation pour maintenir
sa propre élection dans Berthier. À titre de protestation, le Dr Ladouceur assista au banquet offert à Taillon par les conservateurs de Montréal.

Les autres libéraux n'approuvaient pas ce geste
de Ladouceur, car leurs disputes intestines ne les
conduisaient pas à pactiser avec les conservateurs.
À propos du banquet Taillon, *L'Electeur* publia
un article grossier sur le chef de l'opposition provinciale. La presse conservatrice usa de représailles
en employant le même langage à l'adresse de Mercier et des chefs libéraux. Au mois de juin, on se
trouvait de nouveau en pleine bagarre. Le ton des
polémiques était tel qu'un peu plus tard Beaugrand, qui pourtant ne craignait pas les coups,
voulut enrayer cet entraînement et faire cesser les
attaques personnelles et passionnées dons les journaux débordaient. Il écrivit dans la *Patrie,* sous sa
signature:

*"Quant à moi, je suis absolument décidé à faire aban-
donner à mon journal ce système de polémique, qui
consiste à frapper en aveugle à droite et à gauche dans
le tas, sans s'occuper de salir les réputations les plus
respectables ou de heurter les sentiments les plus intimes de toute une famille, y compris les femmes et*

*les enfants. Ai-je besoin de dire ici que tout cela n'a
rien à faire avec mes opinions politiques? J'ai toujours
été et je reste un libéral de la vieille école, de l'école
du PAYS, et on me l'a reproché assez souvent sur tous
les tons pour que j'aie le droit de m'en enorgueillir.
La Patrie n'a d'ailleurs jamais eu d'autre politique.
Mais ce que j'ai la ferme intention de changer, c'est
le mode de discussion des anciens jours."*

Et l'on se battait sous les yeux de l'ennemi. Car
la croisade menée en Ontario contre les Jésuites,
contre Mercier et contre la province de Québec,
s'intensifiait et s'organisait. Elle avait pour chefs
des libéraux comme le député John Charlton et
des conservateurs comme le député Dalton Mc-
Carthy et le sénateur Clemow. John-A. Mac-
Donald essayait en vain de retenir son ami et lieutenant Dalton McCarthy. Non pas certes que sir
John eût la moindre sympathie pour les Jésuites
ni pour Mercier; mais il craignait de s'aliéner tout
le vote catholique. Il faisait observer le grand nombre de comtés où le déplacement du vote irlandais,
par exemple, suffirait à renverser la faible majorité
conservatrice. Pour ces raisons d'opportunité, John
MacDonald blâmait l'agitation. Déjà, aux élections de 1887, Dalton McCarthy ayant donné
à sa campagne une tournure francophobe et anticatholique, sir John avait délégué auprès de lui un
Irlandais catholique de Toronto, nommé Long,
qui avait beaucoup aidé McCarthy de son influence
et de son argent. Long avait eu avec McCarthy
des entrevues, par moments orageuses, et restées
inutiles.[1] McCarthy et ses amis recommençant
de plus belle à propos des biens des Jésuites, sir
John les blâma ouvertement, dans un banquet à
Toronto, le 7 juin.

Les forcenés ne s'arrêtèrent pas pour cela. Le

---

[1]   *La* Minerve, 11 *mai* 1896.

10 juin, ils tinrent à Toronto, sous la présidence du pasteur William Caven, principal du Knox College et modérateur de l'Eglise presbytérienne, une "Convention antijésuitique", où le colonel O'Brien parut en héros. Les principaux représentants de Montréal à cette convention étaient Walter Paul, gros épicier de la rue Sainte-Catherine, et l'ancien député libéral George-Washington Stephens, séparé de Mercier depuis l'affaire Riel, Charlton protesta contre l'idée, attribuée à des Canadiens français, d'élever un Etat de race latine sur les bords du Saint-Laurent. Le pasteur Caven, O'Brien, Charlton, Stephens, et plusieurs de leurs compagnons, n'étaient pas les premiers venus. On comptait parmi eux des sincères, que terrifiait la pénétration canadienne-française — la marée canadienne-française — dans les cantons de l'Est et dans le nord et l'est de l'Ontario. Un témoin oculaire, Robert Sellar, directeur du *Huntingdon Gleaner*, leur affirmait que la province de Québec, sous l'administration Mercier, ne traitait pas les Anglais sur le même pied que les Français. Pour réclamer cette égalité, la convention fonda la Ligue des Droits Egaux (Equal Rights Association). En réalité, le but de la ligue serait d'"unifier" le pays, c'est-à-dire imposer une seule langue au peuple canadien, assimiler par la force les Canadiens français. Le "Conseil provincial" de la Ligue des Droits Egaux comprit trois députés (John Charlton, Dalton McCarthy et le colonel O'Brien), l'évêque anglican d'Algoma, plusieurs pasteurs, deux principaux de collège, les maires de London, Galt et Brampton, des médecins, des avocats, des échevins, des hommes d'affaires.[1] Des libéraux

(1) *Ordinances and by-laws of the Equal Rights Association* (Toronto, Hunter Rose & Co., 1889) *Vol. 1302 de la collection "Canadian Pamphlets" de la bibliothèque du Parlement, à Ottawa.*

(on disait encore, en Ontario, des "réformistes") tels que Charlton et J.-J. MacLaren, y coudoyaient une majorité de tories.

Ces tempêtes n'effrayaient pas Mercier; mais elles pouvaient le gêner dans l'accomplissement de son oeuvre. Et il s'étonnait aussi de ne pouvoir, devant ces menaces extérieures, réaliser dans la province une union vraiment nationale autour de son programme national. Mercier avait gardé l'idéal de sa jeunesse; il eût volontiers supprimé les deux partis traditionnels, frères siamois condamnés à s'entre-déchirer. Il profita de la fête de la Saint-Jean-Baptiste pour lancer un appel à la concorde, d'un accent magnifique, semblable à ceux de la campagne Riel.

Cette année-là, c'est à Québec que la fête devait avoir le plus d'éclat. On inaugurait le monument à Jacques Cartier et à Brébeuf, pour affirmer la double fidélité du pays de Québec à la France et à l'Eglise. Des milliers de visiteurs affluèrent, de la province et de la Nouvelle-Angleterre. Le 9e bataillon reçut à la gare le 65e, venu en corps de Montréal. Les fêtes comportèrent un Salut solennel à la Basilique, des concerts de fanfares sur la terrasse, l'inauguration du monument Cartier-Brébeuf, une procession, un banquet. Le soir, les fils d'or et les étoiles scintillantes du feu d'artifice déchirèrent le crépuscule, comme si des coups de glaive les avaient fait jaillir du vieux rocher de Québec.

Il se prononça force discours. Le juge Routhier parla sur la terrasse; P.-J.-O. Chauveau parla au pied du monument. Depuis des années, aucune fête de la Saint-Jean-Baptiste ne se célébrait sans discours de Chauveau; l'ancien chef du premier ministère de la province avait 69 ans; il restait rondelet, disert, et n'enviait pas ses successeurs pilotant à travers tant d'orages la barque qu'il avait conduite en eau calme. Seize orateurs parlèrent au banquet: Laurier; Mercier; Jean Blanchet; le Dr Martel, délégué franco-américain; Charles Langelier, rentré d'Europe en hâte à cause des troubles du parti; Guillaume Amyot; L.-O. David; Jules Tessier représentant le maire de Québec, parti à son tour en Angleterre pour la conversion de la dette municipale; Amédée Robitaille, président de la Société Saint-Jean-Baptiste de Québec; J.-P. Rhéaume; Siméon Lesage; Philippe Landry; Thomas Chapais; Rodolphe Lemieux; Nazaire Ollivier; Gustave Hamel. Plusieurs discours furent éloquents; mais l'un d'eux atteignit le sublime: celui de Mercier. Il souligna le double symbole du monument Cartier-Brébeuf, et demanda l'union de tous ceux qui participent au commun héritage catholique et français:

"Il est impossible de ne point rappeler dans une circonstance comme celle-ci ce qui se passe depuis quelque temps au Canada.

"Nos ennemis cherchent à soulever les préjugés contre nous, et, unissant maladroitement les haines qu'ils ont pour notre nationalité à celles qu'ils ont pour notre religion, ils font entendre des cris de rage à l'occasion d'un grand acte de justice accompli récemment au nom de l'Etat, afin de restituer des biens illégitimement acquis.

"Nous avons subi, tous tant que nous sommes, nationaux, libéraux et conservateurs, sans murmure et sans protestation, les injures jetées de toutes parts contre ce que nous avons de plus cher et de plus sacré. Le moment de parler est arrivé, et comme représentant autorisé de la province de Québec... avec le sentiment de la responsabilité attachée à mes paroles, je déclare au nom de tous que nous sommes restés et que nous resterons catholiques et français. L'amour de la religion et de la nationalité de nos pères est gravé dans nos cœurs, et personne, pas même le plus puissant des tyrans, ne pourra nous enlever cet amour.

"Cette province de Québec est catholique et française, et elle restera catholique et française.

"Tout en protestant de notre respect et même de notre amitié pour les représentants des autres races ou des autres religions, tout en nous déclarant prêts à leur donner leur part légitime en tout et partout, en toute occasion comme en toute chose, tout en leur offrant de partager avec nous comme des frères l'immense territoire et les grandes ressources que la Providence a mises à notre disposition; tout en désirant vivre avec eux dans la plus parfaite harmonie à l'ombre du drapeau de l'Angleterre et sous l'égide tutélaire d'une souveraine chérie de tous, nous déclarons solennellement que nous ne renoncerons jamais aux droits qui nous sont garantis par les traités, par la loi et la constitution.

"Ces traités, cette loi et cette constitution nous donnent le droit de rester catholiques et français... Nous sommes maintenant deux millions et demi de Canadiens en Amérique, fiers de leur passé, forts de leur présent et confiants dans leur avenir, nous nous moquons des menaces de nos ennemis...

"Quand nous disparaîtrons, nous dirons à la génération appelée à nous succéder: Nous sommes catholiques et français, et quand vous, nos successeurs, disparaîtrez à votre tour, vous devrez dire à la génération qui vous remplacera: Nous mourons catholiques et français! Ce sera notre testament et le leur; dernières volontés suprêmes d'un peuple héroïque, transmises de père en fils, de génération en génération, jusqu'à la consommation des siècles."

C'était un fier langage, loin des prudences, des allusions, des précautions, des méandres dont s'enveloppent et s'entortillent d'habitude les discours officiels. Ils sont conçus pour l'exégèse des diplomates et des journalistes spécialisés. Le discours mâle d'Honoré Mercier était fait pour toucher le peuple et l'exalter. Mais il n'avait pas fini:

"Pour obtenir ce grand résultat et consolider ainsi nos destinées, nous avons un devoir impérieux, urgent,

*solennel à remplir. Ce devoir, c'est de cesser nos luttes
fratricides et de nous unir.*

*"Nous ne sommes pas aussi forts que nous devrions
l'être parce que nous sommes divisés. Et nous sommes
divisés parce que nous ne comprenons pas les dangers
de la situation. Nos ennemis sont unis dans leur haine
de la patrie française; et nous, nous sommes divisés
dans notre amour de cette chère patrie.*

*"Pourquoi? Nous ne le savons pas. Nous sommes di-
visés parce que la génération qui nous a précédés
était divisée. Nous sommes divisés parce que nous
avons hérité des qualifications de rouges et de bleus;
parce que le respect humain nous dit de nous appeler
libéraux et conservateurs; parce qu'il est de bon ton
d'avoir un nom et un titre sous prétexte d'avoir des
principes; parce qu'il est de mode de défendre les principes, surtout quand ils ne sont pas attaqués.*

*"Brisons, Messieurs, avec ces dangereuses traditions;
sacrifions nos haines sur l'autel de la patrie, et dans
ce jour de patriotiques réjouissances, au nom et pour
la prospérité de cette province de Québec que nous
aimons tant, donnons-nous la main comme des frères,
et jurons de cesser nos luttes fratricides et de nous unir.*

*"Que notre cri de ralliement soit à l'avenir ces mots
qui seront notre force:*

"Cessons nos luttes fratricides; Unissons-nous!"

Journaliste, député, chef de l'Opposition et premier ministre, à cinquante ans comme à vingt ans,
dans le bonheur et dans l'adversité, parlant à Québec, à Montréal, à Paris, à Baltimore, toute sa vie
Honoré Mercier s'est guidé sur cette étoile polaire,
immuable et pure comme un diamant: la survie et
la grandeur du pays de Québec, catholique et français. Et malgré ses erreurs et malgré ses faiblesses,
cette direction majeure imprimée à toute sa carrière lui assure d'avoir fait sa marque, d'avoir laissé
dans son pays une trace profonde, que le temps
n'effacera pas. Si un homme a jamais ressenti au
paroxysme la fierté française, c'est bien le Cana-

dien français Honoré Hercier. Cela commandait ses réflexes. Il fallait voir son port de tête, entendre les inflexions plus âpres de sa voix un peu aigrelette pour lancer ces mots: Catholiques et français! Comment les Canadiens qui l'entouraient, fils, petits-fils, arrière-petits-fils de ceux à qui force ni ruse n'avaient pu arracher la langue ni la fibre françaises, comment n'auraient-ils pas tressailli à leur tour de fierté?

Des siècles d'atavisme refluaient avec ces paroles inspirées. Le peuple le sentit, et l'appel de Mercier retentit dans toute la province. Le vent le porta dans Saint-Roch, avec les flonflons assourdis du concert de la terrasse. Puis il se propagea, gagnant de proche en proche à la manière des feux de la Saint-Jean. Comme pendant la campagne Riel, le peuple canadien-français frémit dans ses couches profondes. Une fois de plus, le débardeur de Montréal, le maraîcher de Chateauguay, le bûcheron des Laurentides, le draveur du Saint-Maurice, le défricheur du Lac-Saint-Jean, le fermier du bas de Québec et le pêcheur de Gaspé, et les bourgeois à favoris et les prêtres et les étudiants, et aussi les Acadiens du Nouveau-Brunswick et les Canadiens de la Nouvelle-Angleterre, de Lewiston à Woonsocket, se répétèrent comme un mot d'ordre le cri lancé par Mercier. A la sortie de la messe, dans la cohue des foires et dans les rues de la ville, des mains s'ouvrirent pour se tendre vers la main de l'adversaire. Cessons nos luttes fratricides; unissons-nous!

*   *   *

Dans les assemblées de Toronto, Dalton McCarthy s'écriait: "Il s'agit de savoir si c'est la Reine ou le Pape qui règne sur le Canada. Il s'agit de savoir si ce pays sera anglais ou français."

A Québec, Mercier répondait: "La province de Québec est catholique et française, et elle restera catholique et française... Nous nous moquons des menaces de nos ennemis!"

Mercier mettait dans l'amour de son pays — la province de Québec — cet air décidé qui peut paraître à autrui un tantinet provocant. En France, on l'eût dit cocardier (c'était le temps du boulangisme). Cela paraissait intolérable aux fanatiques de l'Ontario. Ils feignirent de prendre les paroles de Mercier — la réponse de Mercier — pour une provocation, et s'agitèrent de plus belle. On se serait dit revenu aux jours où George Brown alertait le Haut-Canada en criant à la "French domination".

L'indemnité des Jésuites fut leur cheval de bataille. Hugh Graham, directeur-propriétaire du *Star* de Montréal, conduisit une délégation à Ottawa. Il pria les ministres de soumettre à la Cour Suprême et au Conseil Privé la constitutionnalité de cette loi. D'autres, avec l'épicier Walter Paul, le journaliste Robert Sellar et le pasteur Caven, demandèrent, par supplique, la protection du gouverneur général dans les dangers horribles qui les menaçaient. Lord Stanley répondit que le gouvernement fédéral, et la Chambre des communes par 188 voix contre 13, avaient jugé la loi constitutionnelle, ce qui correspondait à son avis.

L'agitation de ceux qu'on appela les Equalrightistes rendit courage aux adversaires de Mercier. Sir John ne pouvait ni ne voulait désavouer la loi des biens des Jésuites; il désavoua la nouvelle loi créant la Cour des magistrats de district à Montréal (que la *Minerve* appelait irrévérencieusement la basse-cour). Et l'opposition provinciale n'eut pas honte de tirer parti du mouvement equalrightiste. En suivant Mercier, disait Tarte dans le *Canadien,* la province de Québec a provoqué les autres et s'est attiré des représailles. "Monsieur Tarte fournit des armes à l'ennemi, répliquait *L'Etendard;* en temps de guerre, il serait fusillé!" Trudel, cloué au lit par la maladie, se fit apporter un sous-main pour écrire: "M. Tarte prétend que l'influence française baisse dans l'arène fédérale? Si, aux élections de 1887, nous avions infligé au gouvernement fédéral le châtiment qu'il méritait, la race française serait plus respectée, et l'agitation actuelle n'aurait même pas commencé."

Dans cette lutte, prolongeant l'affaire Riel et tendant, comme elle, à dresser l'une contre l'autre les deux provinces de Québec et d'Ontario, les jeunes rédacteurs de *L'Union Libérale* virent la preuve que la Confédération n'était pas viable. Blaise Letellier, neveu de l'ancien lieutenant-gouverneur, développa cette thèse, sous son pseudonyme de "Max". Blaise Letellier et ses camarades rappelèrent cette prophétie de Jean-Baptiste-Eric Dorion, que la Confédération, loin d'éliminer les conflits entre le Haut et le Bas-Canada, les multiplierait. "L'Enfant terrible" avait également prévu le choc entre les provinces et le pouvoir fédéral — collision du pot de terre et du pot de fer.

Le fanatisme anticatholique et antifrançais gagna le Manitoba.

Thomas Greenway, ancien tory de l'Ontario devenu chef du parti libéral manitobain, avait renversé Norquay sur la question des chemins de fer. Il était flanqué du procureur général Joseph Martin, que la présence de Français et de catholiques dans sa province empêchait de dormir. A ce moment, Dalton McCarthy, dont l'idée fixe était l'anéantissement des Canadiens français par la loi ou au besoin par la baïonnette (sic), fit une tournée oratoire au Manitoba. Inutile de dire si Honoré Mercier fut conspué dans ces assemblées. Joseph Martin envia les lauriers de Dalton McCarthy. Sous son influence, le gouvernement Greenway abolit la langue française dans tous les services publics du Manitoba. Martin et McCarthy, Greenway et MacDonald, libéraux et conservateurs, s'appliquaient du même coeur à refouler l'élément français, à faire du Nord-Ouest un pays exclusivement anglais.

Le 7 septembre 1889, pour la première fois depuis l'érection du Manitoba en province, la *Gazette Officielle* ne fut imprimée qu'en anglais. Le secrétaire provincial Prendergast, représentant les Franco-Manitobains dans le cabinet, donna sa démission. Un Anglais prit son portefeuille; les Franco-Manitobains se trouvaient quasiment hors la loi. Thomas-Alfred Bernier, ancien camarade de Mercier à Saint-Hyacinthe, devenu surintendant des écoles libres au Manitoba, reçut avis de sa destitution prochaine. Malgré la résistance de Bernier, le gouvernement Greenway saisit la caisse des écoles libres.

La *Gazette* de Montréal vit dans ces incidents le contre-coup du mouvement nationaliste inauguré par Mercier dans la province de Québec, en 1885. Sans remonter à 1885, ce qui les eût mis en cause, la *Presse* et le *Canadien* imputèrent la responsabilité à Mercier et à Trudel. Le déchaînement manitobain, dit la *Presse,* sans doute sous la plume d'Helbronner:

> "...est la *réponse de la majorité anglaise aux provocations inutiles et insensées du mouvement national et du parti catholique... Reste à savoir si leur tour ne*

viendra pas dans la province catholique et française de
Québec, qui n'avait qu'à se tenir tranquille."(1)

Un journal conservateur, le *Journal de Québec,*
protesta contre ces procédés de polémique injustes
et antinationaux. Mais l'ancien journal de Joseph
Cauchon perdait peu à peu de ses lecteurs et de son
influence au profit des feuilles plus vivantes, plus
modernes, rédigées par Tarte, Pacaud, Tardivel
et Chapais; et il cessa bientôt de paraître.

Au cours d'un pique-nique conservateur à Saint-
Hilaire, Chapleau lui-même, tout en blâmant les
fanatiques, chargea d'une part de responsabilité
"la maladroite ostentation de M. Mercier".

Cependant sir John s'en tenait à la ligne de conduite estimée opportune. L'Alliance Evangélique
ayant porté l'affaire des biens des Jésuites devant
les autorités de Londres, sir John écrivit à Tupper
de contrecarrer la requête. Le 9 juillet, les "Officiers en loi du Bureau des Colonies" jugèrent inutile le renvoi de la loi des biens des Jésuites —
loi du ressort provincial, et parfaitement constitutionnelle — devant le comité judiciaire du Conseil
Privé. Ils rendaient la décision souhaitée par John
MacDonald et son haut intermédiaire Tupper(2).
Le gouvernement d'Ottawa fit publier la nouvelle
en septembre. La *Minerve* écrivit:

"*C'est là le jugement final que demandaient les au-*
teurs de l'agitation antijésuitique. Il confirme en tous
points la position prise par les autorités canadiennes.
Aussi avons-nous lieu d'espérer que la question est
close à tout jamais."

---

(1) *La* Presse, 14 *septembre* 1889.

(2) *Correspondence of Sir John A. MacDonald: lettre*
à sir Charles Tupper, du 31 mai 1889.

Gabriel Dumont, chef métis (1838-1906)
(Archives d'Armour Landry)

*Auguste-Réal Angers, avocat et homme politique
(1839-1919) (Archives d'Armour Landry)*

On n'intimiderait pas Mercier. Il gouvernait presque seul, en proconsul, la plus forte personnalité de l'administration provinciale, après la sienne, étant celle du curé Labelle. Le curé de Saint-Jérôme, plus souvent à Québec qu'à Saint-Jérôme, accomplissait consciencieusement se besogne de sous-ministre[1]. Il assistait aux séances du Conseil d'agriculture, faisait acheter et distribuer des grains de semence. Mercier appliqua son idée d'une "classe d'honneur", d'un "Sénat de l'agriculture", sous une forme modifiée, en créant l'ordre du Mérite agricole. Le curé Labelle dînait avec les ministres et les amis des ministres. Parmi les polémiques, les accusations, les rumeurs de scandales, ne risquait-il pas des éclaboussures? Mgr Fabre le rappela.

Or, Mercier n'entendait pas perdre ce collaborateur insigne. Tout au contraire, il sollicitait en sa faveur, par d'autres intermédiaires, la prélature que Mgr Fabre n'avait pas voulu demander à Rome. Le conseil des ministres se réunit, exprima ses regrets, et, à l'unanimité, pria l'archevêque de Montréal de revenir sur sa décision[2]. Mgr Fabre céda. Justement, le curé Labelle était promu par Rome protonotaire apostolique. Il célébra sa première messe pontificale à la Rivière-Ouelle, en présence de Mercier et du secrétaire provincial Gagnon. Mais le peuple ne put jamais se résoudre à dire "Monseigneur Labelle"; l'apôtre de la colonisation resta "le curé Labelle".

Et en avant la colonisation, le défrichement, le

---

(1) *Les rapports annuels du ministère de l'Agriculture et de la Colonisation en font foi (dans les "Documents de la session" pour chacune des années correspondantes).*

(2) *Lettre de Mercier à Mgr Fabre, du 11 juillet 1889, aux archives de l'archevêché de Montréal.*

rapatriement des Franco-Américains! En avant vers
le Nord! Buies enrichit la série de ses monogra-
phies d'un petit livre sur "L'Outaouais supérieur"[3]. Il y chantait le Nord, "ce Nord immense, jadis impénétrable, aux proportions colos-
sales... région belle entre toutes dans un pays qui
est un des plus beaux du monde..." Il exaltait
l'oeuvre colonisatrice "l'oeuvre   par   excellence,
l'oeuvre vitale", au point de vue canadien-français:

> "Il le faut, parce que ces races nous sont antipathi-
> ques, sinon hostiles à des degrés divers, et parce que
> rien ne leur conviendrait si bien que notre disparition.
> Il faut coloniser dans l'est de l'Amérique britannique,
> afin de contre-balancer l'Ouest colossal où se déverse
> déjà l'élément anglais... Toute considération doit s'in-
> cliner devant la question de races; tout intérêt majeur,
> oserons-nous dire, toute industrie, si vaste et si pré-
> cieuse qu'elle soit, doit lui céder le pas.

> "On ne saurait croire les efforts constants, acharnés,
> qui se font pour noyer les Canadiens français, partout
> où ils essaient de pénétrer en dehors de la province de
> Québec. Les appels réitérés aux émigrants scandina-
> ves et teutons, la transplantation active de ces étran-
> gers sur le sol du Dominion n'ont pas d'autre cause ni
> d'autre objet.

> "Les efforts redoublés des marchands de bois pour
> repousser nos colons et s'emparer du domaine public
> sont encore une des formes de l'hostilité, à peine dé-
> guisée, à notre race..."

Fière réponse à l'agitation "antijésuitique" de
Toronto! Buies imprimait de ces vérités dont il est
convenu qu'on y pense toujours et qu'on n'en
parle jamais. Il adoptait le ton de Mercier, le ton
de ce mâle, de cet extraordinaire discours de la
Saint-Jean-Baptiste, propre à donner le branle à
toute une époque.

---

(3) *Arthur Buies:* "L'Outaouais supérieur", *Imprimerie Darveau, Québec,* 1889.

Pourtant, c'était une entreprise ardue que la colonisation. Dans sa région préférée, celle de Saint-Jérôme, le curé Labelle s'était trompé. Les lots défrichés, le bois coupé et vendu, le sol se révélait peu fertile, encombré de cailloux. Et l'on ne pouvait, à cette époque, prévoir la source de profits qu'est devenu le tourisme. Ailleurs, les colons manquaient de ressources, et parfois un peu de courage, pour attendre la récolte abondante qu'une terre défrichée ne pouvait produire avant trois années. Tandis qu'on rapatriait des Franco-Américains, d'autres colons renoncèrent, et partirent pour les Etats-Unis. L'opposition ne manqua point de monter en épingle ces difficultés. Le *Monde,* journal de sir Hector Langevin, écrivit (28 octobre 1889) :

"Au temps où M. le curé Labelle voyageait moins entre Québec et Montréal, plus entre Saint-Jérôme et les cantons du Nord, la colonisation faisait des progrès. Aujourd'hui, les colons que son zèle d'autrefois a entraînés dans la forêt redescendent des montagnes, découragés, et se plaignent d'avoir été trompés. La politique est mauvaise colonisatrice."

Le curé Labelle et Mercier comptaient triompher de pareils obstacles par la persévérance. Au mois d'octobre, tandis que Laurier précisait son libéralisme à Toronto (se réclamant toujours de l'école anglaise de Gladstone et répudiant le radicalisme français), Mercier inaugurait à Saint-Raymond un pont métallique pour le chemin de fer du Lac-Saint-Jean. Il poursuivait son entreprise de substituer les ponts en fer aux ponts de bois. Tout cela coûtait cher; l'opposition, critiquant ces dépenses, rappelait les propres critiques de Mercier contre les gouvernements précédents, par exemple sa réponse au discours du Trône de janvier 1883. Mercier répondait toujours que son oeuvre: routes, ponts, chemins de fer, agriculture, colonisation, instruction publique (il fondait alors les écoles du soir), développement industriel, n'en était qu'à ses débuts.

Des esprits perspicaces distinguaient déjà les deux aspects de ce régime: l'ampleur de vision, l'élan incontestable, mais aussi, au revers de la médaille, des facilités dangereuses. Mgr Fabre communiqua ses appréhensions à Rome, et fit demander au Saint-Père s'il n'y avait pas lieu d'interdire la participation d'un prêtre — d'un protonotaire apostolique — au gouvernement de la province. D'autres esprits perspicaces se trouvaient parmi les libéraux avancés, à *L'Union libérale* de Québec et à la *Patrie* de Montréal. Sauvalle et Rodolphe Lemieux avaient quitté la rédaction de la *Patrie* pour ne pas attaquer leur chef Mercier, mais Beaugrand, et surtout le jeune Lebeuf, n'hésitaient pas. Aux élections du Club National, le 25 octobre, Lebeuf se désista de la présidence, mais en lançant une proclamation vigoureuse. Le Club National est un club libéral, dit le président démissionnaire; il a reçu cordialement les conservateurs nationaux devenus nos alliés, mais il ne doit pas s'écarter des traditions libérales et du programme libéral: suffrage universel, instruction obligatoire, abolition du Sénat et du Conseil législatif. L'abstention de la province à l'exposition parisienne de 89 est une humiliante concession aux castors. Lebeuf mit en garde contre les tripoteurs, les courtiers de tous genres qui accaparent les hommes au pouvoir, et parla de Bonaparte de telle manière que tout le monde comprit l'allusion à Mercier. Environ le même temps, Beaugrand écrivait dans la *Patrie*:

"On a organisé à Montréal comme à Québec, en dehors de l'influence légitime des députés locaux, des offices de chantage politique où l'on carotte ceux qui ont des faveurs à demander au gouvernement... On fait

payer des contributions sur tout. Le premier entrepre-
neur libéral venu pourrait en dire long à ce sujet..."

Au Club National, les fidèles de Mercier lais-
sèrent parler Lebeuf, cette fois, sans trop de ta-
page, puisqu'il abandonnait la présidence. On élut
à sa place Lomer Gouin, le gendre de Mercier, qui
était aussi l'associé de Préfontaine; Rodolphe Lemieux resta secrétaire. Et l'on invita le premier
ministre, en grande cérémonie, à la fois pour marquer le rétablissement (officiel) de la paix dans
le club et pour lui donner l'occasion de prononcer
un discours-programme. Car, à la prière du Père
Turgeon, Mercier renonçait à une autre occasion,
belle entre toutes.

Un décret de la Sacrée Congrégation de la Propagande répartissait enfin l'indemnité des Jésuites.
À vrai dire, la décision du pape remontait à plusieurs mois, mais on avait attendu la réponse du
Conseil Privé pour la publier. Elle attribuait:

Aux Pères Jésuites $160,000
A l'Université Laval de Québec 100,000
A l'Université Laval de Montréal 40,000
A l'Archidiocèse de Québec 10,000
A l'Archidiocèse de Montréal 10,000
A la Préfecture Apostolique du Golfe.... 20,000
Aux diocèses de Chicoutimi, Rimouski,
 Nicolet, Trois-Rivières, Saint-Hyacinthe
 et Sherbrooke, $10,000 chacun 60,000

Mercier voulait procéder aux paiements au cours
d'une cérémonie mémorable. Il en eût profité pour
répondre aux critiques variées visant l'indemnité
des Jésuites, et surtout la manière dont on avait
traité. Mais les Pères, lassés des polémiques, sup-
plièrent Mercier de procéder sans éclat[1]. Mercier

(1) *Archives du Collège Sainte-Marie, à Montréal.*

consentit à une cérémonie simple. Il fit les paiements par chèques, le 5 novembre, au bureau du
gouvernement à Montréal. Presque tous les ministres l'entouraient, ainsi que Mgr Labelle, le P.
Turgeon, et Jacques Grenier, successeur d'Abbott
à la mairie de Montréal.

Et Mercier lança ses déclarations le lendemain,
6 novembre, dans une séance organisée par le Club
National. Deux ministres, Turcotte et Rhodes, ac-
compagnaient leur chef. François Langelier et de
nombreux députés étaient venus, et les auditeurs,
débordant la salle, encombraient les escaliers.

Conscient d'avoir accompli, la veille, un geste
historique, Mercier commença par réfuter les critiques du *Canadien* et de *L'Union libérale*. Chapleau lui-même faisait dire qu'il aurait traité avec
le cardinal d'une façon moins provocante pour les
antipapistes. Mercier donna lecture de sa correspondance avec le cardinal Taschereau. À la question officielle du premier ministre (25 octobre),
le cardinal répondait (28 octobre) qu'en effet la
distribution de l'indemnité par le pape était la
seule solution. Après cette lecture, Mercier termina
son discours par des paroles doublement nettes et
significatives dans un milieu très libéral. Le chef
de la province de Québec (car depuis Georges-Etienne Cartier, personne n'avait joué ce rôle comme
Mercier) n'avait pas deux manières selon les lieux
et les auditoires. Avec sa franchise presque agressive, il dit aux libéraux du Club National:

*"En terminant, laissez-moi vous prier, tous tant que
vous êtes, de ne pas oublier que nous avons formé le
parti national avec votre consentement, avec votre appui, avec le consentement et l'appui de tous les libéraux de la province de Québec; que ce parti est sorti
d'une alliance honorable et m'a permis de former le
gouvernement actuel qui, à son origine, a été appelé*

national, est resté national depuis, et restera national tant que j'en serai le chef.

"C'est vous dire que nous avons brisé les vieux liens de parti, que nous avons renoncé à certaines traditions considérées comme dangereuses et à certaines idées condamnées par des autorités respectées, afin d'affirmer un programme nouveau, assez libéral pour assurer la prospérité publique, mais aussi assez conservateur pour ne pas inquiéter les bons citoyens.

"Ce programme sera respecté, ce gouvernement sera maintenu, et ce parti vivra, dans ces conditions et pas d'autres.

"Je compte sur tous les honnêtes gens pour m'aider à tenir cette promesse et à faire respecter cette décision."

Nul ne s'y trompait. Les traditions dangereuses et les idées condamnées, c'étaient celles que Laurier venait de répudier encore une fois dans son discours de Toronto, c'était le radicalisme de Louis-Antoine Dessaulles, des frères Dorion, de Joseph Doutre, de Rodolphe Laflamme. C'est en riant jaune que Beaugrand commenta, dans la *Patrie*: "Quand M. Mercier parle de traditions dangereuses et d'idées condamnées par des autorités respectées, il fait allusion aux traditions et aux idées de *L'Etendard*." Lebeuf conclut franchement que Mercier, chef d'un parti hybride, était perdu pour le libéralisme. "D'ailleurs, ajoutait-il avec vivacité, il n'a jamais été libéral." Il demanda si Laurier voulait, lui, oui ou non, être le chef du parti libéral, et répudier "l'école rétrograde qui a toujours été notre ennemie et ne fait mine d'alliance que pour mieux nous poignarder". La bouche d'argent ne se desserra point pour lui répondre.

Le parti libéral ne serait jamais arrivé au pouvoir sans l'alliance nationale. Mercier ne l'oubliait pas. Mais ses déclarations ne constituaient pas seulement un geste de reconnaissance ou d'opportunité; elles correspondaient à ses idées maîtresses. Mercier, jeune journaliste au *Courrier de Saint-Hyacinthe*, avait été plus national que conservateur; député, chef de parti et premier ministre, il était devenu et resté plus national que libéral. Il avait dix fois, sous diverses formes dont la fameuse "coalition", tenté une fusion des partis. Puis il se rapprochait de plus en plus, et sincèrement, des catholiques militants. Il rêvait d'attacher son nom à de grandes actions, et celles-ci ne pouvaient s'accomplir, en cette province et à cette époque, qu'en liaison avec l'Eglise. Mercier reçut avec une satisfaction profonde les remerciements officiels du Père Turgeon: "Le gouvernement de la province de Québec a rendu un véritable service au peuple canadien, en déchargeant la conscience de ses habitants d'un poids qui l'accablait depuis longtemps; et il a fait un grand acte d'énergie en réglant définitivement une question qui paraissait insoluble."

Mercier eût volontiers comblé un autre voeu de ses alliés ultramontains — et ceci montre dans quel sens il évoluait. Une louable ambition s'en mêlait. Contribuer à l'érection d'une université indépendante à Montréal; réussir, comme pour les biens des Jésuites, là où tant d'autres ont échoué; et du même coup, attacher son nom à une fondation mémorable. Au cours de son audience au Vatican, la pape lui avait demandé son opinion sur la question universitaire. Et Mercier de répondre qu'à son avis les difficultés continueraient tant que Montréal n'aurait pas son université indépendante[1]. C'est ce que le R. P. Turgeon avait répété à Rome.

---

(1) *Déclaration de Mercier à la Législative de Québec le 3 mars 1890 (Voir: compte rendu des débats).*

Il existait d'ailleurs un moyen de satisfaire Montréal sans trop insister sur la rivalité avec Laval: c'était d'achever l'indépendance de la succursale, qu'on appelait maintenant *L'Université Laval de Montréal.* Les avis de Mercier et du Père Turgeon avaient pu influencer la rédaction de la nouvelle constitution apostolique *Jam dudum* du 2 février 1889, qui consacrait ce titre. La constitution *Jam dudum* réservait à l'épiscopat de la province ecclésiastique de Montréal — c'est-à-dire à l'archevêque de Montréal et aux évêques de Saint-Hyacinthe et de Sherbrooke — la nomination du vice-recteur. Le 23 juillet, Mgr Fabre, Mgr Moreau et Mgr Racine se réunirent pour le désigner.

On remarquait alors un prêtre, Montréalais de naissance, dont la réputation d'intelligence et d'habileté se répandait de plus en plus: l'abbé Jean-Baptiste Proulx, curé de Saint-Lin. Un grand gaillard de quarante-trois ans, noir comme une mûre, instruit, très bon orateur, d'une gaieté parfois exubérante. Il avait été professeur au Séminaire de Sainte-Thérèse, missionnaire au Manitoba, aumônier, curé; il avait accompagné Mgr Duhamel dans une tournée pastorale au Témiscamingue et en Abitibi, et le curé Labelle, comme secrétaire, pendant son voyage en Europe. Grâce à sa plume facile, à ses relations, à son énergie, à sa persévérance, tout lui réussissait. Mgr Duhamel ne tarissait pas d'éloges sur ce compagnon de voyage érudit et enjoué, avec qui les heures semblaient courtes. Mgr Labelle le tenait pour son meilleur disciple, le conseillait pour l'approvisionnement de sa cave, et lui prédisait une grande carrière. Chapleau l'estimait. Mercier l'estimait. Et quand Laurier venait, en vacances, dans son village natal de Saint-Lin, il déjeunait, après la messe, au presbytère de son ami Proulx. Parmi les paroissiens, même concert de louanges: le curé ne parlait jamais d'une voix sévère, n'affectait jamais de commander autrui, et l'on faisait toujours ce qu'il voulait. C'était plaisir que de lui obéir. Quant aux questions universitaires, enfin, un trait montrera comme cet ancien professeur les suivait de près: dans le voyage en Abitibi avec Mgr Duhamel, en 1881, l'abbé Proulx avait emporté une petite bibliothèque ambulante de brochures, dans laquelle figurait le plaidoyer de MM. Hamel et Lacoste pour l'Université Laval.

La faveur de Mgr Labelle constituait un faible atout auprès de l'archevêque de Montréal. Mais dix autres recommandations compensaient celle-là. Le vice-recteur serait toujours soumis à la surveillance de trois évêques et à la suzeraineté de Laval. Les évêques désignèrent l'abbé Proulx pour diriger l'Université Laval de Montréal. Dans les négociations délicates, un médiateur tout indiqué, M. Louis Colin, Supérieur de Saint-Sulpice, équilibrerait, par sa discrétion, la nature expansive du disciple de Mgr Labelle. A sa propre demande, l'abbé Proulx resterait titulaire de la cure de Saint-Lin, avec deux vicaires pour le suppléer.

La grande idée du nouveau vice-recteur fut d'arriver à l'indépendance vis-à-vis de Québec. Désir partagé par M. Colin, par le P. Turgeon, par Mercier, par tous les Montréalais. Mais l'abbé Proulx voulut d'abord rétablir la paix avec l'Ecole de Médecine et de Chirurgie, et, si possible, réaliser une fusion des deux facultés de Médecine. Ce premier succès fortifierait l'institution montréalaise, et préparerait des succès plus retentissants encore.

Plusieurs personnes influentes l'encourageaient dans cette voie, et s'offrirent comme médiateurs, entre autres Siméon Pagnuelo, nommé juge de la

Cour Supérieure, et, naturellement, M. Colin. Le Supérieur de Saint-Sulpice, prédicateur réputé, possédait le don de persuasion; il s'insinuait dans les âmes. Le 21 août, le clergé du diocèse de Montréal, réuni au Grand Séminaire de Saint-Sulpice pour la retraite ecclésiastique, souhaita une union des deux facultés sur des bases honorables. L'abbé Proulx laissait dire qu'il ne sacrifierait jamais les droits de Montréal.

Il y avait alors 225 élèves à l'Ecole Victoria, et 65 à la Faculté de Médecine de l'Université. On forma deux comités: les docteurs d'Orsonnens, Hingston et Desjardins pour l'Ecole, les docteurs Alfred-T. Brosseau, Jean-Philippe Rottot et Adolphe Dagenais pour Laval. Les négociations traînèrent. Le nouveau président de l'Ecole — le Dr Hingston — était affable et tolérant; mais trois professeurs, les Drs L.-B. Durocher, L.-A.-S. Brunelle et E.-A. Poitevin, ne voulaient rien céder à Laval. Malgré ces irréductibles, en octobre, on se crut tout près d'aboutir. Au point de célébrer l'accord par une messe chantée à Notre-Dame. Les trois professeurs opiniâtres et la totalité des élèves de l'Ecole refusèrent d'y assister! Ils firent signer des requêtes, priant Mgr Fabre de tout arrêter. En novembre, les comités se trouvèrent dans une impasse. Pour ne pas tout abandonner, ils décidèrent de rédiger des mémoires séparés, mais conciliants, et de solliciter l'arbitrage du pape. En attendant, on tâcherait de vivre en aussi bon voisinage que possible, et les élèves des deux facultés seraient admis sur le même pied dans tous les hôpitaux.

A ce moment se tint un grand congrès catholique à Baltimore. Mercier, dont la notoriété dépassait largement la province, y fut invité et s'y

rendit (12 novembre 1889). C'était encore une
réponse aux orangistes et autres equalrightistes. Il
s'y rendit accompagné de Mgr Labelle et de Mc-
Shane, l'ex-ministre disqualifié par la Cour de Revision. Mercier fut l'hôte des Pères Jésuites, au
Collège Loyola de Baltimore. Plusieurs de ces Pères étaient des Canadiens, anciens élèves du Collège Sainte-Marie de Montréal: Mercier fut traité
comme l'enfant de la maison.

Le congrès réunit, autour des cardinaux Gib-
bons et Taschereau, douze archevêques, cinquante
évêques dont Mgr Laflèche, et six cents délégués
laïques, parmi lesquels le vicomte de Meaux, petit-
fils de Montalembert, venu de Paris. On y vit le
maire de New-York et bien des notables américains. A l'église, Mercier eut sa place au premier
rang, à côté d'un avocat renommé de Baltimore,
Bonaparte Patterson, petit-fils de Jérôme Bonaparte. Mgr Ryan, de Philadelphie, prononça le
sermon: il passait pour le plus grand orateur sacré d'Amérique. Mais Mercier l'éclipsa par la fermeté de son discours. Il dit aux prélats et aux
notables américains: "Nous avons rendu à l'E-
glise, par l'entremise des Jésuites, des biens dont
elle avait été dépouillée par ce même George III
qui voulait vous dépouiller de vos droits et de vos
libertés."

La prestance, l'éloquence et le caractère du chef
canadien-français firent au pays de Québec une
magnifique propagande. Les journalistes inter-
viouvèrent ce premier ministre d'une grande province d'Amérique qui s'affirmait si résolument, si
ostensiblement, catholique et français.   Chez les
Pères Jésuites, fiers de leur hôte, des évêques venaient pour le voir. Pendant quelques jours, à
Baltimore, une petite cour de soutanes noires et

violettes entoura le premier ministre de la province de Québec.

L'Electeur multipliait les comptes rendus, les
hosannahs, les professions de foi catholique. A
lire la collection du journal de Pacaud, à cette
époque, on se demande si on ne s'est pas trompé,
si on ne lit pas la *Vérité* ou *L'Etendard*. Quelques
irréductibles, cependant, refusaient d'admettre la
sincérité de Mercier. Mgr Fabre finit par demander la démission du sous-ministre de la Colonisation, et son retour à la cure de Saint-Jérôme. Je ne
vous ai jamais permis de devenir sous-ministre
pour un temps indéterminé, rappelait l'archevêque,
mais seulement de prêter un mois de votre temps
à l'administration provinciale. "Je ne pouvais vous
rappeler alors qu'en faisant de l'éclat, et j'aurais
passé pour un partisan politique. Pour éviter le
bruit, j'ai enduré, mais aujourd'hui... la prélature
vous rend la position encore plus délicate. Il ne
convient pas qu'un prélat soit un simple serviteur
d'un ministre. Nous ne sommes plus au temps où
les grands de la terre attiraient autour d'eux des
dignitaires de l'Eglise pour s'en faire des partisans
dévoués et prétendre par là protéger l'Eglise...

"Je vous avouerai de plus que le voyage en Europe ne me paraît pas opportun."[1]

Mais d'autres voix parlaient aussi à Rome. Un
premier rappel de Mgr Fabre avait été tenu en
échec moins par la prière unanime des ministres
que par l'annonce d'une dignité romaine conférée
au curé Labelle. Le second rappel tomba en quelque sorte de lui-même, Mgr Fabre recevant du cardinal Rampolla, au nom du pape, l'avis que la

---

(1) *Lettre du 13 décembre 1889; copie aux archives
de l'Archevêché de Montréal.*

présence de Mgr Labelle dans le ministère provincial paraissait, en principe, avantageuse à l'Eglise[1].

Sans désarmer, on le voit, toutes les méfiances, chaque manifestation catholique de Mercier rendait les orangistes plus furibonds. La Ligue des Droits Egaux se montrait active. Elle reçut un mémoire de Robert Sellar sur les "griefs des protestants de la province de Québec".[2] Sellar y développait sa thèse favorite: L'Eglise catholique — l'Eglise de Rome — riche, nombreuse, disciplinée, est toute puissante dans la province de Québec. Véritable gouvernement, supérieur au gouvernement politique, elle a divisé la province en diocèses et en paroisses, tenus bien en mains. Avec le concours des sociétés de colonisation, elle réduit les enclaves anglo-protestantes. "L'une après l'autre, les terres tombent entre les mains des catholiques..." Un remède unique, et urgent: restreindre aux régions entièrement françaises l'application de la loi française, qui consacre le système paroissial et la perception de la dîme. Maintenir, ou rétablir, la loi anglaise dans les townships. Sans espoir d'y instaurer le régime paroissial et d'y percevoir la dîme, le clergé ne chercherait même pas à les coloniser. Ce serait d'ailleurs conforme à l'Acte de Québec de 1774, dont les Canadiens français ont progressivement forcé l'interprétation. Sans doute, la législature de Québec ne prendra pas une pareille mesure; mais une loi fédérale peut l'y obliger. C'est pourquoi nous, protestants molestés de la province de Québec, appelons nos frères au secours.

---

(1) *La lettre (en italien), aux archives de l'Archevêché de Montréal.*

(2) *"The disabilities of Protestants in the Province of Quebec"; Vol. 1302 de la collection de brochures à la bibliothèque du Parlement, à Ottawa.*

La thèse de Robert Sellar se répandit parmi le public ontarien. Le *Globe* du 10 décembre publia un grand article intitulé "Mercier", et représentant un premier ministre avide de détruire la minorité anglo-protestante de sa province. Depuis George Brown, le *Globe* n'avait pas cessé d'être, par sa rédaction et par son tirage, un grand journal. Il était libéral, comme Mowat — comme Mercier—et dirigé par John Willison, ami et correspondant de Laurier. On imagine le ton des petites feuilles sectaires. Dans la province de Québec, la nomination de Rhodes n'avait amadoué ni le *Chronicle*, ni la *Gazette*, ni surtout le *Star* et le *Witness*, sans parler du *Huntingdon Gleaner*, de Robert Sellar. Les Anglo-protestants firent bloc contre Mercier, à peu d'exceptions près, aux quatre élections partielles qui terminèrent l'année.

La première se tint dans le comté de Joliette. Aux élections du 14 octobre 1886, le national Louis Basinet avait emporté le comté de tradition conservatrice — l'ancien fief de Baby — par 19 voix de majorité. Son élection fut invalidée, après les longs procès d'usage. Malgré Taillon et une solide équipe de chefs conservateurs, Basinet, réélu, porta sa majorité à près de 200 voix.

La deuxième se disputa dans le comté de Brome. Lynch, l'ancien ministre des cabinets Chapleau, Mousseau, Ross et Taillon, venait de monter sur le Banc. L'Irlandais Lynch était conservateur et protestant. Un conservateur protestant, Rufus-W. England, lui succéda, mais à la majorité réduite de 297 à 197 voix. Le *Star* félicita les Anglo-protestants de leur esprit d'union. Il préconisa la formation d'un parti anglo-protestant qui serait, dans la province, l'arbitre entre les deux partis canadiens-français, perpétuellement en guerre.

La troisième élection partielle eut lieu dans le comté de Rimouski. Aux élections du 14 octobre 1886, Edouard-Onésime Martin avait battu le député sortant, Louis-Napoléon Asselin, par 61 voix. Martin venant à mourir, Asselin tenta de reprendre son siège, et le parti bleu fit l'impossible pour l'y aider. Tarte fut l'organisateur. Taillon vint dans le comté, ainsi que Leblanc, Nantel, L.-G. Desjardins, Cornellier, Thomas-Chase Casgrain, Thomas Chapais, Duplessis. Les ministériels mirent en ligne Louis-Philippe Pelletier, François-Xavier Lemieux, Charles Fitzpatrick, Jules Tessier, Charles Langelier et Adélard Turgeon. *L'Union Libérale,* approuvant Lebeuf, tiraillait contre le gouvernement, mais toujours sans perdre le contact; et Turgeon, tout en réclamant une orientation plus "à gauche", admirait la forte personnalité de Mercier. L'opposition conservatrice accepta l'aide des Equalrightistes auprès des Ecossais protestants de Métis-sur-mer. Le libéral Auguste Tessier n'en battit pas moins Asselin, et doubla la majorité de son prédécesseur.

Enfin, l'année finit par une élection à Québec-Ouest, celle du 14 octobre 1886 ayant été invalidée.

Les deux tiers des élections contestées étaient annulées par les juges, pour diverses fraudes, et beaucoup échappaient à la contestation par un troc entre les deux partis. Ces moeurs électorales furent même, à ce moment, la cause du procès pittoresque et de la conférence retentissante d'Hector Berthelot. L'humoriste appartenait à l'école de la *Patrie,* et ses têtes de Turc favorites étaient Trudel et Charles Thibault. Pour une fois cependant, il avait exercé sa verve, dans un de ses journaux éphémères, aux dépens d'Odilon Goyette, de McShane et de leurs amis qui faisaient voter les

On s'aperçoit, en l'écoutant, que la parole chez lui est l'écho d'un esprit droit et d'un cœur bien fait. Et cette impression qu'il produit sur son auditoire constitue la plus grande et la meilleure partie de sa force et de son mérite.

M. Laurier est né le 20 novembre 1841, à Saint-Lin, paroisse paisible et modeste qui pen-

et remarquable des ce temps le p... et cette délicatesse qui le caractérisent. Il obéissait généralement au règlement, mais se fit punir quelques fois pour être allé sans permission entendre plaider à la Cour du village ou écouter des orateurs politiques. Sa vocation s'affirmait en dépit du règlement.

L'Hon. WILFRID LAURIER.

ELECTEURS DE QUEBEC-EST

Et cependant, les conservateurs font à ce futur élu qui va relever au parlement fédéral le prestige de notre race, si amoindri depuis la Confédération, la guerre la plus acharnée et la plus violente, comme s'il était un ennemi de la patrie, un ennemi de ses institutions, de tout ce que

faisait aujourd'hui ou ferait demain le contraire de la veille sans s'en douter et sans rien y comprendre.

Electeurs de Québec-Est ! vous saurez répondre à cette injure et à ce mépris pour votre intelligent suffrage, par un vote d'une portée et

Sir Wilfrid Laurier, d'après une affiche électorale rédigée par L.-O. David (Archives d'Armour Landry)

Georges Duhamel (1855-1892)
(Archives d'Armour Landry)

morts dans le comté de Laprairie. Il est vrai que
Goyette, McShane et les autres lieutenants de Mercier s'étaient mués en nationaux, ce qui les exposait aux satires de Berthelot, radical impénitent.
Goyette se fâcha, poursuivit et fit condamner
Berthelot. L'humoriste refusa de payer. En décembre, l'affaire vint devant le juge Pagnuelo, qui
ordonna l'emprisonnement d'Hector Berthelot, s'il
ne payait pas les frais, s'élevant alors à $427. Pour
payer cette somme, Berthelot, sur le conseil de
Beaugrand, donna une conférence à un dollar la
place, devant 427 personnes. Un humoriste a
rarement le public contre soi, eût-il dix fois tort;
Berthelot, condamné par un juge "castor", parut
incarner la liberté de pensée. Le maire Grenier prit
le premier billet, et l'on s'arracha les autres. Dans
le feu roulant de ses anecdotes et de ses satires,
Berthelot avait, sans effort, de réelles trouvailles;
il était souvent assez gros, mais presque jamais
grossier.

Pendant qu'à Montréal, 427 frondeurs applau-
dissaient Berthelot, à Québec-Ouest, on allait aux
urnes. Owen Murphy ne l'avait emporté sur Félix
Carbray, en octobre 86, que par huit voix. Cette
fois, les conservateurs lui opposèrent l'échevin
Robert McGreevy, frère et associé de l'entrepreneur-député Thomas McGreevy, et fort actif.
Murphy garda son comté (30 décembre), portant, lui aussi, sa majorité à près de deux cents
voix. L'Electeur décommanda les manifestations
de joie bruyantes, par respect pour le sénateur
Trudel, dont on annonçait l'agonie.

Ainsi, chacune des quatre élections complémentaires finissant l'année 1889, sans changer la répartition des sièges, accusait un déplacement de
voix en faveur de Mercier.

III

LE CAPITOLE

Mercier au travail — Elections triomphales du 17 juin 1890 — Premiers avertissements — L'affaire McGreevy — Louis-Philippe Pelletier — Fusion de Laval et de Victoria — Un "programme de grand gouvernement" — Elections fédérales de 1891: pour ou contre la "Réciprocité".

Au Manitoba, le gouvernement Greenway, sous l'influence du procureur général Martin, continuait sa guerre aux écoles séparées. Il bouleversait le système d'instruction publique que Joseph Royal avait édifié en s'inspirant des lois de sa province natale. Mgr Grandin fit publier dans la province de Québec un appel émouvant. Les conservateurs nationaux de la *Justice* demandèrent si les ministres canadiens-français du cabinet fédéral, insensibles aux requêtes et aux supplications lors de l'affaire Riel, allaient encore rester sourds à l'appel de Mgr Grandin.

Ces difficultés mécontentaient sir John, et il en attribuait, lui aussi, la responsabilité à Mercier. Ce disciple canadien de Machiavel ne manquait pas une occasion d'aigrir les esprits contre le premier ministre de Québec. Ainsi, à la retraite de sir Andrew Stuart, juge en chef de la Cour Supérieure de Québec, le juge Louis-Napoléon Casault s'attendait à recevoir la place; sa réputation et son ancienneté le désignaient, dans une province fran-

çaise; sir John lui manifestait une grande estime—
mais il nomma le juge Francis Godshall Johnson
(19 décembre). Certes, le juge Johnson, né en
Angleterre, mais qui mettait sa coquetterie à parler le français sans accent, était un magistrat d'aussi haute réputation que Louis-Napoléon Casault,
et plus ancien de quelques années. Il avait occupé
des postes en vue, et siégé dans des causes retentissantes, telle que l'affaire des Tanneries. Mais
voici comment sir John se justifia auprès du juge
Casault:

> *"...Les animosités sociales et religieuses engendrées
> par la mesure malheureuse de Mercier ont pris une
> forme maligne, qui peut mettre en danger la prospé-
> rité future du pays, et le gouvernement a jugé bon,
> dans cette circonstance, de ne pas donner aux fanati-
> ques des "Droits Egaux" l'occasion de crier qu'on était
> passé par-dessus Johnson parce qu'il était anglais."*[1]

Autrement dit, Casault devait s'en prendre à
Mercier.

D'autres finauds suivaient cette astucieuse tactique. Et d'abord Tarte, sans qui l'opposition, en
ces années triomphales pour Mercier, eût sombré
dans le néant. Mais Taillon lui-même, dans une
assemblée du Club conservateur au Château de
Ramezay, fit mine de protester contre "la guerre
de race et de religion inaugurée par M. Mercier".
Il scellait ainsi l'alliance du parti conservateur provincial avec les equalrightistes. Des conservateurs
très catholiques, comme Thomas Chapais, se trouvaient un peu gênés dans cette coalition. L'ancien
premier ministre libéral Joly, de religion protestante et séparé de Mercier sur l'affaire Riel, ne vou-

---

(1) *Correspondence of Sir John A. MacDonald. Lettre confidentielle au juge Casault, du 10 décembre*
1889.

lut pas laisser croire à une conspiration huguenote;
il envoya au *Witness* une mise au point, approuvant la loi des Jésuites.

1890

Chez les libéraux s'accentuait encore la scission
avec l'aile avancée. Il y eut, au début de 1890, une
élection partielle dans le comté de Berthier, pour
remplacer Sylvestre, nommé conseiller législatif.
Laurier et François Langelier appuyèrent le candidat conservateur national, Omer Dostaler, choisi
sur l'intervention de Mercier. Mais la *Patrie* et
L'Union libérale protestèrent contre cet abandon
d'une citadelle "rouge" aux conservateurs nationaux. "Berthier est un comté libéral, qui nous
appartient", écrivit Lebeuf dans la *Patrie,* "Vous
touchez à l'arche sainte! Et nous en appelons à
tous les libéraux de ce que nous considérons comme
un sacrilège politique!" La *Patrie* se déclara neutre
dans cette campagne, quitte à soutenir une autre
fois ,en cas de récidive, ses propres candidats; car
elle ne laisserait pas "remplacer les libéraux de la
vieille école par les zélateurs d'aujourd'hui, qui
croient n'avoir qu'à se prosterner devant le soleil
levant pour en absorber les rayons".

Ainsi la forte personnalité de Mercier — le
"soleil levant" — avait presque brisé les cadres
des anciens partis. Mercier apparaissait en chef
d'un grand parti national et modéré — mais non
pas modérément national — combattu sur sa
droite et sur sa gauche par des opposants de principe, par des esprits avancés ou fanatiques. Il avait
réalisé ce que *L'Etendard* et la *Vérité* appelaient
"l'union des forces catholiques et canadiennes-
françaises avec un programme catholique et national".

Trudel mourut alors, le 17 janvier 1890. Depuis plusieurs mois, s'affaiblissant de jour en jour, il donnait l'exemple de la résignation la plus édifiante, telle qu'on pouvait l'attendre de lui. Il n'avait que 51 ans.

Dans un long article, la *Minerve* évoqua la carrière de Trudel depuis le mouvement des zouaves pontificaux, pour regretter plus profondément sa rupture avec le parti conservateur et son alliance avec des rouges. Elle attribuait à Trudel cette étonnante aberration d'avoir, dans les quatre dernières années de sa vie, réhabilité et mis au pouvoir les hommes et le parti contre lesquels il avait jusqu'alors, sans relâche et non sans succès, mené la guerre sainte:

"Etrange destinée! M. Trudel a consacré la fin de sa carrière à détruire son passé, à affaiblir ou ruiner le parti qu'il avait si vigoureusement servi, à ramener à flot le libéralisme qu'il avait tant de fois repoussé, à faire triompher des hommes qu'il avait considérés jusqu'alors comme nos pires ennemis."

Laurier envoya ses condoléances, exprimant sa haute estime pour le disparu. Mercier télégraphia à *L'Etendard*: "Le parti national perd un de ses plus illustres fondateurs, la patrie un de ses meilleurs citoyens, et l'Eglise catholique un de ses plus nobles enfants." *L'Electeur* parut encadré de noir et rendit hommage à l'homme d'élite qu'était Trudel. Il déclara deuil national la perte de cet adversaire résolu du libéralisme. Le Club National vota des condoléances et s'ajourna en signe de deuil. Des libéraux doctrinaires, aussi opposés à l'ultramontanisme que Beausoleil et P.-A. Choquette, suivirent le convoi funèbre. Les funérailles furent d'ailleurs imposantes; Trudel avait tenu dans la vie nationale canadienne-française une place réellement grande. Il avait personnifié une idée; il avait été chef d'école. Il est trop oublié aujourd'hui, et d'autant plus que sa probité, sa conviction et son talent ont honoré le journalisme canadien. Son fils voulut maintenir à *L'Etendard* les traditions paternelles, mais il lui manquait le talent.

Un autre événement dans le journalisme fut la fondation d'un nouveau *National*. Inspiré par Georges Duhamel, il devait être à Montréal le pendant de la *Justice* à Québec, c'est-à-dire l'organe de la fraction "nationale" du parti ministériel. Il fut confié à un jeune rédacteur de *L'Etendard*, Gonzalve Désaulniers, ancien condisciple de Lomer Gouin et resté son ami. Désaulniers, poète à la plume élégante, soignait la forme de son journal. Comme idées, cet ardent francophile devait évoluer, au point de vue religieux, jusqu'à se trouver loin de *L'Etendard*. Le nouveau *National* fut éphémère.

* * *

La session de 1890 — la quatrième session du sixième parlement provincial — s'ouvrit le 7 janvier. Le cardinal Taschereau, le grand vicaire Légaré, Mgr Labelle et le Dr Williams, lord évêque, assistèrent à la cérémonie. À l'entrée du cortège ecclésiastique, la robe cardinalice flamba, en ton sur ton, sur le tapis de velours pourpre posé au seuil de la Chambre rouge; et l'état-major ministériel s'inclina profondément. Mgr Légaré — le beau-frère de François Langelier, le prédicateur du sermon retentissant de Noël 1883, et l'un des grands amis, de coeur et d'esprit, du cardinal Taschereau — mourut d'ailleurs peu après. Un autre ami du cardinal, Mgr Bégin, avait succédé à Mgr Dominique Racine comme évêque de Chicoutimi;

Mgr Marois, secrétaire du cardinal, succéda au grand vicaire Légaré.

Le discours du Trône annonçait, entre autres mesures nouvelles, l'empierrement des chemins vicinaux, l'abolition des barrières et ponts de péage, l'augmentation du nombre des députés, de nouvelles démarches pour faire reculer la frontière septentrionale de la province.

Auguste Tessier, le jeune député de Rimouski, entama les débats en proposant l'adresse. Presque aussitôt, deux députés anglais, Robertson et Hall, ouvrirent le feu de l'opposition en reprochant à Mercier et au parti national l'attitude agressive qui aurait provoqué les représailles des Equal-rightistes, l'agitation ontarienne et manitobaine. Hall se plaignit que Mercier, au congrès de Baltimore, eût manqué de respect pour la mémoire d'un roi d'Angleterre, George III, et conclut:

"Si le premier ministre veut que l'agitation cesse, il n'a qu'à supprimer le parti national, et ses appels aux préjugés de race et de religion."

C'était la tactique souvent suivie par l'élément anglais au Canada: crier à l'agression dès que les Canadiens français proclament leurs droits et réclament leur dû.

Mais Thomas-Chase Casgrain approuva Robertson et Hall:

"Au congrès de Baltimore, le premier ministre a prononcé des paroles qu'on ne peut passer sous silence. Ce monsieur a dit que George III avait violé les libertés des Américains comme il avait spolié l'ordre des Jésuites. On peut se demander si ces paroles sont convenables dans la bouche d'un ministre de la Couronne!"

Casgrain déposa un amendement qui, partant de l'affaire des biens des Jésuites, rendait le gouvernement Mercier et le parti national responsables de l'agitation. Après des passes d'armes auxquelles participèrent encore Taillon d'un côté, Mercier, David et Lafontaine de l'autre, le premier vote de la session donna 33 voix au gouvernement contre 17. L'opposition avait commis une maladresse en provoquant ce vote sur la question virtuellement close des biens des Jésuites; et Thomas Chapais le reconnut franchement dans le *Courrier du Canada*:

"Nous espérons qu'on en a parlé pour la dernière fois, et nous estimons que c'est une fois de trop.

"La loi réglant cette question a été adoptée à l'unanimité par la législature, par l'opposition comme par le parti ministériel. Et l'opposition en est responsable aussi bien que le parti ministériel.

"Cette loi a été défendue à Ottawa par des voix éloquentes, dans le ministère conservateur et dans l'opposition libérale.

"Le représentant de la Reine, lord Stanley, a prononcé, dans cette circonstance mémorable, des paroles qui ont été comme une nouvelle et plus auguste sanction de cette loi.

"Eh bien, c'est assez!

"La question est réglée. Elle appartient à l'histoire..."

Mercier travaillait. Il suivait les progrès des écoles du soir, fondées sur son initiative à Montréal et à Québec. S'inspirant d'une ordonnance de Colbert, il fit voter — à l'unanimité dans les deux Chambres — une loi accordant cent acres de terre aux pères, ou aux mères, de douze enfants. Le député de Lévis, François-Xavier Lemieux (l'avocat de Riel), père d'une copieuse nichée, tint à s'en

prévaloir le premier. Le poète Pamphile Lemay,
bibliothécaire du Parlement provincial depuis la
Confédération, fit sa réclamation en vers: "J'ai
douze enfants vivants, tous d'amour légitime..."
Et le nombre des ayants droit, dépassant les pré-
visions, fournit un chiffre qu'aucune autre province au monde n'eût atteint. Dans ce pays de
familles nombreuses, ce fut le premier — et, à part
les dégrèvements d'impôts, c'est resté le seul —
effort législatif en faveur des parents chargés d'enfants.

Mercier stimulait le progrès, trop lent, de la
technique agricole. Le curé Labelle plaçait des colons sur les terres vacantes. Faucher de Saint-Maurice, qui voyageait parfois, comme Mercier lui-
même, en Nouvelle-Angleterre, parla des Franco-
Américains en poète et en homme de coeur. Il rencontrait à merveille les sentiments de Mercier, pour
qui la province de Québec gardait envers tous les
Canadiens français essaimés dans le Nouveau-
Monde des droits et des devoirs. Le premier ministre le dit expressément:

"Vis-à-vis des Canadiens français des Etats-Unis,
nous sommes la mère-patrie; nous en avons les droits
et les devoirs. C'est pourquoi nous avons envoyé l'an
dernier des représentants officiels à la grande convention de Nashua. C'est pour cela que nous continuerons
à suivre d'un oeil vigilant tous leurs progrès..."

Toutefois, Mercier et Faucher de Saint-Maurice
reconnurent la difficulté du rapatriement: les Franco-Américains ont contracté des habitudes citadines; les jeunes, élevés dans les centres industriels,
ne sauraient défricher la terre que nous leur offri-
rions. "D'une manière générale, dit Mercier, je
crois que c'est une cause désespérée." Mgr Labelle,

dressant le même constat, s'attachait encore au projet d'une immigration européenne.

La question des frontières septentrionales était discutée — comme en Ontario — depuis long-temps. Le cabinet Ross l'avait déjà posée. Mercier la poussa de toute son énergie; un de ses succes-seurs récolterait le fruit de tant d'efforts.

Mercier s'appuyait sur un rapport substantiel rédigé par son beau-frère Paul De Cazes. Il po-sait ce principe: tout ce qui constitua autrefois la Nouvelle-France appartient à la province de Qué-bec, moins ce que les traités, les statuts impé-riaux ou les lois fédérales ont pu céder. Les mis-sionnaires et les explorateurs français se sont élan-cés sur tout le territoire jusqu'à la baie d'Hudson. Nous sommes leurs héritiers, et nous revendiquons ce territoire.

Depuis un an, Mercier présentait cette revendi-cation à sir John. Celui-ci offrait comme limite septentrionale le 52° degré de latitude nord[1]. Mercier refusait, devant la dépense et la difficulté de jalonner une ligne imaginaire. Il se rabattait sur une contre-proposition, demandant L'East Main River comme frontière. La superficie de la province se trouverait ainsi agrandie de 116,000 milles carrés, c'est-à-dire d'un tiers.

La controverse fut évoquée à la Législature, à la fin de janvier et au début de février. Mercier reconnut que Chapleau, Caron et surtout Langevin l'appuyaient — en vain — auprès de sir John. Si celui-ci persiste, la Province prendra possession du territoire contesté, d'une manière éclatante et

---

(1) *Débats de la Législative; et: Documents session-nels de 1890, Vol. III, No 88a.*

pacifique, en priant un missionnaire d'aller y fonder une paroisse.

"La Province prendra possession du territoire contesté..." Paroles de chef, prononcées sur un ton de chef, parfaitement justifié. A l'unanimité, la Législative vota la résolution préparée par Mercier et appuyée par Blanchet.

Une autre mesure importante porta de 65 à 73 le nombre des députés à la Législative, pour correspondre à la croissance démographique de Montréal et de certains comtés.

L'Acte de l'Amérique Britannique du Nord autorisait la législature provinciale à prendre une pareille mesure, mais avec une réserve destinée à garantir la population anglaise. Toute modification affectant les douze comtés de majorité anglophone (Pontiac, Ottawa, Argenteuil, Huntingdon, Missisquoi, Brome, Shefford, Stanstead, Compton, Wolfe et Richmond, Mégantic, Sherbrooke) devait rallier non seulement la majorité de la Chambre, mais la majorité des douze députés présumés de langue anglaise.

Mercier proposait de diviser:

Richmond et Wolfe, en Richmond et en Wolfe;

Ottawa, en Ottawa-Ouest (comprenant la ville de Hull) et Ottawa-Est;

Chicoutimi-Saguenay, en Lac-Saint-Jean et Chicoutimi-Saguenay;

Rimouski, en Rimouski et Matane;

Québec-Est, en Québec-Est et Saint-Sauveur;

Drummond-Arthabaska, en Drummond et Atthabaska.

Enfin la grande ville de Montréal, ses trois divisions dédoublées, formerait six districts électoraux, trois à l'ouest et trois à l'est de l'avenue Saint-Laurent. Ce seraient: Montréal division 1 (quartier Sainte-Marie), Montréal division 2 (quartier Saint-Jacques), division 3 (quartier Saint-Louis), division 4 (quartier Saint-Laurent), division 5 (quartier Saint-Antoine) et division 6 (Montréal-Centre).

La réserve prévue par la constitution en faveur des comtés anglais empêcha l'accord sur le comté d'Ottawa. Cet article supprimé, le reste passa en troisième lecture, à l'unanimité. Flynn demanda, saus insister, l'érection des Iles de la Madeleine en comté indépendant. Mercier résista aux députés ministériels qui souhaitaient un "gerrymander" — un découpage des comtés favorisant le parti. Et Taillon reconnut l'impartialité du remaniement.

Mercier s'efforça encore de rassurer les Anglo-protestants. Une passe d'armes des plus courtoises avec le député Cameron, lui permit une mise au point. Cameron incarnait l'orthodoxie protestante et surveillait les "empiétements" des catholiques dans la province. Il n'était peut-être pas si méchant diable, à vrai dire, mais il se sentait surveillé, dans son comté de Huntingdon, par Robert Sellar, l'éditeur du *Gleaner*. Cameron écrivit à l'archevêque de Montréal pour lui demander si l'épiscopat réservait ·bien à l'enseignement supérieur la part reçue de l'indemnité des Jésuites.[1] Car un emploi différent, à la volonté des évêques, déplairait à l'opinion protestante. A la Chambre, Cameron posa au premier ministre d'autres questions saugrenues. Il demanda si M. Mercier nourrissait

----

(1) *Lettre du* 14 *mars* 1890; *archives de l'Archevêché de Montréal.*

vraiment des projets sinistres à l'égard de la minorité protestante, et s'il comptait faire amener le
drapeau anglais de la citadelle de Québec, pour le
remplacer par le tricolore. Dans ce cas, il aurait
le pénible devoir de passer dans l'opposition. Mercier, légèrement indigné, répondit en anglais par
une improvisation soignée, promettant loyalisme
au drapeau anglais tant que le Canada ferait partie
de l'Empire. Il termina en citant des vers de La-
martine en l'honneur de l'Angleterre, traduits en
anglais. On révoqua en doute la spontanéité d'une
traduction aussi difficile. D'après Taillon et l'opposition, cette scène était une comédie réglée d'a-
vance entre Mercier et Cameron.

C'est que le nationalisme de Mercier était encore sur la sellette à Ottawa. Dalton McCarthy
avait déposé aux Communes une motion supprimant l'article 110 de l'Acte des Territoires du
Nord-Ouest. Cet article autorisait l'emploi du
français à l'Assemblée législative et devant les cours
de justice des Territoires (comprenant l'Alberta et
la Saskatchewan actuelles) ; les journaux de l'Assemblée et les ordonnances s'imprimaient aussi dans
les deux langues. Le conservateur Dalton McCarthy voulait prohiber le français dans les Territoires. Le libéral Charlton l'approuvait de toutes
ses forces. Et leur compère McNeil, un des "nobles treize', spécifia que la motion répondait à
Mercier et à son parti national, responsables d'une
agitation prête à gagner tout le pays. D'après ces
messieurs, Mercier se préparait à fonder une république française sur les bords du Saint-Laurent,
et son appel de la Saint-Jean-Baptiste: "Cessons
nos luttes fratricides; unissons-nous", signifiait, en
langage clair: "Unissons-nous contre les Anglais!"

La motion McCarthy souleva un grand débat. A défaut d'éloquence, Hector Langevin mit

une réelle vigueur à la combattre. Chapleau, Laurier, Amyot prononcèrent aussi de grands discours. Parmi les Anglais, Cartwright, mais surtout Blake et Edward Holton, prononcèrent des discours élevés de ton et généreux de pensée. Comme, autrefois, son père, Holton estimait sincèrement les Canadiens français, nombreux parmi ses électeurs. Il conseilla aux Anglais de rendre aux Canadiens français, en Ontario et dans l'Ouest, les bons traitements reçus d'eux dans la province de Québec.

Dans une série d'articles de la *Minerve,* Tassé réfuta McCarthy, Charlton et autres, d'après qui la langue française au Canada constituait un obstacle à l'établissement d'une nationalité homogène.

Dalton McCarthy, intelligent mais fanatique, s'y prenait d'une manière agressive. Beausoleil lui répondit par un amendement de ton aussi vert — rédigé sans doute en collaboration avec Mercier — et battu d'avance. John-A. Mac-Donald désirait nuire à Mercier, c'était même son vœu le plus cher; mais il savait la vanité de la manière forte. En attaquant Mercier sur une question de race ou de religion, on le consacrerait, aux yeux de la province de Québec, dans son rôle de chef national. Sir John s'affirma partisan — et artisan — d'une politique de conciliation. Il repoussa la motion de son ami McCarthy, et accepta un amendement Davin, laissant l'Assemblée des Territoires du Nord-Ouest libre de régler la question elle-même, après les prochaines élections générales. Sir John s'en laverait les mains.

Or les Territoires étaient envahis par une population cosmopolite, en partie américaine, de colons, cow-boys, marchands de chevaux et tenanciers de bar, rudes gaillards sans aucune révérence pour la langue de Racine. Laisser l'Assemblée locale régler la question, c'était, à coup sûr, sacrifier les droits du français. La députation française aux Communes se fit unanime. Langevin, Caron et Chapleau mirent leur chef en garde: Mercier dénoncerait la manoeuvre, et le ressac frapperait le parti conservateur dans la province de Québec. Langevin connaissait l'opinion des évêques, pour qui les coups portés à la langue française, dans l'Ouest, atteignaient indirectement la religion catholique. John-A.MacDonald fit alors proposer par sir John Thompson, ministre de la Justice, un amendement dont le préambule couvrait de fleurs la langue française, et dont la suite autorisait la Législature du Nord-Ouest à réglementer ses procédures — c'est-à-dire à supprimer le français des débats et des journaux de la Chambre. Le français gardait ses droits dans les cours de justice et dans les ordonnances. Si vous refusez ce compromis, dit sir John aux députés français, il faudra dissoudre le Parlement, et provoquer de nouvelles élections sur la question de la langue française, dans un pays où vous comptez un électeur sur quatre. La menace des élections générales était, en pareil cas, un des procédés de gouvernement de sir John. Bon gré mal gré, les Canadiens français acceptèrent l'amendement Thompson. Dix seulement — Amyot et neuf libéraux — furent irréductibles. L'ironie du sort — ou l'habileté de sir John — les força de confondre leurs votes, contre l'amendement, avec ceux de McCarthy, Charlton et Compagnie.

A ce moment, comme pour tendre la main à l'Ontario, Mercier faisait voter un don de $10,-000 à l'Université de Toronto, rasée par un incendie. Mais entre la province et le fédéral, entre Mercier et sir John, les frictions ne cessaient pas. Il y eut encore l'affaire des droits de pêche.

Le gouvernement de Québec annonçait la vente des droits de pêche dans certains lacs et rivières. Le gouvernement d'Ottawa se prétendit seul maître de procéder à ces ventes et d'en toucher les recettes, car les pêcheries intérieures, comme les pêcheries maritimes, tombaient sous sa juridiction. Le conflit prit des formes blessantes. Le gouvernement provincial reçut l'avertissement fédéral l'avant-veille du jour fixé pour la vente (9 janvier). Il répondit qu'il était trop tard pour décommander, et fit sa vente. Le fédéral signifia un protêt par huissier au gouvernement de Québec et à chacun des acquéreurs. [1]

Mercier demanda l'appui moral de la législature, et présenta, au début de mars, des résolutions affirmant les droits de la province, et protestant contre le nouvel empiétement fédéral. Il invoquait de hautes autorités juridiques, et aussi les épisodes suivants. Le gouverneur général Lansdowne à son arrivée, s'était adressé au gouvernement provincial, *par l'intermédiaire du gouvernement fédéral,* pour obtenir le droit de pêche dans la Cascapédia. Et à l'arrivée de lord Stanley, successeur de lord Lansdowne, sir Hector Langevin avait sollicité, par écrit, le maintien de cette faveur.

Ainsi, dit Mercier, tout concourt à établir nos droits. Et cette fois, Flynn l'approuva.

Enfin, l'une des dernières grandes mesures de la session concerna le pont de Québec.

De François Langelier à Tarte, les Québécois n'avaient pas cessé leurs démarches à Ottawa: ils s'y rendirent en délégation imposante, au lendemain du vote sur la motion McCarthy. Sir John estimait suffisante la satisfaction morale qu'il ve-

---

(1) *Documents sessionnels* de 1890, *Vo. III, No* 165.

nait d'accorder à la province de Québec, et les délégués revinrent bredouilles. D'autres démarches individuelles ou collectives n'eurent pas meilleur sort. Adolphe Caron conseillait à ses concitoyens de s'armer de patience et de persévérance: c'était éloigner leur espoir. Les Québécois se retournèrent alors vers Mercier, grâce à qui l'on avait pu entamer les travaux préliminaires. Et Mercier déposa un projet, qu'il prit soin de faire appuyer par un député du district de Montréal, Robidoux.

La province garantissait pour un tiers l'intérêt à 3 p. 100, pendant dix ans, sur trois millions de piastres d'obligations émises par toute compagnie régulièrement organisée dans le but de construire un pont sur le Saint-Laurent, à Québec ou aux environs; à condition que les deux autres tiers fussent garantis par l'Etat fédéral et la ville de Québec. L'offre du gouvernement provincial était valable jusqu'au 1er janvier 1892.

Pareille mesure ne pouvait guère rencontrer d'opposition. Elle valut à Mercier des éloges splendides. Louis-Philippe Pelletier dit, en Chambre:

"Pendant que ceux qui avaient mission de nous protéger nous abandonnaient, refusaient systématiquement et péremptoirement de nous donner le pont, nous avons trouvé, non pas au milieu de nous, non pas dans notre district, mais dans le district de Montréal, un homme qui nous a tendu la main. Cet homme, c'est le premier ministre de la province de Québec.

"Les résolutions qu'il nous propose ne seront pas suffisantes à elles seules pour faire construire le pont, mais l'honorable premier ministre et son gouvernement auront planté le premier jalon, posé la première pierre, ils auront déblayé la voie, et nous donnent quelque chose de tangible, sur quoi nous pouvons compter.

"Au nom de tous nos amis de cette Chambre, de tous nos amis du district, au nom des électeurs de mon

comté, au nom de tous ceux qui aiment Québec, je remercie l'honorable premier ministre et son gouvernement.

"Québec a eu bien des malheurs. Québec a été éprouvé, ruiné, et ses droits ont souvent été foulés aux pieds. Des incendies considérables ont détruit des quartiers entiers de la ville. Nous avons eu notre grande part de souffrances et de malheurs. Il se présente aujourd'hui un homme qui n'est pas de chez nous, mais qui nous aime comme s'il avait toujours été des nôtres. Cet homme va nous donner le pont. Je l'en remercie avec effusion, avec émotion."

Ainsi Mercier, à plusieurs reprises, a rallié l'unanimité de la Chambre (terres aux pères de douze enfants, extension des limites nord de la province), et d'autres fois arraché l'approbation des chefs adversaires. L'empierrement des chemins, politique nouvelle annoncée dans le discours du Trône, inspire à Taillon cette boutade: "Le premier ministre trouvera des matériaux sans peine, puisque tout le monde lui jette la pierre." Mais le chef de l'opposition se borne à ce mot d'esprit, et ne repousse pas une mesure excellente en soi. Il reconnaît l'impartialité du remaniement électoral; Flynn approuve les résolutions sur les droits de pêche; et lorsque Taillon combat des résolutions aidant les compagnies de chemin de fer du Lac-Saint-Jean et du Témiscamingue, la *Minerve* elle-même lui rappelle une devise du parti conservateur: Our policy is railways!

Il ne reste qu'un point où l'opposition se sente unanime et forte: la critique des dépenses. Celles-ci croissent régulièrement. La fameuse conversion semble bien abandonnée. Le dernier emprunt dépensé, le gouvernement provincial émet des lettres de crédit, à trois ou six mois d'échéance. Nantel et Louis-Georges Desjardins démasquent l'artifice, et la *Presse* traduit en colonnes de chiffres "les extravagances sans nom du régime actuel".

La Législature fut prorogée là-dessus, le 2 avril.

Le surlendemain, mourut Pierre-Joseph-Olivier Chauveau. Il n'avait certes pas eu l'emprise d'un Cartier, d'un Chapleau, d'un Mercier, mais — littérateur, homme politique, orateur, et toujours bon patriote — il avait longtemps vécu de la vie de la province. Sa première élection — une victoire sur John Neilson, personnalité de premier plan à Québec — remontait à 1844. Onze ans plus tard, à l'arrivée de la *Capricieuse*, Chauveau avait eu la chance, si rare et si enviable, d'être, en une heure exaltante, le hérault de son peuple. Tout le monde sait quelle émotion souleva le pays canadien-français à la venue du premier vaisseau de guerre battant pavillon français depuis le traité de Paris. Et c'est Chauveau, jeune homme de trente ans, qui, sur les plaines d'Abraham, tête nue devant les marins français et anglais au garde à vous, devant la garnison, et devant toute la population de Québec dont le cœur français était près d'éclater, avait exprimé les sentiments de ses compatriotes.

Depuis, Chauveau avait été l'orateur des jours de fête nationale, des jours de Saint-Jean-Baptiste. Les esprits forts sourient trop de cette évocation annuelle des traditions nationales, dressant constat que l'on a vécu, que l'on a tenu. Peu de peuples évoquent leurs traditions aussi souvent que le peuple canadien-français; c'est qu'il les a gardées au prix d'un effort persévérant, et qu'il les sait menacées — par l'ambiance, par la volonté des assimilateurs, par l'attraction américaine. Les Français de France n'ont pas à tirer gloire d'avoir conservé leur originalité de peuple; il en va tout autrement pour les Canadiens français. Et si l'on

y apporte de la sincérité de cœur et de la personnalité de style, il n'est point de sujet vraiment re-
battu.

* * *

Sûr de soi, Mercier prépara des élections générales. En contre-partie des dépenses, il montrerait
l'enrichissement de la province: ainsi, la construction de vingt-cinq ponts métalliques, avec l'aide
du gouvernement. Mais Tarte et l'opposition uti-
lisèrent une autre arme. A l'approche des élections,
Tarte manœuvrait avec une habileté diabolique,
abattant certaines de ses cartes et en cachant d'autres. Il lança, comme des brûlots, des rumeurs de
scandales. Et d'abord l'affaire McGreevy.

On se rappelle les prémices, évoqués à la Législative cinq ans plus tôt. Thomas McGreevy, député fédéral de Québec-Ouest, est aussi gros entrepreneur de travaux publics. A ce titre, il réclame à la province un million et demi pour sa part
dans la construction du chemin de fer du Nord,
de Québec à Montréal. Un arbitrage lui attribue
$147,473. McGreevy en appelle aux tribunaux.
La Cour Supérieure casse en effet l'arbitrage, mais
la Cour d'Appel infirme le jugement de la Cour
Supérieure. McGreevy décide de porter la cause en
Cour Suprême. L'affaire en est là quand Mercier
arrive au pouvoir. Elle traîne plusieurs années;
elle traîne encore à l'approche des élections de
1890. On accuse Mercier d'avoir promis à Mc-
Greevy un arrangement à l'amiable, aux dépens
de la province, moyennant souscription à sa caisse électorale. François Langelier aurait servi d'intermédiaire. (François Langelier était, lui aussi,
député fédéral de Québec, mais il venait de perdre
la mairie, où Frémont l'avait supplanté.) D'a-

près Tarte, François Langelier désirait revenir à la scène provinciale, avec promesse de portefeuille: McGreevy couvrirait les frais de sa campagne; après les élections, Langelier deviendrait trésorier provincial, et réglerait la réclamation de McGreevy.

Tarte — l'homme le plus intelligent de son temps — était depuis vingt ans l'âme du parti conservateur dans le district de Québec, l'organisateur de toutes ses luttes. Il tenait tous les fils, connaissait l'origine de tous les fonds électoraux, comme le détail de toutes les tentatives de coalition. En lançant l'affaire McGreevy, il savait sûrement ce qu'il visait, qui il visait. Et ce n'était, malgré les apparences, ni le gouvernement Mercier ni François Langelier. Ou peut-être voulait-il faire coup double; nous en reparlerons.

D'autres scandales éclatèrent, en particulier l'affaire Whelan. Cet entrepreneur avait bâti le Palais de Justice de Québec. On l'accusa d'avoir versé dix mille dollars à Ernest Pacaud pour hâter le règlement de sa créance. Pacaud suivit la méthode du demi-cynisme, des aveux incomplets, inaugurée par Tarte. On soupçonnait Mercier d'avoir bénéficié des dix mille dollars. Pacaud répondit que, bien au contraire, il s'en était servi pour "pacifier l'opposition", pour l'empêcher d'interpeller sur le règlement de la créance Whelan; l'honneur ne lui permettait pas d'aller plus loin et de livrer les noms. Les soupçons se portèrent sur Tarte. Celui-ci, tout indigné, écrivit dans le *Canadien* que, s'il était le bénéficiaire des dix mille dollars, il déliait Pacaud du secret, et l'autorisait à le dénoncer. C'est bien, dit la presse ultramontaine; mais pourquoi Tarte ne fait-il porter cette autorisation que sur l'affaire Whelan?

Tarte et Pacaud riaient dans leur barbe.

Cependant il n'y avait pas de fumée sans feu. Mercier, si vibrant de patriotisme, et qui faisait voter de grandes et belles lois, et qui imprimait à la province un élan incontestable, Mercier avait ses faiblesses d'homme. Il tolérait un régime de camaraderie facile et d'affaires suspectes; sans y tremper la main lui-même, il en bénéficiait. Cela choquait fort une partie de ses alliés ultramontains — le groupe de Tardivel et de la *Vérité*. Cela choquait aussi le groupe de la *Patrie*, en particulier Calixte Lebeuf. Celui-ci écrivit à Pacaud, le 23 avril, une nouvelle lettre, non encore publiée, mais dont on eut connaissance dans les cercles politiques. Il faut la reproduire en entier, à la fois parce qu'elle décrit sur le vif la république des camarades et parce qu'elle entraîna des suites:

"Mon cher Pacaud,

"Je viens de lire dans L'Electeur *d'hier ton article: "L'honorable M. Mercier et ses partisans." Et je ne peux pas résister à la tentation de t'écrire. C'est la première fois que je t'écris pour te parler politique; j'ai bien d'autres occupations qui me demandent tout mon temps, mais je ne peux plus retenir ma pensée, et quelque chose me force à te parler de suite, ouvertement.*

"Es-tu sérieux quand tu écris que les partisans de M. Mercier sont unis?

"Je ne sais pas ce qui se passe à Québec ni dans les autres villes; mais je connais parfaitement ce qui se passe, ce qui se dit et ce qui se fait, dans la ville de Montréal et dans les environs; et je vais te le dire franchement pour que tu ne puisses pas l'ignorer.

"Ici, on accuse le gouvernement Mercier d'être composé d'incapables, d'ignorants et de têtes de linottes; tout le monde s'accorde là-dessus; unanimité unanime! Et l'on ajoute: Il n'y a pas de gouvernement, il n'y a que Mercier!

"Maintenant, l'on trouve que Mercier et toi vous me-

nez une vie de faste scandaleux; on trouve que Mercier, qui était pauvre, est devenu trop vite riche, et que son salaire ne lui permettait pas de s'enrichir aussi vite que cela; on en dit à peu près autant de toi et de ceux qui entourent Mercier; et ce sont vos meilleurs amis personnels et politiques qui parlent ainsi, et tout haut; tu serais surpris si je te disais les noms.

"On dit tout haut que cette administration est la plus corrompue qui ait souillé les lambris du Palais législatif; que tout s'y vend; qu'il n'y a pas de principes, pas d'honnêteté, pas de parole, pas d'honneur.

"Les libéraux, les vrais, les honnêtes, les indépendants, sont dégoûtés. Ils ne veulent plus endosser la responsabilité de vos actions, ils ne veulent plus vous défendre, et ils sont sur le point de vous dénoncer. Ils s'organisent, ils voudraient bien ne pas entrer en guerre, ils voudrait bien sauver le gouvernement malgré lui; mais ils sont résolus à sauver le parti libéral et ses grandes et honnêtes traditions, dût le gouvernement périr.

"Il faut que tout cela cesse de suite; il faut que M. Mercier se rappelle qu'il n'y a pas dans le parti que des Pacaud, des Langelier, des Beausoleil et des Préfontaine.

"Vous n'avez pas été les seuls à la peine pendant vingt-cinq ans et vous n'êtes pas la sagesse du parti. Vous entourez seuls le premier ministre, et tant et si fort que vous l'étouffez.

"Vous le conseillez mal; vous lui faites faire des bêtises, vous le compromettez et vous le rendez odieux. Sur ce point-là, tout le monde s'accorde ici.

"Maintenant, l'on n'est pas satisfait non plus de la politique du gouvernement. Elle est rétrograde et antilibérale.

"Il faut que M. Mercier se débarrasse de l'étreinte de boa des castors et qu'il se montre plus libéral. Nous ne le croyons pas libéral; nous savons même que ses idées intimes sont antilibérales; mais il faut qu'il se rappelle que ce sont les libéraux qui l'ont fait ce qu'il est et qui l'ont porté là.

"Le jour où il nous plaira de le faire descendre de

son piédestal, il en descendra plus rapidement qu'il n'y est monté.

"Encore une fois, nous voulons la paix, mais aussi nous voulons que nos droits soient respectés, et nous nous préparons à les faire respecter.

"Au besoin nous irons jusqu'à faire des alliances qui seraient moins monstrueuses que celle qui a produit ce joli groupe de ministres.

"Tu sais comme moi que pas un sur vingt des candidats de Mercier ne passerait quand les libéraux et les conservateurs auraient chacun leur candidat.

"Ecoute, Ernest, si les honneurs, les faveurs et les richesses ne t'ont pas rendu sourd, écoute les grondements d'indignation et de colère qui vont toujours grossissant autour de toi et de Mercier, et tâche de réfléchir et de devenir sage.

"Pour te rendre service, à toi et à Mercier, je t'ai montré un peu ce qui se passe derrière le rideau. En cela je n'ai pas d'autre intérêt que celui de sauver Mercier, s'il en est temps encore. Il a perdu la confiance de ses meilleurs amis, et qu'a-t-il gagné en échange?

"Je m'arrête là pour aujourd'hui. Si tu prends cette lettre de bonne part, si tu ne te fâches pas, si tu désires faire des réformes, je me ferai un devoir pénible de te renseigner exactement et de te faire connaître la vérité; mais si cela te blesse et t'indispose contre moi, je n'ai pas assez de vertu pour travailler au salut de ceux qui ne veulent pas être sauvés. Sans rancune.

Ton ami,

Calixte Lebeuf."

Un réquisitoire terrible. Sans doute, la plaie débridée par Lebeuf n'était pas absolument nouvelle. Elle est un peu de tous les temps, de tous les régimes. Dans la province même, elle suppurait avant l'avènement de Mercier. Qu'on se reporte à l'article de *L'Electeur* — de Pacaud lui-même! — du 5 octobre 1880 sur le courtage politique. Mais en 1890, Pacaud avait érigé en système les pratiques si vigoureusement blâmées par lui, dix ans plus tôt. Ni ministre, ni même député, Pacaud plaçait des fonctionnaires, décidait des candidatures, procurait des commandes aux entrepreneurs, endossait des chèques, escomptait des traites, payait les comptes du premier ministre, rendait service avec une camaraderie inlassable et un porte-monnaie miraculeusement garni. C'était l'intermédiaire universel, unique, obligatoire. Des vétérans qui furent les partisans les plus dévoués de Mercier, interrogés par nous, l'ont reconnu. L'un d'eux, qui a non seulement défendu Mercier à toute heure, mais écrit l'éloge de Pacaud, nous a fait sur celui-ci cet aveu: "Il avait transformé le Palais législatif en une Bourse!" Telle était la tare du régime — par ailleurs véritablement grand. Et tels étaient les éléments du jeu, les positions des pions sur l'échiquier à l'approche des élections, fixées au 17 juin.

Ernest Gagnon s'était créé des ennemis par sa rudesse; il troqua son portefeuille contre le poste de shérif à Québec. Il remplit enfin sa vocation, dirent ses adversaires; on aurait même dû lui procurer un office de bourreau. Emery Robidoux le remplaça comme secrétaire provincial: bon avocat et fin lettré, professeur à McGill, il était à la fois brillant et réservé, et très dévoué à Mercier. Un autre libéral bon teint, Arthur Boyer, devint ministre sans portefeuille. Pour désarmer les libéraux avancés, Mercier donna encore à Rosaire Thibaudeau le poste de shérif à Montréal (d'abord promis à David, mais celui-ci était trop bon pour se fâcher). La mort récente d'Edmond Lareau laissait Beaugrand et Lebeuf isolés, avec une poignée de partisans comme Sixte Coupal, ancien député de Napierville.

Le cabinet Mercier était prêt à subir, ou plutôt à faire, ses premières élections générales. Pacaud fut nommé organisateur de la campagne. Un petit journal satirique, *L'Iroquois,* publia sa caricature, en prière devant un prétendu vitrail du Palais de Justice de Québec, représentant Saint Whelan, patron des candidats en peine. L'auréole de Saint Whelan était constellée du signe $, et une fêlure du vitrail transformait l'invocation: "Saint Whelan pray for us" en "Saint Whelan pay for us".

Mercier se sentait confiant, ardent, en pleine vigueur. Il cinglait vers l'objectif. Il ouvrit sa campagne au Tara Hall de Québec, le 15 mai. François Langelier présidait l'assemblée, assisté de deux secrétaires: le conservateur national J.-A. Langlais, membre du Cercle Catholique, et Nazaire Ollivier, rédacteur de *L'Union Libérale.* Mercier souligna cette rencontre, ce symbole:

> *"Nos adversaires, se sentant battus sur l'ensemble de notre politique, ne pouvant soutenir leurs accusations, cherchent à jeter du trouble dans ma famille politique. Ils disent: "Le parti national se meurt parce que les deux éléments qui le composent sont en guerre ouverte, et le jour approche où les libéraux et les conservateurs nationaux vont s'entre-déchirer."*

> *"C'est un mensonge. L'alliance est plus forte et plus sûre que jamais. Cette alliance, qui ne repose pas sur l'intérêt des hommes, mais sur l'intérêt public, ne sera jamais sacrifiée à l'intérêt privé.*

> *"Je vous en prie, Messieurs les libéraux, croyez-en ma parole, le salut est dans l'alliance, et la perte sera dans la rupture de cette alliance."*

L'opposition, c'était Chapleau-Taillon-Tarte (Taillon étant le chef officiel), avec, pour principaux lieutenants, Flynn, Thomas-Chase Casgrain, Louis-Georges Desjardins, Faucher de

Saint-Maurice. Taillon essaya sans conviction de rallier les conservateurs nationaux. Il termina ainsi son discours-programme: "Debout, anciens conservateurs nationaux qui avez été dupes de votre bonne foi, et qui reconnaissez maintenant que l'honnêteté, le patriotisme et le désintéressement ne sont pas chez ceux qui ont accaparé pendant quelque temps votre confiance." Mais les conservateurs nationaux n'oubliaient pas la guerre de corsaires subie aux élections précédentes.

La *Presse* (Chapleau-Nantel-Helbronner) multiplia les cascades de chiffres: "La province est au pillage!" Et elle ajoutait: "Voilà comment Riel a été vengé!"

Le *Monde*, à la suite du *Courrier du Canada*, inventoria les comptes publics pour dénoncer "d'heureuses familles" comme celle des Langelier et celle de Georges Duhamel, dont plusieurs membres émargeaient, sous des rubriques diverses, au Trésor provincial.

De même la *Minerve* publia une liste des propriétés acquises par Mercier, ses parents et ses amis. Joseph Tassé entra personnellement dans la campagne, ainsi que deux autres forts tribuns conservateurs: Charles Thibault et Cornellier. Sans atteindre à la virtuosité de Dansereau, Joseph Tassé, journaliste averti, homme politique déjà chevronné, exerçait une sérieuse influence dans les conseils de son parti. Un bel avenir lui était réservé dans la politique provinciale — s'il parvenait à se faire élire.

De son côté, Beaugrand, loin de répondre à l'appel de Mercier, exécutait la menace contenue dans la lettre de Lebeuf à Pacaud, en posant sa candidature de libéral indépendant dans la division Saint-Louis à Montréal. Il disait et écrivait: "Je suis de l'école des vieux libéraux, des libéraux qui ont su rester vingt-cinq ans dans l'opposition plutôt que d'abandonner la politique de principes pour la politique de compromis ou la politique payante." Lebeuf lui servait de lieutenant et réclamait "l'exécution d'un programme libéral", c'est-à-dire l'instruction gratuite et obligatoire, l'abolition du Conseil législatif (la *Patrie* appelait par dérision les conseillers: les nobles lords) et le suffrage universel. Beaugrand, caractère entier, homme de convictions, avait prouvé son courage lors des émeutes contre la vaccination. Mais il était de plus en plus asthmatique, vite hors d'haleine, et Mercier lui-même vint dans les assemblées lui couper la parole, le contredire et l'essouffler. "M. Mercier n'est pas un libéral!" criaient Beaugrand et Lebeuf. A quoi Mercier répliquait: "M. Beaugrand n'est pas un libéral, c'est un radical!"

Pour terminer l'inspection du front, que faisait Tarte? Il poursuivait bien sa campagne sur l'affaire McGreevy, mais celle-ci tournait contre le cabinet d'Ottawa — plus précisément contre Hector Langevin. C'est là qu'il voulait en venir en déclenchant l'affaire, car il avait dès l'entrée en jeu toutes les cartes en main.

Tarte s'était en effet séparé de Langevin, naguère son grand ami politique et personnel (et qui lui avait mis le pied à l'étrier), au point de souhaiter l'abattre. Dans la zizanie Chapleau-Langevin (reflétée par les coups d'épingle entre la *Presse* et le *Monde*), Tarte passait carrément du côté de Chapleau. Or l'entrepreneur-député Thomas McGreevy était intime avec le ministre des Travaux publics. Attaquer McGreevy, c'était forcément atteindre Hector Langevin.

Avant son élection comme député, Thomas McGreevy avait obtenu un gros contrat pour la construction des édifices du Parlement à Ottawa. Après son élection, pour sauver la face, il avait cédé ce contrat à son frère Robert. Il avait agi de même pour le contrat de construction du chemin de fer du Nord. Enfin, Thomas McGreevy, membre de la Commission du port de Québec, avait, à ce titre, accordé un important contrat de dragage à la Société Larkin, Connolly et Cie, dont son frère et homme de paille faisait partie. Mais les deux frères vinrent à se fâcher. Robert renseigna Israël Tarte sur les marchandages d'influences politiques négociés par l'entrepreneur-député. Or des hommes aussi prudents que Whelan et McGreevy prenaient des assurances des deux côtés, et l'entourage de Langevin se trouva décidément plus compromis que celui de Mercier. Tarte procédait par révélations partielles, avec des points de suspension, des paragraphes en blanc, à remplir plus tard s'il était nécessaire. Pour l'instant, il s'agissait d'aider Chapleau et aussi Adolphe Caron qui, chacun de son côté, engageaient le vieux renard John Mac-Donald à débarquer Langevin. Chapleau passait des documents à Tarte.

Cette diversion de Tarte était inespérée pour Mercier, puisque la guerre se menait à coups de scandales. Pas une bataille d'idées, pas une confrontation de programmes. En vain Tardivel, dans la *Vérité*, rappelait les grandes initiatives, les précieuses réalisations à l'actif du gouvernement: défense de l'autonomie provinciale, relèvement de la fierté française, règlement de l'affaire des Jésuites, travaux publics et chemins de fer, écoles du soir, essor agricole et industriel. Il n'était plus question de cela, mais des dépenses publiques, des dépenses privées des chefs politiques, de la bourse d'influen-

ce tenue à Québec par Pacaud. *L'Etendard* publia
côte à côte la liste des scandales "bleus" et la liste
des scandales "rouges"; la première était plus longue, et Henri Trudel conclut tristement: "Voleurs
pour voleurs, nous sommes pour les moins voleurs." C'était à peu près le mot de Tardivel reconnaissant en Mercier "le moindre mal".

En vain Thomas Chapais engageait son parti à
proclamer quelques hauts principes, quelques idées
générales; sa voix resta sans écho.

—Vous êtes des canailles! clamaient les uns.

—Moins canailles que vous! ripostaient les autres.

Mercier accusa la rupture avec Beaugrand. Le 13
juin, à la salle Carvallo, à Montréal, il déclara:

> "Je répète que mon gouvernement est un gouverne-
> ment national et non un gouvernement libéral. A pré-
> sent que nous sommes forts, il y a des gens qui vou-
> draient que je manquasse de parole à l'égard des con-
> servateurs nationaux. Je ne ferai pas cela; mon gou-
> vernement restera national.
>
> "Je suis libéral; mais entendons-nous sur ce mot. Je
> suis libéral dans le sens d'homme de progrès. Mais je
> ne suis ni radical ni franc-maçon (c'était pour Beau-
> grand). Je suis Canadien français et catholique. Je
> respecte les autres nationalités et les autres croyances;
> mais je demande qu'on respecte les miennes."

Georges Duhamel et Louis-Philippe Pelletier
restèrent, avec la *Justice* et leur petit groupe de
conservateurs nationaux, étroitement alliés à Mercier; et Guillaume Amyot vint les aider dans leur
campagne.

Les Equalrightistes avaient publié en pamphlet
le mémoire de Robert Sellar contre l'Eglise catholique et la majorité canadienne-française de la

province de Québec. Mercier protesta, par lettre, auprès du Révérend William Caven. Plus encore: il rédigea, de sa plume, une solide réfutation de Sellar. Et pour démontrer sa loyauté, il publia dans une même brochure: 1° Sa correspondance avec le Rév. William Caven; 2° Le mémoire de Robert Sellar; 3° Sa réponse à ce mémoire.[1]

Mercier s'adressait aux esprits sincères de la Ligue des Droits Egaux, pour leur dire, en substance: Le rédacteur "fanatique et rageur" du *Huntingdon Gleaner* vous a trompés. Il a exagéré l'effectif, la richesse et la puissance du clergé dans notre province, et aussi son indépendance à l'égard du pouvoir civil. Il a dénoncé une intolérance qui n'existe point, ainsi que le prouvent tels et tels faits, tels et tels textes empruntés à des Anglo-protestants de Québec — par exemple à M. Robertson, ancien ministre conservateur et l'une des personnalités les plus influentes des cantons de l'Est. Comme il avait fait contre Beaugrand, Mercier descendait dans l'arène. Ce geste, inhabituel de la part d'un premier ministre, seyait à Honoré Mercier. On dit, dans le peuple: "Voilà un homme qui se tient debout devant les Anglais."

Enfin les journaux publièrent une dépêche envoyée de Rome. Mgr Labelle, sous-ministre de la Colonisation, caressait le projet d'une immigration française et belge dans la province de Québec. Mgr Labelle, promoteur d'un chemin de fer en panne, caressait l'espoir d'attirer des capitaux français.

---

(1) *Answer of the Hon. Honoré Mercier to the pamphlet of the Equal Rights Association against the majority of the inhabitants of the Province of Quebec. Texte anglais et texte français ("Réponse de l'hon. Honoré Mercier... etc...") dans le vol. 1302 de la collection de brochures de la bibliothèque du Parlement, à Ottawa.*

Enfin Mgr Labelle, protonotaire apostolique, caressait l'ambition de devenir évêque de Saint-Jérôme. Pour toutes ces fins, Mgr Labelle entreprit, au printemps de 1890, un second voyage en Europe. Plus encore qu'à son premier voyage, le curé colonisateur fut le lion du jour à Paris: *L'Illustration* publia son portrait; l'Alliance Française lui offrit un banquet, et les amphytrions se disputèrent l'honneur de l'avoir à leur table. Puis il se rendit à Rome, où il rencontra l'abbé Proulx, car les questions universitaires s'examinaient de nouveau. De Rome, le curé Labelle écrivit à ses amis: "Mercier jouit ici d'un grand crédit, à cause des services qu'il a rendus à l'Eglise." [1] Puis il fut autorisé à transmettre officiellement à Mercier — juste avant les élections — les remerciements du Saint-Siège pour les services rendus à l'Eglise.

Car Mercier, chef national, était aussi chef catholique, attaqué par les orangistes et les radicaux, parrain de nombreuses cloches, allié de *L'Etendard*, soutenu par le curé Labelle, encensé, presque canonisé par les Pères Jésuites. "Le Pape bénit le premier ministre!" fut, dans cette campagne, un argument favori...des libéraux!

Voilà les conservateurs criant à l'influence indue! Un homme essaya d'enrayer cette propagande ministérielle parmi les catholiques. Un évêque: Mgr Laflèche.

Nous croyons discerner chez Mgr Laflèche une évolution insensible, et très humaine. L'évêque s'était d'abord dressé contre les infiltrations d'un libéralisme doctrinaire où il voyait les signes avant-coureurs d'un grave danger pour le caractère re-

---

(1) *Lettre au Dr Jules Prévost, de Saint-Jérôme* (*Abbé Elie Auclair: "Le curé Labelle"; p. 95.*)

ligieux du Canada français. Pour cela, il avait mené une longue lutte, une lutte quasi héroïque de toute sa vie, au cours de laquelle il avait eu presque constamment des conservateurs pour alliés et des libéraux pour adversaires. Il finit insensiblement par devenir lui-même un conservateur contre les libéraux, un bleu contre les rouges, en somme un de ces partisans fidèles à l'étiquette, et pour qui ce que font les bleus est toujours bien et ce que font les rouges toujours mal. Mercier indemnisant les Jésuites, renonçant au contrôle d'Etat sur les asiles d'aliénés, nommant le curé Labelle sous-ministre, assistant au congrès de Baltimore, Mercier restait taché du péché libéral, et ne trouvait pas grâce devant l'évêque des Trois-Rivières. Et puis, il faut bien l'ajouter: le gouvernement Mercier avait chargé Mgr Marquis — l'ennemi juré de Mgr Laflèche, l'artisan subalterne de la division du diocèse — de conférences agricoles et de missions colonisatrices.

Un nouveau froissement surgit entre le gouvernement et l'évêque, à propos des "licences", c'est-à-dire des permis délivrés aux débits de boisson. Mgr Laflèche, très opposé à l'étatisme, priait Turcotte, député des Trois-Rivières et ministre, de laisser aux municipalités la réglementation de ce commerce et la délivrance des permis. Le gouvernement passa outre, et assuma ces droits. Mgr Laflèche attachait à l'affaire une importance de principe: il mit son influence en œuvre contre Turcotte et contre le gouvernement Mercier dans le district des Trois-Rivières. Et comme, auprès des électeurs anglais, les Equalrightistes menaient leur campagne à train d'enfer contre le nationaliste Mercier, on vit ce paradoxe inouï d'une alliance de fait entre les chefs orangistes et l'évêque ultramontain.

Tels furent les éléments   de cette campagne
électorale. Laurier vint aider Mercier dans la région de Québec. Dans le nouveau comté de Saint-
Sauveur, quatre candidats libéraux briguaient les
suffrages: c'était assurer la victoire d'un cinquiè-
me larron conservateur. Laurier, député fédéral du
comté, assisté de François Langelier et de Pantaléon Pelletier, convoqua les quatre rivaux en assemblée publique, et obtint le désistement de trois
d'entre eux en faveur du candidat désigné par
Mercier, Simon-Napoléon Parent. Laurier parti-
cipa aussi à la campagne dans le comté de Montmorency, où Charles Langelier, vainqueur d'Auguste-Réal Angers en 1878, cherchait à renouve-
ler cet exploit contre Louis-Georges Desjardins,
l'un des plus redoutables adversaires de Mercier à
la Législative. Les libéraux tenaient à la victoire de
"Charles", et la bataille dans Montmorency fut
acharnée. L'avant-veille du scrutin, Mercier prit
la parole à Sainte-Anne-de-Beaupré.

Deux autres provinces venaient de maintenir des
gouvernements libéraux au pouvoir: le 21 mai,
le cabinet Fielding en Nouvelle-Ecosse; le 5 juin, le
cabinet Mowat en Ontario. Les Equalrightistes
avaient combattu Mowat, comme "allié de M.
Mercier".

Mercier était candidat, cette fois, dans le comté
de Bonaventure. A Saint-Hyacinthe, il cédait la
place à l'ami Desmarais, serviable et bon vivant,
qui tutoyait tout le monde; avec Odilon Desmarais, le comté était sûr.

Encore un geste à la manière d'Honoré Mercier,
ce choix du comté de Bonaventure, alors que sa
réélection à Saint-Hyacinthe n'était pas douteuse.
Pendant ses vacances de 1888, Mercier s'était atta-
ché à la Gaspésie. Et comment ne l'eût-elle pas sé-

duit? La Gaspésie, péninsule; contrefort de la province de Québec; trait d'union avec le pays acadien; mère du Canada français et catholique, puisque Jacques Cartier y planta la première croix; puissante en hiver sous la neige et la glace et le vent de mer; puissante en été avec ses masses de verdure, ses eaux, ses rochers à pic; accueillante par ses anses en forme de bras ouverts, et, par endroits, presque impénétrable; pauvre d'argent, riche d'enfants — d'enfants qui courent pieds nus, mais saluent l'étranger avec une si jolie politesse; et si habituée à sa vie frugale que ses filles de pêcheurs, devenues servantes dans les grandes maisons de la ville, regrettent les repas quotidiens de morue. La Gaspésie méritante et négligée, terre de poésie et réservoir de forces, était bien faite pour séduire Honoré Mercier — et c'est chez elle, avant longtemps, qu'il verra sourdre sa perte.

Dans Bonaventure, la présentation des candidats coïncidait avec l'inauguration d'un pont sur la Cascapédia. Le premier ministre présida lui-même l'inauguration du pont, et promit de régler la question du chemin de fer de la Baie des Chaleurs — travaux entamés, abandonnés, repris, réabandonnés; bref, inachevés, au détriment de toute la Gaspésie. D'élection en élection, bien des promesses avaient berné les Gaspésiens; mais celles de Mercier, avec leur accent formel, inspiraient un regain de confiance. Le premier ministre fut élu par acclamation.

Mercier avait offert un pacte à Taillon, chef de l'opposition, et à Blanchet, malade et alité: Nous vous laisserons réélire par acclamation, pourvu que vous rendiez la politesse à deux ministériels. Courageux — et scrupuleux — Taillon et Blanchet refusèrent;[1]   on leur mena la vie dure. Taillon cherchait à reprendre à Arthur Boyer le comté de Jacques-Cartier, représenté avant lui par deux conservateurs, Le Cavalier et Mousseau. Mais Boyer était jeune et combatif; d'autres jeunes le secondèrent, sans révérence pour le prestige du chef de l'opposition, ni pour sa barbe de roi mage. Un grand diable interrompit un jour Taillon pour demander très poliment, en soulevant son chapeau:

—L'honorable M. Taillon me permet-il de lui poser une question?

—Mais certainement.

—Quand vous dormez, mettez-vous votre barbe sur la couverte ou sous la couverte?

Ailleurs, par exemple dans le comté de Bellechasse, on se mit avec ardeur à empierrer les chemins: les journaliers embauchés s'engageaient tacitement à voter contre Faucher de Saint-Maurice. (Le gouvernement Mercier n'avait pas inventé ce procédé.) On promit des subventions aux compagnies de chemins de fer d'intérêt local[2].

Le 17 juin, Mercier remporta une victoire très nette. Sur les sept nouveaux comtés, un seul, le comté de Richmond, élisait un adversaire. De sorte que la majorité se trouvait accrue. Mais surtout, les principaux chefs de l'opposition restaient sur le carreau. Taillon était battu dans Jacques-Cartier, Flynn dans Gaspé. Dans Montmorency, Charles Langelier battait Desjardins. Dans Bellechasse, Adélard Turgeon, l'un des rédacteurs de *L'Union libérale,* mais absolument dévoué à Mer-

_____

(1) *Débats de la Législature de Québec; discours de Mercier le 7 novembre* 1890.

(2) *Débats de la Législative de Québec: Discours de Blanchet, le 27 décembre* 1890.

cier, battait Faucher de Saint-Maurice. Il ne restait guère comme vedettes à l'opposition que Blanchet, Nantel, Leblanc, et naturellement Robertson.
Ecrasé le tenace Thibault; écrasé Cornellier à la
trogne enluminée (mais quel talent!) Au lendemain du scrutin, l'opposition crut ses pertes un
peu compensées par la victoire de Joseph Tassé.
Celui-ci avait mené une brillante campagne dans
Beauharnois, avec l'aide du député fédéral Bergeron — l'habile et populaire "Beauharnois boy",
redevenu conservateur intégral et adversaire de
Mercier. On avait annoncé l'élection de Tassé,
mais, au décompte, c'est son adversaire E.-H. Bis-
son qui l'emporta, par la voix prépondérante de
l'officier-rapporteur.

Autour de Mercier venaient ou revenaient, avec
ceux que nous avons dits, Shehyn, McShane, Fitzpatrick, François-Xavier Lemieux, Louis-Philippe
Pelletier, Duhamel, Bernatchez, Boyer, Robidoux,
Rochon, l'échevin Henri-Benjamin Rainville, de
Montréal, vainqueur de Beaugrand, Parent, élu à
Saint-Sauveur, Charles-Eugène Pouliot dans Témiscouata. Le quartier Sainte-Marie de Montréal
élisait un candidat "ouvrier", Joseph Béland, ancien maçon devenu contremaître, puis entrepreneur, fondateur de mutuelles ouvrières, fondateur
et président du Conseil Central des Ouvriers de
Montréal; il devait voter, en Chambre, avec les
partisans de Mercier. Beaugrand, battu mais beau
joueur, se consolait en constatant l'existence d'une
"vague libérale".

Les pertes principales, du côté ministériel, étaient
celles-ci: deux ministres battus, Turcotte et
Rhodes, ce dernier par cinq voix. La défaite de
Rhodes trahissait l'hostilité anglaise. Trois conservateurs nationaux battus: Ferdinand Trudel
dans Champlain, Charles Champagne dans Hoche-

laga et Legris dans Maskinongé. Garneau et Horace Archambault au Conseil législatif, Duhamel
et Louis-Philippe Pelletier à la Chambre, reste-
raient des chefs à peu près sans troupes.

La répartition géographique des gains et des
pertes était saisissante: vainqueur presque partout
ailleurs, le gouvernement Mercier échouait, et même reculait dans deux régions: le district des Trois-
Rivières (défaites de Turcotte, Ferdinand Trudel
et Legris — ce dernier battu par l'éditeur du
Monde, Joseph Lessard; — réélection de Duplessis
par acclamation), et la partie anglaise des cantons
de l'Est. L'analyse du scrutin de Mégantic était
révélatrice: majorité pour Rhodes dans les paroisses françaises, minorité dans les centres anglais.
Mgr Laflèche et les Equalrightistes, irréductibles,
formaient blocs de résistance. On attribua au premier ministre l'intention de porter plainte à Rome
contre l'évêque des Trois-Rivières.

L'Electeur souligna l'échec des soi-disant "vieux
libéraux" et tira cette morale:

"*L'élection de mardi prouve que la grande masse du
parti libéral d'autrefois marche avec M. Mercier, et
que ceux qui le combattent tout en se disant libéraux
ne constituent pas le parti libéral, mais n'en sont
qu'une fraction impuissante. Cette élection scelle donc
d'une manière définitive l'alliance des libéraux et des
conservateurs nationaux.*"

Tarte prédit dans le *Canadien* que le triomphe
de Mercier entraînerait une lutte avec le gouvernement fédéral. Tarte était perspicace. Il écrivit:

"*Quiconque a suivi attentivement le premier ministre
ne saurait se tromper sur sa pensée intime. Il ne croit
pas à la Confédération, ni à la durée du lien colonial.
Il est d'avis que la Confédération se brisera bientôt,
et il prend les devants. Il va emprunter autant que le*

crédit de la province le permettra, faire de grands tra-
vaux, des améliorations, et compter pour l'avenir sur
les hasards de la guerre, si je puis m'exprimer ainsi.
Cette politique d'aventure a "pris" dans l'opinion pu-
blique. C'est une politique de dépense, une politique
d'argent."

Le dimanche suivant, à Saint-Romuald, Mercier à son tour exprima le sens du scrutin et annonça ses projets. C'était en effet une déclaration de
guerre à John-A. MacDonald:

"...Le triomphe du gouvernement signifie aussi le
triomphe de l'autonomie des provinces... Il signifie non
pas le progrès radical comme en Europe, mais le pro-
grès chrétien, le progrès raisonné du pays, le progrès
de l'agriculture, l'instruction agricole, le défrichement
de nos forêts afin de jeter les bases de paroisses flo-
rissantes là où il n'y a maintenant que la forêt... Le
triomphe du gouvernement est celui de la politique
des chemins de fer... Je veux attirer chez nous les ca-
pitaux étrangers, afin que nos richesses soient exploi-
tées, nos pouvoirs d'eau utilisés. Je veux la réciprocité
commerciale avec les soixante millions d'hommes qui
habitent les Etats-Unis. Je veux que cette barrière qui
entrave notre prospérité soit enlevée, afin que nous
puissions transporter nos produits de l'autre côté des
frontières. Je veux construire des ponts en fer par tou-
te la province, et Messieurs, j'ai cinq ans devant moi,
et si Dieu me prête force et santé vous aurez bientôt
un pont reliant Québec à Lévis... Je veux faire ren-
dre, volontairement ou par force, à la province, les
150,000 milles carrés qui lui appartiennent et qui ont
été volés par le gouvernement fédéral. J'y réussirai,
Messieurs, je l'ai déclaré à sir John lui-même... Nous
n'avons plus maintenant, pour réussir, qu'à renverser le
parti qui nous gouverne à Ottawa."

Mercier, à l'apogée de sa force, n'écouterait les
remontrances de personne; il songeait même à renverser sir John. Pour combler le vide creusé par la
défaite de Turcotte, il donna un portefeuille à
Charles Langelier. Et il nomma Turcotte protonotaire à Montréal.

Le 2 juillet, le Club National fêta la victoire par un banquet de deux mille convives — chiffre sans précédent — à l'hôtel Windsor. *L'Etendard* avait engagé ses amis à s'y rendre pour applaudir Laurier et Mercier. Les deux chefs entrèrent ensemble dans la salle où trônaient leurs portraits. Laurier, en commençant son discours, rendit hommage aux fortes convictions de feu Trudel — qui l'avait souvent traité en hérétique — et il évoqua aussi l'affaire Riel. Mercier réclama une fois de plus l'autonomie des provinces, la suppression du veto fédéral, l'augmentation des subsides. Lors de la Confédération, les provinces ont abandonné au fédéral les principales sources de revenus: douane et accise, en échange d'un subside fixe. On ne prévoyait pas, à ce moment, le développement rapide du pays et les problèmes qui en découlent. Les recettes douanières augmentent d'année en année; le subside ne bouge pas. Le gouvernement fédéral peut développer ses services; les gouvernements provinciaux sont bloqués. La revision des subsides s'impose, en toute justice et en toute nécessité. Mercier adressait une sommation polie à sir John. Des dames, conduites par Mme Mercier, offrirent à Lomer Gouin, président du Club, un drapeau brodé par elles-mêmes. C'était un drapeau tricolore — l'indigo, le blanc et le vermillon de France, — avec les insignes britanniques et les armes du Canada.

Le drapeau tricolore fit crier les gazettes anglaises, qui dénaturèrent le discours de Mercier, et représentèrent le Club National comme un club révolutionnaire. De déformation en déformation, le bruit courut chez les orangistes qu'au banquet du 2 juillet on avait sifflé le toast à la Reine. Des militaires du Nouveau-Brunswick tinrent un "meeting d'indignation". Inutile de décrire la réaction des equalrightistes, à Toronto. Mais le *Globe*, organe du parti libéral, confié à John Willison, admirateur et ami de Laurier, ne désarmait pas non plus. Un rédacteur brillant et fanatique, l'ex-tory Edward Farrer, échappait d'ailleurs à l'autorité du rédacteur en chef. Laurier, écrivant à Willison, défendait mollement Mercier "dont le succès, reconnaissait-il, peut causer des ennuis à nos amis des autres provinces".[1]

Mercier haussait les épaules. Par son influence à Rome — par l'intermédiaire de Mgr Labelle — il avait fait obtenir à Angers la grand'croix de Saint-Grégoire. Mgr Marois remit la décoration au lieutenant-gouverneur, mais au cours d'une cérémonie organisée et présidée par Mercier, et telle que celui-ci paraissait agir en nonce du pape, avec Mgr Marois pour secrétaire. Bon sujet de copie pour Thomas Chapais, qui publia dans son *Courrier du Canada* un "papier" sobrement indigné.

*   *   *

Cette partie de l'histoire de la province prend l'allure d'une biographie de Mercier. C'est que Mercier, plus que Chapleau, plus même que Georges-Etienne Cartier, plus aussi que ne fera Laurier évoluant sur la scène fédérale, dominait la province, personnifiait la province. Seul Papineau, avant 1837, a exprimé la pensée et incarné l'idéal du peuple canadien-français au même point que Mercier de 1886 à l'époque que nous essayons de reconstituer. Ses défauts mêmes obligent à "centrer" sur lui l'histoire de la province pendant cette période.

---

(1) *Lettre du 26 juin* 1890. *A. H. U. Colquhoun: "The Life and letters of Sir John Willison", p.* 27.

Disposant d'une majorité accrue, Mercier fut plus courtisé que jamais. D'après l'un, il éclipsait Chapleau comme orateur, d'après l'autre il soutenait la comparaison avec Gambetta, d'après un troisième, le règlement des biens des Jésuites révélait un diplomate consommé; tous saluaient le plus grand premier ministre que la province — que le pays même — ait encore eu. *L'Electeur* lui adressait une charretée quotidienne de compliments, exaltait le moindre de ses gestes.[1]   Ainsi flatté, conscient d'accomplir de grandes choses, Mercier devint plus autoritaire. Il dédaignait les rumeurs de scandales et s'irritait des résistances. En nommant de nouveaux conseillers législatifs, il leur faisait signer une promesse d'appui sans réserve.[2]   Quant aux simples députés ministériels, privés de toute initiative, ils n'avaient plus qu'à voter les lois préparées par l'entourage du grand chef. Mercier était influent à Rome — ce qui éveillait des méfiances à Québec et à Montréal. Il projetait un voyage en Europe, principalement en France où il voulait placer un nouvel emprunt; mais il le remit à l'année suivante, afin d'aider les libéraux lors des prochaines élections fédérales. En s'alliant à Laurier, en profitant de la vague libérale qui déferlait sur les provinces, ne réussirait-il pas à abattre sir John-A. MacDonald?

Le vieux était solide et rusé; mais qui résistait à la fougue et à la tenacité de Mercier? Abattre

---

(1) *Les humoristes faisaient circuler sous le manteau des quatrains satiriques où revenaient ces deux vers:*

"*Monsieur Mercier fait-il un pet,*
"*Pacaud vous dit: ça sent la rose.*"

(2) *Admis des deux côtés lors de la polémique entre Louis-Philippe Pelletier (dans* L'Etendard) *et la* Justice, *en mai 1891.*

sir John était besogne ardue, et convenant d'autant mieux à Mercier. Ce serait le prochain objectif.

C'était un projet d'envergure. Aux lieutenants et aux sous-lieutenants les bricoles, le patronage. Ils sont d'ailleurs bons compagnons, et s'ils ont des copains chez l'adversaire, pourquoi les empêcherait-on de pactiser, en dehors des batailles, avec d'autres bons compagnons? Pacaud est l'obligeance même; Tarte a diablement de l'esprit; et le frère de Mercier est leur ami. Fitzpatrick est hâbleur, et l'on se demande si sa piété exemplaire est feinte ou sincère. Charles Langelier, comme Pacaud, est un débrouillard toujours prêt à rendre service; ils sont d'ailleurs inséparables. Ernest est le trésorier de Charles, et Charles l'amphytrion d'Ernest. Ils dînent avec Charlebois, avec Whelan, avec Ford, avec Vallières, gros entrepreneurs. Autour d'eux voltige et bourdonne l'essaim des mouches du coche, des ramasseurs de miettes, des combinards, des agents de presse et d'affaires. C'est la politique. Tarte n'a-t-il pas coutume de dire que les élections ne se font pas avec des prières? Alors, il ne faut pas prendre au tragique son indignation quand, après dîner, la barbiche en avant et l'œil pétillant de malice, il s'écrie, trébuchant tous les deux mots et gesticulant comme à la foire: "Le marché est ouvert, on paie comptant! Des billets de banque pour ceux qui le préfèrent, des places pour les autres! Avis à tous ceux qui veulent des faveurs, des places, du patronage, du picotin, de l'avoine ministérielle et du foin nouveau!"

Il ne faut pas prendre au tragique? On ne sait jamais, avec Tarte.

Déjà une singulière coalition vient de faire élire Joseph Frémont à la mairie de Québec, contre François Langelier qui occupait ce poste depuis

huit ans. Des castors et des amis de l'*Union Libérale* semblent bien avoir observé un accord tacite,
pour infliger un échec non pas tant à François
Langelier, personnellement respecté et maire dévoué à sa ville, qu'à son frère Charles, à Pacaud
et à "la clique". Les castors de Québec, qui se
réunissaient naguère au *Nouvelliste* et se réunis-
sent maintenant à la *Vérité*, ont bien soutenu le
parti national aux dernières élections, mais avec
arrogance, en répétant que M. Mercier est à leurs
yeux "le moindre mal"; et ils manifestent un mépris croissant de "la clique". A l'entrée de Charles
Langelier dans le ministère, la *Vérité* a écrit:

> "Si M. Mercier eût consulté l'honneur du pays et de
> son gouvernement plutôt que ses amitiés personnelles,
> il eût certainement choisi pour collègue un homme
> moins compromis que M. Charles Langelier."

Et voici qu'au mois   d'août, *L'Etendard* de
Montréal, sur le ton digne et ferme de rigueur dans
la maison, décrit ainsi les mœurs politiques dans la
province:

> "...Qui ne s'aperçoit que les chefs et les organisa-
> tions politiques sont dirigés ou inspirés par de petites
> factions composées de quelques tireurs de ficelles et
> de sangsues insatiables? Dans le vulgaire, ces coteries
> sont décorées du nom de clique. Ces cliques sont le
> déshonneur des gouvernements et la honte d'une na-
> tion.
>
> "Grâce à cet entourage, les hommes d'Etat vraiment
> supérieurs ne jouissent pas toujours d'assez d'indépen-
> dance pour faire le bien. Ils auraient besoin de con-
> seillers prudents et éclairés pour les aider au triom-
> phe des causes justes et des principes sains; ils n'ont
> autour d'eux, bien souvent, qu'une cohorte d'adula-
> teurs et de gens besogneux qui éloignent les véritables
> amis de l'ordre et de la justice... Ils ont des compères
> dans tous les partis, et un des signes les plus dominants
> de notre décadence politique est bien l'alliance de tous

ces agioteurs sans principes, recrutés dans les rangs
de tous les partis, qui font le trafic des faveurs minis-
térielles et le brocantage du patronage officiel..."

L'Etendard protestait aussi contre les abandons
réciproques des procédures en contestation d'élection, vil marché entre deux compères: "J'ai volé,
tu as volé, nous sommes quittes, passons l'épon-
ge."

C'était transparent. Le ton seul différait de la
lettre de Lebeuf à Pacaud; le fond était identique.

La Presse lui ayant fait un peu d'écho, L'Etendard revint là-dessus huit jours après, sous le titre "Machiavel":

"...Machiavel a régné dans la clique Sénécal, qui a
amené la ruine du parti conservateur... Machiavel règne
en souverain sur le parti libéral-national. C'est par
son entourage que le gouvernement Mercier périra..."

Mercier, en train de se rapprocher sincèrement
des ultramontains, s'étonnait et s'irritait (comme,
naguère, Chapleau), de leurs censures. Il leur attribuait un pessimisme d'hommes austères. D'ailleurs les chefs conservateurs subissaient, au même
moment, des critiques à peu près identiques, mo-
tivées aussi par les questions de favoritisme, de
"patronage". En septembre, le Trait d'Union,
organe du député "ouvrier" — en fait, conservateur — Lépine, publia cet article, reproduit par
le Star.

"On signe un document qui sera sous peu expédié
aux ministres canadiens-français d'Ottawa. C'est une
protestation contre la manière dont le patronage est
exercé. Les signataires, qui étaient au commencement
de la semaine au delà d'un cent, choisis parmi les
hommes les plus influents et les plus dévoués du parti
conservateur, s'élèvent fortement contre les entremet-
teurs qu'ils considèrent comme une plaie dangereuse,

dont il faut se guérir. Le mouvement est sérieux, et tous les vrais amis du parti conservateur l'approuvent.

"Ce n'est pas une menace que l'on fait, c'est un conseil que l'on donne. Si les ministres ne savent pas ce qui se passe, ils en seront avertis. S'ils n'y remédient pas, c'est qu'ils y souscrivent, et alors les signataires du document retireront leur confiance au parti. Il n'y a pas à se le dissimuler, le mécontentement est général, et si les élections avaient lieu demain, la province de Québec donnerait au moins vingt voix de majorité au parti libéral. Il est temps que l'on étudie la situation, que l'on écoute la voix de ces dévoués amis toujours au premier rang à l'heure de la bataille et qui s'imposent les plus grands sacrifices pour le triomphe de leur parti."

Ainsi Mercier pouvait se rassurer: tous les partis ont leurs Cassandre. Laissons-les dire, concluait-il. Laissons-les dire, et fêtons plutôt le retour du curé Labelle — pardon, de Monseigneur Labelle. Il n'a pas maigri d'une livre dans son voyage...

Mgr Labelle avait séjourné deux mois à Rome, de la mi-avril à la mi-juin, en même temps que le vice-recteur Proulx. En même temps aussi qu'un autre Térésien, l'abbé Herménégylde Cousineau, étudiant au collège canadien. En même temps que le Dr Desjardins, délégué de l'Ecole de Médecine. En même temps que le Père Paradis, renouvelant ses plaintes contre son provincial... A demi plaisantant, les cardinaux romains parlaient de former une congrégation spéciale pour traiter les affaires de la province de Québec. —"Ce serait la plus occupée", ajoutaient-ils. Mgr Labelle demandait l'érection d'un évêché "du Nord", à Saint-Jérôme. Et les prélats de Sa Sainteté imaginaient assez bien ce prêtre à tête de Titus, à corpulence de lutteur, à verbe d'"habitant", promu évêque du "Nord" et gouvernant un petit monde de curés colonisateurs et de sœurs missionnaires. Le sous-ministre de la Colonisation revint au Canada sans trop cacher ses espérances. La Société Saint-Jean-Baptiste de Montréal, présidée par L.-O. David, lui offrit un banquet. Son coup de fourchette non plus n'avait pas diminué! Autour d'un curé de ce calibre, et à une table de banquet, l'union se réalisait sans peine. Il y eut des libéraux avancés comme Raoul Dandurand, plus avancés comme Fréchette, et encore plus avancés comme... Beaugrand. Fréchette récita de ses poèmes.

Mais pendant ce temps, Mgr Fabre, parti précipitamment, faisait le trajet inverse, à destination de Rome. Mgr Fabre partait protester et, si possible, s'opposer. Car le diocèse éventuel de Saint-Jérôme serait formé par division de l'archidiocèse de Montréal. Et plus d'un, qui avait trouvé naturelle la division du diocèse trifluvien, s'indignait à la pensée d'une mesure semblable à l'égard du diocèse montréalais. Mgr Fabre signalait encore la rivalité latente entre Sainte-Thérèse et Saint-Jérôme, celle-ci plus industrielle, sans doute, mais celle-là plus intellectuelle, peut-être plus religieuse. Enfin Mgr Duhamel, qui comptait des régions de colonisation dans son archidiocèse — et que l'affaire Paradis avait fort ennuyé — vint confirmer la thèse de Mgr Fabre sur l'inopportunité d'ouvrir un nouveau diocèse dans le nord de Montréal.

* * *

Mercier compléta le remaniement consécutif aux défaites de Turcotte et de Rhodes. Le secrétaire provincial Robidoux devint procureur général, et Charles Langelier, d'abord ministre sans portefeuille, devint secrétaire provincial, malgré les avertissements de Tardivel. La défaite de Rhodes privait les Anglo-protestants de ministre, puisqu'à la

veille des élections, le conseiller législatif David
Ross avait cédé le poste de ministre sans portefeuille à Arthur Boyer. Mais David Ross, vieillard affable, grand conteur d'historiettes, gardait
le contact avec ses anciens collègues. À cette époque, la curiosité générale se portait sur l'affaire
McGreevy.

McGreevy voulut crâner. Il commit l'imprudence d'intenter un procès à Tarte. Celui-ci, à
qui ne manquait même pas le sens de la mise en
scène, prit comme avocats Thomas-Chase Casgrain et... Laurier. Puis il se mit à publier dans
son journal "Les coulisses du McGreevyisme", à
l'instar des "Coulisses du boulangisme" fraîche-
ment lancées par le journaliste parisien Mermeix.
Il y livrait ses révélations à petites doses, comme
dans les feuilletons, pour faire durer le plaisir. Il
prévenait d'ailleurs que l'affaire aurait bien des
ramifications:

> "...Le nom de M. McGreevy n'est qu'un incident! Le
> contrat de creusage du bassin, à propos duquel je suis
> poursuivi devant la Cour criminelle, n'est qu'un anneau
> de la chaîne d'iniquités, de rapines, dont les circons-
> tances m'ont donné la clef..."

Et encore:

> "Ce n'est pas le procès d'un homme qui va s'instruire
> devant la Cour, c'est le procès d'un système, d'une or-
> ganisation puissante, au sein de laquelle on se vantait
> de corrompre les pouvoirs publics, d'acheter les élus
> de la nation, de pervertir ou de supprimer les fonc-
> tionnaires chargés des intérêts des contribuables."

La *Presse*, flairant la bonne affaire pour son inspirateur Chapleau, suivait la dispute avec intérêt.
L'Electeur reproduisait les articles du *Canadien*
avec complaisance.

En octobre, toutefois, la visite du comte de Paris relégua Tarte et McGreevy au second plan.

Le prétendant au trône de France et son fils le duc d'Orléans devaient traverser la province. Le sentiment royaliste est resté latent au Canada français; c'est une des formes de la fidélité canadienne. Québec et Montréal préparèrent aux princes des réceptions grandioses.

Il y eut pourtant quelques dissidences. Il existait, parmi les libéraux avancés, des républicains de principe: Fréchette, Beaugrand, Alphonse Geoffrion — gendre d'Antoine-Aimé Dorion —, Raoul Dandurand, dont le sang méridional, pour être dilué depuis plusieurs générations, n'en bouillonnait pas moins, comme une lave mal refroidie. Ardemment francophiles, ils se réclamaient de la France révolutionnaire et honnissaient l'autre. Ils prenaient à cet égard l'exacte contre-partie des opinions de feu Trudel. (Fréchette avait cent fois plaisanté le drapeau fleurdelysé flottant sur l'édifice de L'Etendard.) Tandis que Gonzalve Désaulniers, le jeune poète rédacteur du National, lui aussi républicain et francophile, voulait étendre l'amour de la France à toute l'histoire, à tous les partis, à tous nos frères de l'ancienne patrie.

Pour les radicaux de la Patrie, les réceptions officielles préparées en l'honneur des princes constituaient une insulte à la République. Ils tentèrent de s'y opposer.

Des notables s'étaient réunis à l'Hôtel de Ville, autour du maire Grenier. Dandurand y courut. Beaugrand et Fréchette l'avaient précédé. Dans l'embrasure d'une fenêtre, ils tinrent conciliabule. Ils étaient seuls de leur avis, contre une quarantaine de personnes entourant le maire — excellent homme, qui redoutait toute opposition. S'encourageant l'un l'autre, les trois républicains protestèrent avec assez de véhémence pour suppléer à leur petit nombre. Dandurand parlait bien, en s'écoutant. Fréchette avait le prestige de sa poésie. Beaugrand, prédécesseur de Grenier à la mairie, se sentait chez lui dans cette salle; il cria plus fort que les autres, et intimida Grenier. Rentré à son bureau, il commença une bruyante campagne dans la *Patrie*, et Fréchette écrivit en hâte la "Petite histoire des rois de France".

Ils restèrent à peu près isolés dans cette attitude. Thomas Chapais les surnomma "Les trois Brutus". Il écrivit:

> "*Que la France soit en république ou non, on ne peut empêcher que le comte de Paris soit le chef de la maison de France. N'en déplaise à MM. Beaugrand et Fréchette, ce titre rend un certain son dans le monde.*"

La *Presse* tança les trois Brutus. *L'Electeur* écarta toute arrière-pensée pour saluer des Français de naissance illustre. *L'Union libérale* elle-même blâma Beaugrand et ses amis. Pacaud et Beaugrand polémiquèrent, vinrent très près de la brouille personnelle.

Beaugrand, Fréchette et Dandurand ne voulurent point en démordre. On annonçait un grand banquet à l'hôtel Windsor; Beaugrand répliqua qu'il tiendrait un "banquet de républicains"; mais l'hôtelier pressenti lui refusa sa salle.

Les princes eurent un succès fou. Le comte de Paris donnait l'impression d'une franchise calme et sûre. Toutes les Canadiennes voulurent être présentées à Philippe d'Orléans, beau comme un jeune dieu. Le juge Jetté présida le banquet du Windsor, avec le comte de Paris à sa droite et le duc d'Orléans à sa gauche. Jetté avait, avec une pointe de coquetterie dans sa correction vestimentaire et dans sa tenue morale, le talent et l'autorité voulus pour faire honneur au Canada. Evoquant le voyage de la *Capricieuse,* le premier bateau de guerre français venu sur le Saint-Laurent depuis le traité de Paris, il prononça ces paroles si belles:

"...Aussi sommes-nous restés bien français, et je me rappelle le jour où, après un siècle de séparation, le drapeau de la France reparut sur les eaux de notre grand fleuve; ce fut, d'une extrémité de la province à l'autre, comme un tressaillement d'allégresse, et le paysan canadien, l'habitant, comme nous disons ici, exprimant dans son langage simple mais vrai la pensée de tous, en revoyant ces marins que, pourtant, il n'avait jamais vus, s'écriait: "Oui, je me souviens, ce sont nos gens."

"Monseigneur, toute l'histoire de la race française sur ce sol d'Amérique est résumée dans ces quelques mots."

A transcrire ces phrases, le cœur bat plus fort dans la poitrine; comment l'émotion n'aurait-elle pas étreint les princes exilés?

Le comte de Paris et le duc d'Orléans eurent un accueil splendide aux Trois-Rivières, où ils allèrent saluer Mgr Laflèche. Le *Journal des Trois-Rivières* publia un numéro spécial. A Québec, le juge Routhier et Thomas Chapais prononcèrent les discours au banquet des princes. Le lieutenant-gouverneur Angers donna un grand dîner à Spencer-Wood. Beaugrand envoya au président Carnot un télégramme exprimant le républicanisme de quelques centaines de signataires. Raoul Dandurand reçut le ruban rouge, en récompense, malgré sa jeunesse.[1]

---

(1) *Plus tard, la légende se répandit que Dandurand, parodiant le mot de Floquet, s'était posté sur le passage du comte de Paris pour crier: "Vive la République, Monsieur!"*

Mercier atteignait ses cinquante ans. Ses relations fluctuantes avec Rosaire Thibaudeau traversaient une bonne période. Le sénateur-shérif prit l'initiative d'une collecte, pour offrir un superbe équipage au premier ministre. Beaugrand refusa de souscrire. Mercier reçut ses ministres et ses amis avec la cordialité qu'il mettait dans ce genre de relations. Pierre Garneau, doyen des ministres, présenta les cadeaux. David Ross, au nom des Anglais de la province, exprima des regrets sincères — sa voix tremblait d'émotion — des préjugés existant encore contre un homme aussi épris de justice. Fréchette lut des vers de circonstance (ses vers de circonstance, au contraire de ses grands poèmes, n'étaient pas fameux). Le curé Labelle dit quelques mots simples et habiles, à sa manière. Il termina, bon enfant: "Soyons chrétiens comme le cardinal Taschereau; soyons protestants comme l'honorable David Ross et patriotes comme l'honorable M. Mercier; et nous serons certains de vivre en paix, heureux et prospères, au Canada."

L'Etendard reproduisit ces conseils de Mgr Labelle en supprimant le "Soyons protestants comme l'honorable David Ross", d'une orthodoxie douteuse.

*   *   *

Avant la rentrée des Chambres, le ministère était ainsi constitué:

Honoré Mercier, premier ministre et ministre de l'Agriculture; Pierre Garneau, ministre des Travaux publics; Joseph Shehyn, trésorier provincial; J.-Emery Robidoux, procureur général; Georges Duhamel, commissaire des Terres de la Couronne; Charles Langelier, secrétaire provincial; Arthur Boyer, ministre sans portefeuille.

Les députés de la septième législature furent convoqués pour le 4 novembre 1890. Trois d'entre eux, Marchand, Robertson et Picard, siégeaient à la Législative depuis la Confédération. Marchand fut réélu Orateur à l'unanimité. Privée de Taillon, Flynn, Desjardins et Faucher de Saint-Maurice, battus aux élections, l'opposition s'était choisi Blanchet pour chef: calvitie distinguée, moustache en brosse, mise soignée, avec un soupçon de raideur et une tendance à froncer les sourcils. Blanchet portait bien la toge; il avait une allure de notable, de juge, de président, mais il n'était pas bien redoutable pour Mercier — pour Mercier aux bras d'athlète, éloquent, fougueux, populaire, véritablement puissant. Les principaux lieutenants de Blanchet seraient Nantel, Evariste Leblanc, Robertson et l'Irlandais protestant John-Smythe Hall, député de Montréal-Ouest (quartier Saint-Antoine).

Le discours du Trône annonça un programme chargé. Le pont de Québec restait à l'ordre du jour, vaste projet, à l'unisson du régime. Aux études et aux plans de l'ingénieur Hoare s'ajoutaient les études et les plans de l'ingénieur Bonnin, professeur à l'Ecole Polytechnique de Montréal, soumis dans un rapport du 21 octobre 1890; le gouvernement maintenait sa promesse de concours, pourvu que le fédéral et la ville de Québec fissent leur part. Le programme comportait encore: développement du réseau ferré; poursuite de la colonisation; fondation d'une école d'agriculture; remplacement de la vieille Ecole Normale de Québec par une vaste école moderne, édifiée sur les plaines d'Abraham; augmentation du traitement des instituteurs; empierrement des chemins ruraux; ponts métalliques; construction de palais de justice et de prisons, etc. Et pour tout cela, un nouvel emprunt.

Odilon Desmarais, en français, et Fitzpatrick, en anglais, présentèrent l'adresse en réponse au discours du Trône. Desmarais avait plus de facilité que de fond. Fitzpatrick, avocat déjà renommé, fut élégant, avec des phrases pleines, débitées d'une voix bien timbrée.

Le surlendemain de l'ouverture du Parlement provincial, on inaugura, en grande solennité, la deuxième année d'exercice des écoles du soir. Leur succès s'affirmait. A Montréal, cinq mille élèves s'étaient inscrits. A la cérémonie de Québec, l'abbé Thomas-Grégoire Rouleau, directeur des écoles du soir, présenta une adresse au cardinal Taschereau et une à Mercier. Le maire Frémont, le secrétaire provincial Charles Langelier, le surintendant de l'Instruction publique Gédéon Ouimet, prirent la parole. Les prélats de la maison de Son Eminence entouraient Mercier. Dans la foule se pressaient curés et vicaires, émus et reconnaissants.

Mercier avait trois entreprises délicates à mener à bien: la réforme des asiles d'aliénés, la fusion de Victoria et de Laval, et l'emprunt. En attendant la quatrième, qui était de culbuter sir John.

Le gouvernement Mercier connaissait à fond l'affaire des asiles, ancienne et épineuse. Il avait décidé de respecter les contrats en cours, celui de l'asile de Beauport et celui de Saint-Jean-de-Dieu. Mais il entendait bien, à l'expiration de ces contrats, exercer un contrôle médical absolu sur le traitement des aliénés. Si les propriétaires de Beauport et de Saint-Jean-de-Dieu repoussaient ses offres, le gouvernement irait au besoin jusqu'à construire et administrer lui-même des asiles. A titre de prélude, le secrétaire provincial soumit au Parlement un projet de contrat, conclu avec un établissement protestant sur les bases qu'il se proposait de généraliser dans l'avenir.

C'était la grande réforme des asiles, depuis long-temps discutée, souhaitée ou redoutée. Fitzpatrick l'approuva en soutenant l'adresse:

> *"Il est absolument nécessaire, dans l'intérêt public, qu'une surveillance et des soins convenables soient exercés par le gouvernement dans ces établissements."*

Mercier n'eût pas proposé cette réforme deux ans plus tôt, alors que l'alliance ultramontaine lui était nécessaire. Cherchait-il à secouer la tutelle de ces alliés despotiques? On sait que les ultramontains voyaient dans le contrôle d'Etat le spectre de la laïcisation. La *Patrie,* cherchant à séparer les libéraux des castors, prit un malin plaisir à entretenir ces craintes. Elle justifia le contrôle par cet argument: les religieuses aiment l'argent et gardent les aliénés le plus longtemps possible, même guéris, pour en tirer des bénéfices. *L'Etendard* et la *Justice* s'effrayèrent, exprimèrent craintes et critiques. Mercier s'impatienta:

> *"Quant à moi, je n'y vais pas par quatre chemins, et mes collègues sont unanimes avec moi, puisque nous avons mis dans la bouche du représentant de Sa Majesté en cette province qu'aucun contrat ne sera fait à l'avenir sans s'assurer le contrôle absolu du service médical. Nous pouvons être victimes de cette franchise, nous pouvons nous faire des ennemis; nous en sommes menacés, puisque L'Etendard, l'autre jour, disait que si nous allions persister dans cette mauvaise politique et suivre les errements de nos prédécesseurs, nous subirions le même sort. Nous ne reculerons pas d'un pouce. Nous ne ferons pas un contrat avec un homme ou une femme, cet homme fût-il le Pape, cette femme fût-elle la plus sainte des religieuses, sans avoir le contrôle absolu du service médical."*

Et comme un défi:

"S'il me faut perdre des alliés pour faire respecter la volonté populaire, je perdrai des alliés, mais la volonté populaire sera respectée."

Le conservateur national Louis-Philippe Pelletier, auteur des articles de la *Justice,* se leva pour protester de façon courtoise. Mercier l'envoya promener:

"Je ne me laisserai pas gouverner par qui que ce soit, et ne permettrai point à un député qui n'a pas de partisans dans la Chambre de me dicter sa volonté."

C'était dit d'un ton sec, de la voix aigrelette qu'avait parfois Mercier.

Pelletier était jeune — 33 ans — grand, mince, droit, avec de gros yeux blancs et une courte moustache très noire. C'était un travailleur qui ne prenait pas d'exercice, un nerveux, impulsif même. Capable de parler avec pertinence de presque tous les sujets débattus en Chambre, et combatif, il ne manquait certes pas de ressources: son aide avait fourni un bon atout au parti national, pendant les dernières campagnes. Cette fois, cependant, il resta debout, décontenancé. Mais il se savait dans le ministère un ami intime, Georges Duhamel, son ancien camarade du Club Cartier, qui lui ressemblait par plus d'un côté, et qui partageait comme un frère son idéal, ses convictions. Et voici que Georges Duhamel se lève à son tour. Louis-Philippe Pelletier tourne vers son défenseur, de ses gros yeux blancs, un regard de gratitude. On fait silence, car Duhamel, autrefois bel orateur aux inflexions prenantes, est atteint d'un mal de gorge chronique qui l'a rendu presque aphone.

Georges Duhamel, le visage fermé, dit seulement quelques mots, très secs aussi, sans forcer sa voix éteinte, pour appuyer, comme conservateur national, la politique et les réflexions de son chef, M. Mercier. Louis-Philippe Pelletier se rassied, cloué à son banc.

Pelletier, à la fois impulsif et persévérant, prenait des décisions dont il ne démordait pas. S'il se tournait contre Mercier, celui-ci compterait un ennemi de plus, tenace et dangereux.

Tout le monde guetta l'attitude de Pelletier. Son beau-frère Horace Archambault s'efforçait au rôle de conciliateur; par contre, Joseph-Victor Monfette, député national de Nicolet, se déclara prêt à suivre Pelletier dans une dissidence. La *Minerve* et la *Patrie* se réjouissaient déjà de la rupture. C'est le glas du parti castor, écrivait la *Minerve*. La *Patrie* traitait Pelletier de rétrograde et de réactionnaire. Elle poussait Mercier à rompre avec "cette fraction de parti en miettes, devenue négligeable, ainsi que notre premier ministre l'a rappelé fort à propos à M. Pelletier".

L'Etendard et la *Vérité* se gardèrent de toute précipitation. A la séance suivante de la Chambre, le 10 novembre, Charles Langelier, tourné vers Louis-Philippe Pelletier, lut, au nom du gouvernement, une déclaration rassurante:

> "*La politique du gouvernement, en ce qui concerne les asiles destinés à recevoir les aliénés appartenant à la religion catholique, est de confier le soin moral et le soin matériel de ces aliénés à des communautés religieuses plutôt qu'à des laïcs, toutes choses étant égales d'ailleurs.*

> "*Le gouvernement se plaît à reconnaître que nulle part les pauvres malheureux privés de raison ne peuvent être l'objet de plus de sollicitude et de plus de dévouement que dans les communautés religieuses, d'hommes ou de femmes.*

"Pour que les institutions ou les personnes qui devront se charger du soin de nos aliénés sachent parfaitement à quoi elles s'engagent, les contrats que le gouvernement se propose de faire avec telles institutions ou personnes, comprendront un état détaillé et minutieux de tout ce qui devra être fourni de nourriture par jour à chacun des aliénés, un inventaire des habits dont chaque aliéné devra être pourvu, ainsi que du lit et de la literie destinés à chacun de ces aliénés.

"Tout ce qui ne sera pas compris dans tel état détaillé et tel inventaire ne sera pas à la charge de telles institutions ou personnes, mais fera partie du traitement médical.

"Le traitement médical se fera sous le contrôle du gouvernement, par des médecins employés et payés par le gouvernement."

Charles Langelier, excellent camarade, orateur d'assemblées électorales, à l'éloquence facile, se révélait, grâce à sa souplesse d'adaptation, ministre aux idées claires, possédant bien ses dossiers. En terminant sa déclaration, toujours tourné vers Louis-Philippe Pelletier, il insista sur la promesse du gouvernement de toujours donner, à conditions égales, la préférence aux communautés religieuses; et il exprima l'espoir d'avoir dissipé tout malentendu.

Pelletier répondit. Il admit les bonnes intentions du gouvernement et déclara que, tout en maintenant ses réserves sur la réforme des asiles, il ne voterait pas contre le ministère sur sa politique générale. À la séance du 19 novembre, où fut discuté le projet de contrat avec l'hôpital protestant de Montréal, Mercier fit des excuses indirectes à Pelletier:

"Si j'ai blessé quelqu'un, je le regrette, cela n'a jamais été dans mon intention. Mais en pensant sincèrement, je défends ma pensée violemment. C'est plus fort que moi. Quand on m'attaque sur un terrain que

je crois juste et raisonnable, j'aime mieux porter le premier coup que le recevoir.

"Cela ne m'empêche pas d'avoir pour ceux qui diffèrent d'opinion avec moi le plus grand respect, et si j'ai dit quelque chose de désagréable dans la discussion, je suis prêt à faire des excuses, et prier ceux que j'ai blessés de me pardonner."

Pelletier prit acte, et montra autant de bonne volonté, tout en renouvelant une déclaration de principes religieux, article essentiel du groupe ultramontain:

"Le chef du gouvernement a beaucoup insisté sur le fait que le non-renouvellement des contrats actuels ne constituerait pas une violation des immunités religieuses.

"Je n'ai jamais prétendu pour ma part qu'il y aurait par là une violation des immunités religieuses. Je tiens à être bien compris: je suis d'opinion que le système d'affermage fonctionne depuis vingt ans avec l'asile Saint-Jean-de-Dieu à la satisfaction générale et j'ajoute que, si ce système fonctionne bien, nous devrions le garder, d'abord parce qu'il nous est imposé par nos traditions religieuses et nationales, et ensuite parce qu'il est une source d'économie considérable au point de vue financier.

"Voilà la position que je prends, et je défie certains poseurs au radicalisme, étrangers à cette Chambre, d'y trouver la base des accusations qu'ils nous lancent lorsqu'ils nous appellent des rétrogrades et des réactionnaires. Ces deux mots-là, je n'en ai pas peur, moi. Depuis que s'est ouverte l'ère des révolutions antichrétiennes et antisociales qui ont bouleversé le vieux monde, on a jeté ces épithètes à la figure de tous ceux qui ont voulu opposer une digue aux torrents malsains, empêcher la contagion du souffle empoisonné qui prenaient leur source et leur naissance dans les cerveaux enflammés des libres penseurs, des athées, de tous ceux qui ont essayé de substituer le régime des sociétés sans Dieu au règne de Dieu dans la société.

"Qu'on me traite donc de rétrograde et de réaction-naire tant qu'on voudra. J'aurai la satisfaction de constater que je suis en bonne compagnie... Je veux que nos communautés religieuses remplissent leur mission. Une partie de cette mission consiste, d'après moi, à prendre soin des grandes infortunes humaines. La Soeur de charité s'incline vers ceux qui souffrent dans le monde, elle tend la main à ceux que, dans ses impénétrables décrets, la divine Providence a frappés. Eh bien, je veux que cela se continue. Et j'entends les cent mille échos de notre chère province me dire et me répéter que j'ai raison."

Et à l'adresse de Mercier:

"La déclaration que l'honorable secrétaire provincial nous a lue l'autre soir nous a montré que les inten-tions du gouvernement étaient bonnes... L'honorable premier ministre a prononcé des paroles qui m'ont été très agréables, et je lui en tiens compte. Il a dit que s'il avait pu prononcer des paroles sévères à l'égard de certains députés, c'était sans intention de les blesser. J'aime ce langage; je le préfère de beaucoup à celui de l'autre soir.

"Le premier ministre est un des hommes les plus distingués de ce pays; la Providence l'a doué de ta-lents qui entourent son front d'une auréole. Quatre années de règne, pendant lesquelles il s'est inspiré de tous les sentiments chers au coeur de notre popula-tion, lui ont valu un témoignage presque unanime de la confiance populaire. Rendu à cette apogée, il se doit à lui-même et il doit au pays de continuer dans la voie glorieuse qu'il s'est tracée. Je respecte les opinions du premier ministre. Convaincu qu'il est de bonne foi, je m'incline et j'applaudis toujours à son passé, quand même je diffère dans le présent. Mais si je respecte ses opinions à lui, qui est fort, à lui qui est soutenu en Chambre par la plus belle majorité qui s'y soit jamais vue, à lui qui est revenu des élections environné par l'élite de la jeunesse et du talent, je demande à mon tour que mes opinions soient respectées, et qu'elles le soient d'autant plus que nous sommes ici en petit nom-bre pour les exprimer."

À la requête de Mercier, le compte rendu des débats omit l'incident avec Pelletier. Des observateurs superficiels auraient pu croire cet incident clos. La rupture avec Pelletier — et avec un groupe de castors — était évitée. Mais dans l'alliance nationale s'élargissait une fêlure.

Le projet de contrat confiant des aliénés à l'Hôpital protestant de Montréal, avec contrôle médical absolu de l'Etat provincial, fut approuvé par une majorité de 17 voix. Le gouvernement avait espéré mieux; quelques absences et abstentions lui infligeaient une légère déception. Le gouvernement se fit encore autoriser à construire des asiles, à l'expiration des contrats, à défaut d'entente avec les propriétaires de Beauport et de Saint-Jean-de-Dieu: la majorité chut à 12 voix (33 contre 21).

Un discours d'Achille Carrier, le jeune député de Gaspé, vainqueur de Flynn aux dernières élections, occupa toute la séance du 20 novembre, à la Législative. L'avocat Achille Carrier, fils d'un gros commerçant de Québec, avait la parole facile et entraînante. Son intervention du 20 novembre se produisait en plein accord avec le gouvernement.

Il s'agissait du chemin de fer de la Baie des Chaleurs.

Une compagnie du chemin de fer de la Baie des Chaleurs, "incorporée" en 1872, et subventionnée, avait perdu ses subsides, faute de remplir son cahier des charges. La compagnie se reforma en 1882, et commença ses travaux en 1886. Elle était présidée par le sénateur Robitaille, ancien lieutenant-gouverneur, avec le député fédéral de Bonaventure, Louis-Joseph Riopel, comme gérant, et traitait avec l'entrepreneur Charles Newhouse Armstrong. Cependant, en 1890, les travaux exé-

cutés ne correspondaient toujours pas aux engage-
ments souscrits et aux subsides touchés. Sur cent
milles de voie ferrée, soixante milles étaient com-
mencés, mais inachevés, et il manquait encore des
ponts sur le parcours; sur les quarante milles de
la rivière Cascapédia au bassin de Gaspé, rien n'é-
tait commencé. Pis que cela: les ouvriers et les
fournisseurs n'étaient pas payés. Les réclamations
affluaient. Charles Langelier, secrétaire provincial,
avait chargé son frère Chrysostome — l'esprit de
famille ne perd pas ses droits — d'ouvrir une enquête. Et Chrysostome Langelier, géant affable,
frère moins brillant de François et de Charles, cen-
tralisait une multitude de plaintes.

Dans ces conditions, Carrier demandait au gouvernement d'annuler la charte de la compagnie
Robitaille "dont l'impuissance est notoire", pour
la donner à une autre, plus sérieuse.

Le sort de la Gaspésie en dépend, dit-il. Car,
pour peu que le chemin de fer soit construit jusqu'à Gaspé — l'un des plus beaux ports de mer
que l'on puisse voir, accessible en toute saison —
le commerce de Terre-Neuve passera par chez nous.
Et Carrier lance un chaleureux appel en faveur
de la Gaspésie, aux ressources insoupçonnées, à la
population honnête, intelligente et industrieuse,
malheureusement maintenue dans la pauvreté par
le défaut de communications et l'avidité d'une poignée de commerçants.

Mercier, lui-même député gaspésien, représente
le comté de Bonaventure, le plus intéressé dans
l'affaire. Il a des promesses électorales à remplir.
Il veut d'ailleurs sincèrement le bien de ces hommes de chantier, de ces pêcheurs plus habiles à
trancher la morue qu'à rédiger un placet, et qui
viennent de l'élire par acclamation, dans un grand

élan de confiance. Il a demandé à Buies un rapport sur les comtés voisins de Témiscouata, de Rimouski et de Matane. Il a lu et annoté le rapport de Chrysostome Langelier, qui comprend et signale la nécessité du chemin de fer pour le développement de la Gaspésie. Sans voie ferrée pour le transport des marchandises, pas de commerce, pas d'industrie. Chaque hiver, des jeunes gens s'en vont travailler dans les chantiers du Nouveau-Brunswick ou de la région outaouaise. Certains contractent le goût des voyages, et ne reviennent pas. Mercier le sait. A la requête de Carrier, il acquiesce:

"Le récit qui vient d'être fait par le député de Gaspé n'est que trop vrai... Nous sommes en face d'une des plus criantes injustices qui aient jamais été commises dans un pays civilisé."

Mercier évoque des souvenirs de voyage en Gaspésie, décrit le départ matinal des flottilles de pêche, la vie rude des familles nombreuses, les rivières où abondent les saumons de 40 à 45 livres (il exagérait, selon la tradition des amateurs de pêche). Je connais de braves gens qui ont coupé, équarri et fourni des traverses, et que la Compagnie n'a pas payés... Je redresserai ces torts. Je développerai la Gaspésie à l'égal du Lac-Saint-Jean... Ce n'étaient pas mots en l'air, mais engagement formel, que Mercier voulait tenir, pour le bien du peuple et pour sa propre gloire. Le mois suivant, il se fit autoriser, par sa majorité normale de 21 voix, à résilier la charte de la Compagnie de la Baie des Chaleurs.

—"C'est une persécution politique, s'écria Blanchet. On attaque injustement la Compagnie de la Baie des Chaleurs. On n'a d'autre but que de dépouiller des conservateurs, au profit d'amis du pouvoir!"

Plus délicate encore que l'affaire des asiles était l'affaire Laval-Victoria, autour de laquelle on se battait, avec un acharnement inouï, depuis près de treize ans.

L'abbé Proulx avait séjourné à Rome, de février à juillet 1890, en même temps que Mgr Labelle, son ami et son professeur de diplomatie par la bonne chère. Le Dr Desjardins le rejoignit, à titre de délégué de l'Ecole de Médecine. Le vice-recteur eut, tantôt seul, tantôt avec le Dr Desjardins, quatorze entretiens avec le cardinal Simeoni et dix avec Mgr Jacobini, secrétaire de la Propagande. La province de Québec continuait de donner autant de tablature aux bureaux du Vatican que tout le reste de la chrétienté. Mais le puissant cardinal Simeoni facilita les choses. L'abbé Proulx aima ce vieillard replet, d'une bonté toute paternelle et d'une finesse toute italienne. Le cardinal Simeoni approuva le désir d'une fusion provoquée par la méthode conciliante. "Je suis content", écrivait le vice-recteur, "et M. Desjardins est aux oiseaux." [1]

L'abbé Proulx proposait, "pour éviter les frottements", d'opérer la fusion sous l'égide des évêques de la province ecclésiastique de Montréal. Ce procédé, conforme à l'esprit de la constitution *Jam dudum,* écarterait les évêques les plus combatifs. L'idée plut à la Propagande. Le 12 juin 1890, après une conversation avec l'abbé Proulx, le cardinal Simeoni écrivit aux évêques de l'archidiocèse de Montréal (Montréal, Sherbrooke, Saint-Hya-

----

(1) *Abbé J.-B. Proulx: En Europe (Joliette,* 1891). *Abbé J.-B. Proulx: Mémoires et Documents (Imprimerie Befani, Rome,* 1890; *Réimprimé à Montréal chez Beauchemin). Les mémoires et documents de l'abbé Proulx sont la source principale pour l'historique de la fusion des deux facultés de médecine.*

cinthe), les priant de tout faire en leur pouvoir
pour amener l'union de l'Ecole de Médecine et de
Chirurgie de Montréal avec la Faculté de Médecine de l'Université Laval à Montréal. Les deux
comités se rencontrèrent de nouveau. Le Dr Hingston et ses collègues, pressés par les évêques (mais
avec plus de diplomatie qu'autrefois) acceptèrent
un accord sur les principes suivants:

1°—La charte de l'Ecole servira de base à la
constitution de la nouvelle faculté, qui sera la faculté de Médecine de l'Université Laval de Montréal, relativement autonome grâce au décret *Jam
dudum*.

2°—Tous les professeurs seront membres du
corps enseignant de cette nouvelle faculté, et joui-
ront de certaines garanties.

3°—Les membres de l'Ecole de Médecine peuvent, soit partager entre eux les biens de l'Ecole,
soit les passer à la nouvelle faculté ou à l'Université elle-même, selon les procédures à régler par
trois arbitres (un nommé par les membres de l'E-
cole, le deuxième par les évêques de la province de
Montréal, le troisième par les deux premiers).

L'Ecole de Médecine fit alors préparer un avant-
projet pour ratifier cet accord et modifier sa charte
en conséquence. Les deux comités se réunirent le
28 octobre, à l'archevêché de Montréal, pour la
lecture du projet. Mgr Antoine Racine, Mgr Moreau, le grand vicaire L.-D.-A. Maréchal (administrateur du diocèse de Montréal en l'absence de
Mgr Fabre), les juges Jetté et Pagnuelo, conseillers
juridiques, assistèrent à la séance, qui dura trois
heures. La bonne entente régna; Mgr Racine, doyen des évêques par l'âge et par l'ancienneté, plut
aux médecins; on mit au point certains détails.

L'Ecole communiquait à la Faculté ses avantages civils, et la Faculté communiquait à l'Ecole ses avantages canoniques. Le 8 novembre, les évêques de la province ecclésiastique de Montréal (le grand vicaire Maréchal agissant toujours pour Mgr Fabre) firent connaître ce résultat par lettre pastorale. Ils annoncèrent la présentation du projet "si sage et si opportun" devant la législature. Et ils écrivirent au premier ministre pour le prier d'accroître les chances du bill en le présentant lui-même; c'était une idée de l'abbé Proulx, qui disposait d'une influence de poids — celle de Mgr Labelle — auprès de Mercier. Les évêques assuraient au premier ministre qu'il accomplirait ainsi, pour la prospérité intellectuelle et morale du pays, une oeuvre plus féconde encore que la précieuse restitution des biens des Jésuites.[1]

Cependant il restait, dans les deux camps, des irréductibles. Les négociateurs n'avaient pas consulté le recteur de Laval. Mgr Benjamin Paquet ne dissimula point sa surprise, sa mauvaise humeur; et l'Université tout entière ressentit l'affront. Laval refuserait les honneurs de la guerre à des ennemis si discourtois. A Victoria, les jeunes traitaient l'accord de "capitulation". Les étudiants de l'Ecole de Médecine organisèrent, dans une salle ornée d'un portrait en pied de Mgr Bourget, un grand banquet de protestation, auquel de nombreux médecins assistèrent; et ils firent circuler un pamphlet de cinquante pages intitulé "Le dernier chant des serins de Laval". Les Drs Durocher, Brunelle et Poitevin affirmèrent sous leur signature, dans L'Etendard, que l'abbé Proulx avait

---

(1) On peut trouver le texte de cette lettre. comme presque tous les textes se rapportant à cette affaire, dans les "Mémoires et Documents" de l'abbé J.-B. Proulx.

pour but *la destruction de l'Ecole de médecine et de chirurgie de Montréal.* Le vice-recteur adressa des mises au point à ce journal.[1] L'affaire se réglerait-elle jamais? Mercier, à la requête des évêques, entrerait-il dans ce guêpier? Des ultramontains, à la méfiance éveillée par l'affaire des asiles, voyaient dans l'intervention du premier ministre le point de départ d'une transformation conduisant au contrôle d'Etat, à l'Université laïque. Le *Monde* et surtout *L'Etendard* exprimèrent les craintes de ces dissidents.

Mercier fut habile. Après consultation de son cabinet, il répondit officiellement aux évêques qu'il interviendrait si le pape le souhaitait et lui prêtait le concours de son auguste parole.

L'abbé Proulx fit adresser à Mgr Jacobini, qui lui avait, à Rome, promis amitié et appui, la dépêche suivante:

"Québec 11 novembre 1890,

"Monseigneur Jacobini,
"Propagande, Rome.

"Veuillez demander cardinal Simeoni télégraphier Mercier de présenter bill union des Ecoles. Mercier promet accepter sur votre demande. Alors succès assuré. Délai légal expire samedi. Réponse immédiate.

> *"Maréchal, administrateur.*
> *Evêque Sherbrooke.*
> *Evêque Saint-Hyacinthe.*
> *Mgr Labelle.*
> *Proulx.*
> *D'Orsonnens.*
> *Hingston.*
> *Desjardins.*
> *Sénateur Paquet."*

---

(1) *Voir en particulier* L'Etendard, *numéros du 8 au 13 novembre* 1890.

En même temps, le grand vicaire Maréchal, Mgr Racine et Mgr Moreau, qui secondaient de leur mieux l'abbé Proulx, télégraphièrent à Mgr Fabre, à Rome: "Veuillez presser Simeoni répondre télégramme envoyé."

L'abbé Proulx, expansif et écrivassier, ne négligeait aucun atout, aucune influence. Gonzalve Désaulniers critiquant le bill dans le *National,* l'abbé Proulx alla trouver Georges Duhamel, inspirateur du journal, "pour dissiper les nombreux préjugés que l'on a accumulés d'avance contre notre projet de loi". Mgr Moreau écrivit aux députés et conseillers législatifs de son diocèse, pour leur demander d'appuyer le bill.

La réponse du Vatican tardait. L'abbé Proulx et Mgr Labelle télégraphièrent de nouveau à Mgr Jacobini (17 novembre) : "Temps légal des bills privés expire cette semaine. Dangereux attendre plus longtemps. Si possible, veuillez télégraphier texte de la lettre annoncée."

Par câblogramme du 20 novembre, Mgr Jacobini donna le texte de la lettre que Léon XIII adressait lui-même "au très illustre homme d'Etat Mercier", pour le prier de patronner la loi. Comme dans l'affaire des biens des Jésuites, tous les catholiques étaient liés.

Le lendemain, 21 novembre, Mercier présenta lui-même le projet. Il résuma la vieille querelle à grands traits, de manière prudente:

"Tout le monde sait que nous avons à Montréal une vieille et respectable institution, qu'on appelle l'Ecole de Médecine, institution qui ferait honneur à n'importe quel pays du monde, institution dirigée par des professeurs distingués qui ont la confiance générale du public. Cette école a fourni un nombre considérable de médecins remarquables qui, à l'heure qu'il est, surtout dans le dis-

trict de Montréal, exercent leur profession avec honneur pour la race canadienne-française. Cette institution est agrégée à une université du Haut-Canada et ne peut accorder, je ne sais trop pourquoi, de diplômes que grâce à cette université.

"Lorsqu'en 1880, la majorité de la Chambre vota pour permettre à l'Université Laval de Québec — une autre de nos plus grandes et plus respectables institutions — d'établir une succursale à Montréal, on a cherché à amalgamer les deux institutions, l'Université Laval avec l'Ecole de Médecine. On a cherché surtout à faire de l'Ecole de Médecine la faculté de Médecine de l'Université Laval à Montréal. Pour des raisons que je n'ai pas besoin d'expliquer, et que je me défendrai bien de juger, les arrangements proposés n'ont pas pu être acceptés d'un côté ou de l'autre. Depuis ce temps-là, au lieu d'arriver à l'union que tout le monde désirait, on semblait s'en éloigner davantage, lorsqu'un des hommes les plus distingués du clergé de Montréal, M. Proulx, curé de Saint-Lin, fut nommé vice-recteur de la succursale de Montréal, et lui obtint un certain degré d'autonomie, grâce au décret Jam dudum, reçu il y a à peu près un an et demi. Des efforts considérables et intelligents ont été faits depuis cette époque pour arriver à l'union désirée..."

Mercier résuma encore les négociations de l'abbé Proulx, la requête des évêques, la réponse du cabinet et le câblogramme du pape:

"Dans les circonstances, après avoir consulté mes amis, j'ai cru de mon devoir de me rendre au désir du Saint-Père et de présenter ce projet de loi."

Le premier ministre, toujours prudent, tant il semblait difficile de régler une affaire si ancienne, si épineuse et si tumultueuse, qui avait divisé les laïcs, le clergé, l'épiscopat même, spécifia toutefois qu'il s'agissait d'un bill privé. Tout en souhaitant vivement son adoption, il n'en faisait pas une question de parti, et laissait chacun libre de son vote.

Il faut d'abord passer devant le comité des bills privés. L'abbé Proulx, touchant au but, ne relâche pas sa vigilance. Ses amis: Mgr Labelle, le grand vicaire Maréchal, Mgr Racine, Mgr Moreau, M. Colin, comptant chacun dans sa manche un ou deux membres du comité, assiègent les autres. Un gros écueil affleure encore à l'avant: Mgr Paquet, recteur de l'Université Laval, n'aime pas l'abbé Proulx. Son rapport au Conseil Supérieur de l'Instruction publique pour 1889-90 contient des remarques désobligeantes contre lesquelles l'abbé Proulx a protesté auprès des évêques. Le recteur et le vice-recteur se reprochent mutuellement de mal interpréter l'indult du 5 mai 1889 — Québec réclamant tous les honoraires de messe attribués par l'indult à l'Université, et Montréal voulant sa part. Enfin l'abbé Proulx et ses associés montréalais ont porté cette inimitié à son comble en préparant la fusion sans consulter le recteur, ni le Conseil universitaire, ni personne de Québec. Mgr Paquet en exprime tout haut sa *surprise* et sa *peine*. Une nouvelle palpitante se répand à Québec: le recteur viendra devant le comité des bills privés avec un *factum* terrible contre le projet.

Laval restait assez puissante pour porter au bill un coup mortel. L'abbé Proulx écrivit deux lettres au cardinal Taschereau (25 et 27 novembre), le suppliant d'empêcher le *scandale* d'une opposition de Laval au bill présenté par les évêques de la province de Montréal et recommandé par le Pape:

> "L'accord est fait à Montréal entre les deux institutions rivales, l'unité universitaire est consacrée, les décrets romains sont exécutés, l'Eglise voit rentrer officiellement toute la jeunesse catholique de ce populeux district sous la juridiction légale de son enseignement... Pour un sentiment froissé, va-t-on jeter à vau-l'eau tant d'avantages réalisés au prix de si grands efforts?..."

Le 29, le comité des bills privés eut un "big show", écrivit l'abbé Proulx: six professeurs de Laval, cinq de l'Ecole, deux avocats, l'abbé Proulx et son secrétaire, et Mgr Paquet, un document à la main. La lecture de ce document allait être le point crucial: l'abbé Proulx en avait chaud à l'avance.

Le recteur lut sa déclaration. Il est vrai que Laval comptait proposer des amendements. "Mais devant la volonté du Saint-Père, l'Université non seulement ne s'oppose pas au projet de loi qui est devant cet honorable comité, non seulement ne suggère aucun amendement, mais encore demande instamment que le projet de loi soit adopté.

"L'Université prie tous ses anciens élèves et tous ses amis faisant partie de l'une ou l'autre des deux chambres de la législature de Québec, de favoriser de toutes leurs forces l'adoption de la loi qui leur est maintenant soumise."

Mercier demanda si M. l'abbé Proulx avait quelque observation à faire. L'abbé Proulx ne savait comment exprimer sa joie, son bonheur, son admiration, sa reconnaissance "pour la noble déclaration que nous venons d'entendre, parce qu'elle suppose chez celui qui l'a dictée une force et une générosité qui sont au-dessus de la moyenne de l'humaine nature."

Il n'y avait plus qu'à en tirer la conséquence pratique. Et l'abbé Proulx d'ajouter:

—*"Je ne vois pas comment les membres de cet honorable comité pourraient ne pas approuver ce contrat, lorsque toutes les parties contractantes sont satisfaites. L'Ecole de Médecine est satisfaite, son président et la majorité de ses membres sont là pour le dire; la Faculté de Médecine Laval à Montréal est satisfaite; les évêques de la Province sont satisfaits; le Conseil Universitaire est satisfait..."*

—*"C'est un peu fort!"* interrompit Mgr Paquet, sautant sur ses pieds. *"Comment le conseil universitaire pourrait-il être satisfait lorsqu'il n'a pas été consulté, que tout s'est fait en dehors de lui, et que, s'il n'y avait pas de journaux dans le pays, il ne connaîtrait absolument rien du bill!"*

L'abbé Proulx: — *"Si, en disant que le Conseil universitaire est satisfait, je me suis trompé, je l'ai été par les magnifiques paroles du document que nous a lu Mgr Paquet... Je comprends que Mgr Paquet est satisfait non par goût, mais par devoir, pour des motifs bien plus nobles, ce qui est supérieur. Dans tous les cas, s'il y avait eu par hasard dans la procédure quelque chose d'irrégulier, aujourd'hui, par la gracieuse acceptation de Mgr le recteur, tout est validé, tout est lavé..."*

Mgr Paquet: *"Si vous avez quelque chose à laver à Montréal, à Québec nous n'avons rien à laver!"*

L'abbé Proulx n'insiste pas, de peur de gâter l'effet du document inespéré. Le comité approuve le projet. Le soir même, Mercier peut annoncer ce résultat à la Chambre, et demander la ratification de l'accord, en insistant sur la déclaration de Laval:

"Nous avons devant nous deux grandes institutions, l'une à Québec, l'autre à Montréal. Toutes deux ont produit des hommes distingués. Se rencontrant à Montréal, elles sont venues en conflit, et ce conflit a duré des années. Aujourd'hui ce conflit cesse, l'union est faite. Je demande à la Chambre de la ratifier à l'unanimité, afin que l'on sache dans le pays et à Rome que les intentions de ceux qui veulent du bien à la province de Québec sont par tous respectées."

Le chef de l'opposition, Blanchet, se lève:

—*"Monsieur l'Orateur, je seconde cette motion avec plaisir. Le pays apprendra avec satisfaction que la question universitaire est définitivement réglée. L'enseignement universitaire est le couronnement de l'éducation classique, et de cet enseignement dépend en grande par-*

tie l'avenir du pays. Grâce à cette heureuse solution, les forces employées pendant si longtemps à des luttes stériles vont être dirigées vers le perfectionnement de l'éducation."

Adopté à l'unanimité par la Chambre le 29 novembre, le bill passa dans les mêmes conditions au Conseil législatif le 4 décembre.

L'abbé Proulx reçut force lettres de félicitations. De Saint-Boniface, le juge Dubuc, à qui Mgr Taché avait communiqué les pièces du dossier en sa possession, écrivit à l'abbé Proulx: [1]

"Vous avez joué une grosse partie, et vous l'avez gagnée. Je vous en félicite bien sincèrement, et, au risque de passer pour naïf, j'ajouterai: je vous admire immensément. Ce n'est pas seulement une victoire que vous avez remportée. C'est une bonne oeuvre que vous avez accomplie. Cette lutte pénible qui durait depuis tant d'années, cet antagonisme persistant entre des frères, cette guerre sourde où le clergé se trouvait mêlé, au grand scandale de la galerie, et dans laquelle l'intervention et les injonctions de Rome apportaient à peine une trêve temporaire, vous avez réussi à régler tout cela d'une manière tout à fait satisfaisante."

Voyant à son tour la lettre du juge Dubuc, Mgr Racine écrivit:

"Je contresigne tout cela avec joie et reconnaissance; c'est la vérité, et l'hon. juge Dubuc a donné la note juste."

Et Mgr Moreau:

"J'ai lu avec bien du plaisir la charmante lettre que vous a envoyée M. le juge Dubuc. Elle est vraie, donc elle n'est pas trop élogieuse. Je voudrais que vous en reçussiez bien d'autres encore de la même couleur et aussi sympathiques, pour vous encourager dans vos luttes

---

(1) Abbé J.-B. Proulx: *Mémoires et documents.*

et vous faire cheminer en toute confiance et sans faiblir
vers le noble et saint but auquel vous aspirez, la solide
fondation de notre grande institution montréalaise..."

Le grand vicaire Maréchal, Mgr Racine et Mgr
Moreau envoyèrent aussi leurs félicitations et leurs
remerciements à Mercier pour "le grand exemple
donné au monde". On eut l'impression qu'un acte
important venait de s'accomplir. Beaucoup pen-
sèrent, avec Blanchet, que les forces longtemps gas-
pillées dans les luttes pourraient désormais s'em-
ployer au perfectionnement intellectuel.

Sous le règne de Mercier, la grande querelle Laval-Victoria, qui avait si souvent retenti à Rome,
et si longtemps paru insoluble, était en effet réglée.

La Législative de 1890, entraînée par Mercier,
aborda encore d'autres questions d'envergure. Poupore, député de Pontiac, demanda une refonte de
la législation sur les mines, qui datait de 1880.
Les mines d'amiante du comté de Mégantic donnaient un excellent rendement; un peu partout se
précisait l'existence de gisements de minéraux précieux, mais les exploitations restaient rares. La
mise en œuvre n'était pas obligatoire, et la plupart
des propriétaires attendaient patiemment une plus-
value, pour vendre leur terrain. Autant de richesse
endormie, autant de travail perdu pour les chô-
meurs de la province. Poupore réclama une législation d'ensemble, forçant les propriétaires à exploiter ou céder leur terrain, exemptant les mines
d'impôts.

Comme le ministériel Carrier, l'opposant Poupore devançait les désirs du gouvernement; à cette
différence près que Mercier ne voulait pas renoncer
aux taxes.

Georges Duhamel se chargea de présenter le projet gouvernemental. *L'Electeur* l'appuya par une série d'articles. La thèse officielle était celle-ci: La loi Flynn, de 1880, accorde au propriétaire du sol la propriété du sous-sol, et ne l'oblige pas à l'exploiter. C'est le système anglais, où les mines appartiennent aux landlords. Nous soutenons le principe contraire, en vertu duquel les mines, propriétés nationales, doivent contribuer à la prospérité du pays. C'est déjà l'intention de la loi des terres de 1888, qui réserve à l'Etat provincial la propriété des minéraux découverts sur les concessions. Nous voulons ressusciter une sorte de droit régalien, attribuant la propriété des mines à la nation — à l'Etat provincial — moyennant certaines compensations ou garanties pour le propriétaire de la surface. L'Etat exigera l'exploitation. Il offrira d'abord la licence au propriétaire de la surface, quitte à l'exproprier, en cas de refus, au profit du prospecteur autorisé. Et la Province percevra les impôts qui lui sont indispensables.

La loi Duhamel fut bien accueillie. Les critiques: Poupore, Blanchet et Robertson, voulaient seulement aller plus loin, et attirer les capitaux étrangers par l'exemption de taxes sur les mines pendant quinze ans.

Enfin Shehyn présenta son budget et annonça un emprunt de dix millions de dollars. La dette flottante, qui atteignait déjà sept millions et demi à l'avènement de Mercier, approchait maintenant de neuf millions. L'indemnité des Jésuites avait été prélevée sur des fonds destinés à d'autres usages; et les projets en cours entraîneraient de grandes dépenses.

Si grandes que l'on s'en effraya. Pendant la campagne électorale, dit Duplessis, le gouvernement a promis des économies, et trompé le peuple. Nullement, répondit Charles-Eugène Pouliot, député de Témiscouata. "Comme tous les candidats de M. Mercier, je n'ai pas caché la nécessité d'un emprunt; mes adversaires en ont même tiré leur principal argument. Mais j'ai dit à mes électeurs, et je suis prêt à le répéter en Chambre: Je suis en faveur d'un emprunt, si un emprunt est nécessaire, afin que la province continue à marcher dans la voie du progrès, dans la voie de la prospérité."

La *Minerve* cita des discours de Mercier qui, à l'assemblée de Saint-Laurent en 1883, pendant le débat sur l'adresse en 1885, à l'île d'Orléans le 6 septembre 1885, reprochait aux gouvernements conservateurs, Chapleau, Mousseau et Ross, leurs emprunts à jet continu.

L'Etendard s'effraya aussi du rythme croissant des dépenses. Il exprima sa surprise, et reprit l'affirmation de Duplessis. Ni dans l'affaire des asiles, ni dans la question financière, dit-il, le gouvernement Mercier ne nous avait annoncé la politique qu'il adopte aujourd'hui. S'il l'avait fait, nous ne l'aurions peut-être pas appuyé. Il ne nous a pas annoncé le contrôle absolu des asiles par l'Etat; il ne nous a pas annoncé l'augmentation continuelle des dépenses. "Nous voilà condamnés à l'emprunt à perpétuité!"

La *Patrie*, rédigée par Lebeuf, fut aussi inquiète que *L'Etendard* et les castors, aussi sévère que la *Minerve* et l'opposition conservatrice:

"Qui paiera? La belle affaire! Est-ce que celui qui a l'habitude d'emprunter s'occupe de ce détail infime? Qui paiera? Mais vous êtes drôles! La province de Québec n'est-elle pas assez riche pour payer quarante millions de piastres? Nous prenez-vous pour des gens que ne s'y entendent pas en finances? Voyez donc l'administration de nos petites affaires personnelles!"

Lebeuf accusait le gouvernement Mercier et la "clique Pacaud-Langelier" de conduire la province et le parti libéral à la ruine. Il écrivait encore: "Ils ont des bouches pour manger, des yeux pour ne rien voir, des oreilles pour ne pas entendre!" La *Patrie* reprochait crûment à Mercier ses cigares à dix sous la pièce, sa pelisse de mille dollars (don de ses partisans), son attelage de deux chevaux, ses culottes blanches de grand'croix de Saint-Grégoire, ses soupers fins au restaurant Duperrouzel. En punition, la *Patrie,* rayée du budget de publicité du gouvernement provincial, ne recevait plus sa part des annonces légales.

Des presses du *Courrier de Saint-Hyacinthe* sortit un pamphlet intitulé: "Les principes de l'hon. M. Mercier." Le pamphlet commençait ainsi: "La carrière politique de M. Mercier est avancée suffisamment aujourd'hui pour qu'il puisse adopter la devise suivante: Opportunisme et politique payante." Il reprochait surtout à Mercier ses idées radicales. Car de nouveau les castors se sentent mal à l'aise dans l'alliance nationale. La loi des asiles et plusieurs autres indices les inquiètent. L'incident Pelletier ne s'oublie pas. Puis, Rochon demande l'abolition du Conseil législatif, et Mercier, en le priant d'attendre, reconnaît son accord sur le principe. Ensuite, Auguste Tessier, député de Rimouski, préconise la création d'un ministère de l'Instruction publique, et Mercier trouve encore "beaucoup de bon" dans cette idée. Or, aux yeux des castors, un ministère de l'Instruction publique, c'est l'acheminement vers l'instruction d'Etat, vers l'instruction laïque. Les relations se tendent entre le gouvernement et la majorité du Conseil de l'Instruction publique; on prête au gouvernement l'intention de mettre le surintendant Ouimet à la retraite pour le remplacer par Paul De

Cazes, beau-frère de Mercier; Paul De Cazes, ajoute-t-on, sera sous-ministre dans le futur ministère de l'Instruction publique. La *Patrie* sommait Mercier d'achever cette évolution, d'arborer carrément les couleurs libérales. *L'Electeur,* journal quasi officiel, dut répéter en éditorial (26 décembre 1890) :

> *"Le gouvernement actuel de la province de Québec n'est ni un gouvernement libéral ni un gouvernement conservateur; c'est un gouvernement national. Vingt fois plutôt qu'une, M. Mercier a expliqué le caractère de ce gouvernement, et a déclaré qu'il n'entendait faire prévaloir d'une manière exclusive ni les idées libérales, ni les principes conservateurs."*

Mercier fit voter le budget; la clôture de la session, le 30 décembre, put coïncider avec la fin de l'année. *L'Electeur* constata: "La législature a ouvert son règne de cinq ans par des travaux dont la grandeur dépasse tout ce qui s'est encore vu depuis la Confédération." Mercier fit reproduire en volume les principaux documents relatifs au règlement de la question des biens des Jésuites. Il en envoya un exemplaire à chaque évêque de la province, "en souvenir d'un des actes politiques les plus importants du monde entier".[1]

A regarder les grandes lignes, en oubliant les menus scandales, les destitutions et les tripotages, la fierté de *L'Electeur,* sinon tout à fait la grandiloquence de Mercier, paraissait justifiée. A Paris, Hector Fabre écrivit dans *Paris-Canada*: "M. Mercier a esquissé un programme de grand gouvernement."

C'est ce que nous lui reprochons, rétorqua la *Minerve;* car le gouvernement de la province de

---

(1) *La lettre de Mercier à Mgr Fabre est aux archives de l'Archevêché de Montréal.*

Québec ne saurait être un grand gouvernement;
nous ne sommes qu'une fraction dans une fraction coloniale de l'empire britannique.

Ce rappel à la modestie n'influençait que les
gens sages. Le plus grand nombre se laissaient em-
porter par l'élan général. La vie est belle; jamais
l'hiver n'a paru si gai. A Montréal, à Québec se
succèdent les réceptions, les courses, les parties de
toboggan. En septembre, à l'occasion de la visite
du prince George, petit-fils de la reine Victoria,
le bal de la citadelle, auquel assistent huit cents
privilégiés, revêt un tel éclat que Québec ne doute
point d'avoir éclipsé Montréal. Et pour les hommes bien trempés comme Mercier et ses amis, la bataille politique, c'est encore de la vie.

Tarte suivait son petit bonhomme de chemin —
sinueux, peut-être, mais qui le mènerait sûrement
au but. Il abattait ses cartes une à une. Il commençait de mettre en cause Hector Langevin: "Thomas McGreevy a battu monnaie sur votre autorité, sur votre nom, Monsieur le ministre!" Et
de citer des preuves: par exemple des lettres où
McGreevy, sur papier à en-tête du ministère des
Travaux publics, écrivait aux entrepreneurs: "Je
verrai sir Hector demain; il adoptera mes vues."

*   *   *

Mercier, qui ne voulait pas de frontières à l'expansion de la province vers le nord, allait jusqu'à
songer au développement du Labrador. On découvrait les richesses minières et forestières de ce territoire. Un chemin de fer translabradorien pourrait
aboutir à la baie Saint-Charles, accessible aux pa-
quebots toute l'année, disait-on. Un syndicat de
Londres fournirait les cinquante millions de dol-

lars nécessaires[1]. Les personnes timorées voyaient dans de pareils projets le fruit d'une imagination extravagante. Elles rappelaient la population de la province, inférieure à un million et demi d'habitants, avec une forte proportion d'enfants. La simple colonisation de la région laurentienne ne rencontre-t-elle pas des obstacles très sérieux, quasi infranchissables? Comment parler de chemin de fer translabradorien quand on n'arrive pas à terminer le chemin de fer de la baie des Chaleurs, à prolonger le chemin de fer de Saint-Jérôme?

Mgr Labelle rencontrait en effet des obstacles et devait répondre à des critiques. Il s'y appliquait sans relâche. Il retint, par correspondance, les services d'un Parisien bien-pensant, rencontré dans son voyage en France, le comte de Poli, qui, moyennant une indemnité de cinquante dollars par mois, assurerait une bonne presse en France à la province de Québec et à son gouvernement. Et dans de longues lettres aux curés, aux missionnaires, aux colons, le sous-ministre défendait la loi des terres et les efforts de l'administration, expliquait les difficultés, remontait les courages et tançait les mauvaises têtes. Il écrivait à un curé: "Je ne dis pas que la loi des Terres de 1888 ne puisse pas être amendée, mais il ne faut pas pour cela ouvrir la porte toute grande aux colons qui voudraient piller les marchands de bois. Nous reprochions aux marchands de bois d'avoir fait une pression sur le gouvernement pour obtenir des lois en leur faveur, qui étaient préjudiciables à la colonisation. Aujourd'hui ce sont les colons qui demandent une loi qui leur donnerait une chance, autant que possible, d'être injustes envers les mar-

---

(1) Financial News, de Londres, 15 novembre 1890.

chands de bois qui assurent au gouvernement son plus clair revenu...'' [1]

Tâche harassante! Le 15 décembre 1890, les cardinaux de la Propagande décidèrent à l'unanimité de ne pas diviser le diocèse de Montréal, et le pape confirma cette décision par décret. Mgr Fabre télégraphia la nouvelle à l'administrateur du diocèse; on l'imprima dans la *Semaine Religieuse,* et les autres journaux la reproduisirent.

Mgr Labelle ne serait donc pas évêque de Saint-Jérôme. Il eut une heure de découragement, et offrit sa démission à Mercier. Le premier ministre réconforta son collaborateur, qui ne lui prêtait pas seulement sa popularité personnelle et la garantie de sa soutane, mais mettait la main aux affaires. Mercier le défendrait jusqu'au bout.

1891

En fait, Mercier n'aurait plus à défendre Mgr Labelle. De toute façon, le curé de Saint-Jérôme n'aurait pu monter sur un trône épiscopal, car sa mort attrista le début de l'année 1891.

Entre Noël et le premier janvier, Mgr Labelle descendit de Saint-Jérôme à Québec pour expédier quelques affaires, comme il convient à un sous-ministre. Il souffrait d'une hernie qu'on opéra d'urgence, en utilisant une double dose de chloroforme pour endormir cet énorme malade. Il délira sur la table d'opération; dans le flux de ses paroles confuses, des noms revenaient obstinément: religion; colonisation; Saint-Jérôme. Plus vite! disait sa voix étouffée, Marche! Marche! Puis

(1) *Lettre du 29 novembre 1890. Citée par l'abbé Elie Auclair: "Le curé Labelle", p. 178.*

il eut un éclat de rire, si puissant malgré l'anesthé-
sique qu'il gagna les médecins et leurs assistants.
Ceux-ci, pourtant, n'ignoraient pas la gravité de
cette opération tardive; quand Mgr Labelle revint
à lui, on l'avertit de se préparer à mourir. C'est
un autre ami de Mercier, le Père Jésuite Turgeon,
qui l'assista. Le Père Turgeon, qui avait négocié
l'indemnité des Jésuites, connaissait la priorité de
la politique dans les choses humaines. Tout en s'y
prenant de manière différente, il était homme et
prêtre à comprendre Mgr Labelle. Il donna la dernière absolution à l'expansif curé, qui n'était plus
qu'un enfant songeant à Dieu et à sa mère.

Un autre Jésuite dit une messe pour Mgr Labelle dans la chapelle particulière que Mercier venait de faire aménager chez lui, rue Saint-Denis à
Montréal. Arthur Buies pleura, exprima son cha-
grin dans des articles déchirants. La *Minerve,* dans
son article nécrologique, regretta que l'ancien "roi
du Nord" se fût "accroché au char triomphal d'un
César orgueilleux". La *Semaine Religieuse de*
Montréal — sans doute rédigée par un Sulpicien—
mit du doigté dans sa réserve:

> "*On l'a surnommé avec justice l'apôtre de la colonisa-
> tion, et c'est le nom qu'il doit garder devant l'histoire.*
>
> "*Aujourd'hui, les journaux discutent et jugent — cha-
> cun à son point de vue — la carrière politique de Mgr
> Labelle. Pour nous, ses frères dans le sacerdoce, nous
> n'en voulons rien dire. Nous aimons mieux nous rappe-
> ler les oeuvres de zèle qu'il a accomplies, la foi ardente
> dont il a donné tant de preuves, l'amour filial qu'il eut
> toujours pour la Sainte Eglise ,et en présence de sa belle
> mort nous répétons la parole si pleine d'espérance et de
> consolation de nos Saints Livres: Bienheureux ceux qui
> meurent dans le Seigneur!*"

Le corps fut transféré de Québec à Saint-Jérôme
pour les funérailles, et Mercier monta sur le con-

voi à Montréal. A Saint-Jérôme, tendue de noir, la population s'agenouilla dans la neige. Il y avait l'archevêque d'Ottawa, l'évêque de Saint-Hyacinthe, presque tous les ministres, et Israël Tarte. De part et d'autre du corbillard, traîné par huit chevaux caparaçonnés, Chapleau et Mercier tenaient chacun un des cordons du poêle.

Un autre prêtre fort actif mourut peu après, le curé Stanislas Tassé, de Sainte-Scholastique. Ce septuagénaire, ancien disciple de Mgr Bourget, ultramontain militant, était resté propagandiste et à l'occasion rédacteur de *L'Etendard*.

A la même époque aussi, Calixa Lavallée mourut à Boston, où il jouissait d'un certain renom comme compositeur et professeur de musique.

*   *   *

Avant les funérailles du curé Labelle, Chapleau et Mercier ne s'étaient pas rencontrés depuis un an. Ils se retrouveraient avant longtemps, car Mercier annonçait son intervention dans les élections fédérales, fixées au début de mars.

Laurier était le chef de l'opposition fédérale. Si les électeurs, dans l'ensemble du Canada, mettaient John-A. MacDonald en minorité, c'est Laurier qui deviendrait premier ministre. Il avait pris la réciprocité pour "plate-forme".

Nous avons esquissé la genèse de cette idée, antérieure à la Confédération. On avait fait un pas vers sa réalisation en 1854, puis on l'avait abandonnée. Un curieux homme, Erastus Wiman, la ressuscita. Ce Canadien entreprenant, un peu brouillon, devenu brasseur d'affaires à New-York, voulait unir son pays d'origine et son pays d'adoption. A défaut d'une union politique, ou peut-être pour la préparer, il s'inspira du "Zollverein" à la mode en Europe, et préconisa la suppression de toute barrière douanière entre le Canada et les Etats-Unis. Il propagea son idée simultanément dans les deux pays. Il fit sa première conférence sur ce sujet le 3 décembre 1887, à Saint-Thomas, Ontario, et reproduisit son texte en brochure sous le titre "The perfect development of Canada". Ses interventions les plus retentissantes par la suite furent: une conférence à Ottawa le 5 mai 1889; la publication simultanée d'une longue étude par le *Globe* de Toronto et la *Tribune* de Chicago, en octobre 1889 ; la publication à Toronto, la même année, de la brochure "The greater half of the Continent", reproduisant un long article paru dans la *North American Review;* une conférence à Montréal, le 15 février 1890, en présence de deux mille personnes, parmi lesquelles des libéraux de marque: Préfontaine, A.-E. Poirier, Edward Holton, Lomer Gouin.

Car, entre temps, Cartwright et Laurier avaient adopté et fait adopter par le parti libéral l'idée de Wiman, propagée en Ontario par Goldwin Smith. Imprégné des idées de l'école anglaise, liant le libéralisme économique et le libéralisme politique, Laurier était tout préparé à bien accueillir un tel projet. La réciprocité fournirait un objectif à la fois assez précis et assez vague, assez élevé et assez pratique. Le parti libéral n'apparaîtrait plus comme un simple syndicat d'intérêts, désirant s'emparer de l'assiette au beurre. Laurier avait trouvé ce qu'il cherchait depuis longtemps: une doctrine pour le parti libéral, et une doctrine le rapprochant de l'école anglaise plutôt que du radicalisme français.

Dès 1888, Cartwright, appuyé par Laurier, avait demandé au Parlement la négociation d'un

traité de réciprocité avec les Etats-Unis. Il revint
à la charge en mars 1889. Enfin, à l'automne de
1890, il entreprit une tournée oratoire en Ontario, pour vulgariser le projet. Wiman et Goldwin
Smith avaient préparé le terrain. Et justement, les
Etats-Unis venaient d'adopter le tarif McKinley,
entravant les exportations canadiennes. Cartwright
accusa le gouvernement MacDonald d'avoir provoqué ces représailles par son tarif douanier, par sa
mauvaise volonté. Cartwright était un orateur
grammatical, très clair, aux arguments bien en-
chaînés. Ce genre, parfois trop intellectuel pour
les assemblées populaires, convenait à l'exposé d'un
grand sujet économique. L'orateur reçut un accueil assez encourageant pour que le parti libéral,
à l'exception de Blake, adoptât d'enthousiasme la
réciprocité comme "plate-forme" électorale.

On se battit donc sur la réciprocité. Le Canada
était encore beaucoup plus agricole qu'industriel;
les villes comptaient moins de trente pour cent, et
les campagnes plus de soixante-dix pour cent de
la population, dans la province de Québec aussi
bien que dans l'ensemble du pays. On dit aux cultivateurs que la levée des barrières douanières faciliterait l'écoulement de leurs produits aux Etats-
Unis. Et pour concrétiser:

"La Réciprocité vous fera gagner:
30 *cents de plus sur chaque minot d'orge*
40 *cents de plus sur chaque minot de pois*
25 *cents de plus sur chaque minot de patates*
$4 *de plus sur chaque tonne de foin*
$30 *de plus sur chaque cheval de* $150
$1.50 *de plus sur chaque porc*
5 *cents de plus sur chaque douzaine d'oeufs*
 Etc., etc.

Par contre, la réciprocité faciliterait l'écoulement des produits industriels américains au Ca-

nada. Et, dans les villes, parmi les industriels et les ouvriers, on prévit une concurrence écrasante. La bataille électorale eut un peu le caractère d'une lutte des campagnes contre les villes; les libéraux renonçaient aux districts urbains pour gagner les districts ruraux, plus nombreux. Dans la seule ville de Lachine, banlieue de Montréal, venaient de s'établir, à peu de mois d'intervalle, la Dominion Bridge Company, la Dominion Wire Manufacturing Company et la Montreal Wheel Car Company. Les industriels répétèrent à leurs ouvriers qu'ils ne pourraient tenir sans la protection douanière. Le fabricant de chaussures Guillaume Boivin se remit en campagne. Une influence beaucoup plus considérable encore agit ouvertement: celle du Pacifique-Canadien, fidèle à son alliance avec le gouvernement conservateur. L'Américain Van Horne, son bras droit Thomas Shaughnessy, et un groupe d'Ecossais remarquables — les Donald Smith, les George Stephen, les George-A. Drummond — tenaient à la fois le Pacifique-Canadien et la Banque de Montréal. Ces capitaines de finance servaient et utilisaient le régime Mac-Donald. Le vieux sénateur J.-J.-C. Abbott, administrateur et avocat du Pacifique, et fort influent auprès du cabinet fédéral, assurait au besoin la liaison entre les deux puissances. Comme jadis sir Hugh Allan, Van Horne, président de la Compagnie du Pacifique, mit en garde contre la réciprocité. Il écrivit à George-A. Drummond, vice-président de la Banque de Montréal, une longue lettre communiquée aux journaux, sur ce thème: la réciprocité ruinerait les industries, et par contrecoup les chemins de fer du Canada[1]. Et sir Donald Smith, directeur du Pacifique et président de la Banque de Montréal, se représentait comme can-

---

[1] La Minerve, 24 février 1891.

didat conservateur dans Montréal-Ouest. Dans la *Presse*, lue par le public ouvrier, Helbronner soutenait, sous sa signature habituelle: Jean-Baptiste Gagnepetit, la même opinion que Van Horne.

Et surtout les conservateurs s'exagérèrent, ou feignirent de s'exagérer, les conséquences politiques de ce qu'ils appelaient une union douanière avec les Etats-Unis. Cette alliance du pot de terre avec le pot de fer, dirent-ils, mettrait le Canada sous la dépendance de son puissant voisin, pour aboutir à dresser l'Amérique contre l'Europe. Cette union douanière préparerait une union politique. Ils rappelèrent les tendances annexionnistes de certains chefs libéraux de la veille et du jour. Ils lancèrent ce "motto": "La Réciprocité, c'est l'Annexion", et demandèrent aux électeurs de choisir entre l'Union Jack et la bannière étoilée. "Pour ce qui me concerne", conclut John MacDonald dans son manifeste officiel, ma conduite est toute tracée: je suis né sujet anglais, et sujet anglais je mourrai." A la suite du vieux chef, Chapleau et tous les conservateurs redirent dans leurs discours: "La Réciprocité, c'est l'Annexion." Les brochures électorales rédigées par Alphonse Desjardins, Aldéric Ouimet, Joseph Tassé et Alphonse Nantel le répétèrent à l'envi. La *Gazette*, la *Presse*, la *Minerve*, le *Courrier du Canada* l'imprimèrent chaque jour: "La Réciprocité, c'est l'Annexion."

La *Presse* écrivit:

"...M. Laurier estime le Canada irrévocablement condamné au joug du mercantilisme américain, le plus absorbant qu'on ait vu; il juge toute résistance inutile. Aussi pousse-t-il de toutes ses forces ce gros engin de guerre dans nos murs, nouveau cheval de Troie dont les flancs renferment la ruine de notre patrie.

"Mais peu importe à M. Laurier; notre absorption, notre effacement n'est qu'une question de temps. Il ne

*croit pas au pays, à ses destinées; il est de la lignée
politique de Papineau, et Papineau n'eut jamais foi en
l'avenir du Canada.*

*"M. Laurier vient inaugurer le règne du Yankee sur
les rives du Saint-Laurent."*

Et la *Minerve*:

*"Il faut remonter jusqu'à 1867 pour trouver dans no-
tre histoire une situation analogue à celle d'aujourd'hui.
Alors comme à présent, les libéraux, au mépris de toutes nos traditions religieuses, nationales et politiques,
s'étaient rangés sous la bannière de l'annexion et menaçaient l'existence même de la patrie..."*

Une caricature représenta l'oncle Sam dissimu-
lé derrière le chef libéral Laurier, et cherchant à
attirer le castor canadien dans le piège de la Réciprocité.

L'Electeur répondit sur le même ton. Pour défendre le loyalisme des chefs libéraux, révoqué en
doute, il rappela que David Macpherson, devenu
sir David, John Rose, devenu sir John, et J.-J.-
C. Abbott, devenu l'honorable sénateur Abbott,
avaient signé le manifeste annexionniste de 1849
à Montréal. Et Georges-Etienne Cartier lui-même,
dont les conservateurs de la province de Québec se
couvrent encore, n'a-t-il pas été au nombre des
rebelles, en 1837? Loin de rejeter la Confédération, les Canadiens français lui seront plus attachés si un des leurs, Wilfrid Laurier, devient premier ministre à Ottawa. Car c'était encore un argument, dans la province de Québec: la victoire libérale mettra un des nôtres à la tête du pays.

Le Grand-Tronc se trouva automatiquement
dans le camp opposé au Pacifique, c'est-à-dire dans
le camp libéral, bien que son président, sir Henry
Tyler, fît de la politique conservatrice en Angle-

terre. La rivalité des deux grands réseaux marquait déjà, et pour longtemps, la politique fédérale.

Blake refusa de se porter candidat. Il remit à ses partisans un long mémoire, à ne publier qu'après les élections. Il y condamnait la Réciprocité, sacrifice éventuel — sacrifice impossible! — de recettes douanières indispensables au budget fédéral. Mais Mowat en Ontario et Mercier dans Québec fournirent un généreux concours à Laurier. Dans la province de Québec, l'alliance étroite de Laurier et de Mercier serait le fait saillant de la campagne. Il faut bien comprendre à quel point le nationaliste Mercier et sir John, très probablement orangiste et franc-maçon, représentaient des tendances contraires, ennemies. Tout opposait le chef provincial et le chef fédéral, l'autonomiste et le centralisateur, le nationaliste et le loyaliste, le Français et l'Anglais. Et ces caractères inconciliables accumulaient des rancunes depuis l'affaire Riel, depuis la tentative faite par sir John pour barrer la route à Mercier, après sa victoire d'octobre 86, depuis la conférence interprovinciale, depuis le désaveu de la loi des magistrats. Bref, l'animosité était réciproque et corsée. Mercier se jurait de terrasser sir John.

Avec Laurier, les relations personnelles de Mercier étaient bonnes, sans affection profonde. Chez Laurier s'accentuait le goût des solutions moyennes, chez Mercier celui des formes impératives. Laurier, devenu essentiellement chef fédéral, tenait pour intangible la Confédération, combattue dans sa jeunesse. Mercier, l'homme de la province, supportait la Confédération comme un mal provisoire. Cette divergence est claire dans les discours prononcés par les deux chefs au Club National, le 2 juillet 1890. Devant certaines attitudes de Mercier, Laurier craignait la réaction ontarienne, reflétée par le *Globe*. Mais l'animosité de Mercier à l'égard de sir John constituait une force. Si leur caractère, leurs méthodes, entraînaient les deux chefs canadiens-français à bifurquer, les luttes communes, l'ennemi commun, l'objectif commun les rapprochaient. Parmi les lieutenants de Laurier à Ottawa figuraient des intimes de Mercier, comme Beausoleil, François Langelier, Préfontaine. Pacaud était l'agent de presse, le porte-parole de Laurier aussi bien que de Mercier. Il n'y avait qu'une organisation pour le parti national provincial et pour le parti libéral fédéral.

Mercier s'assit à côté de Laurier au nouveau banquet du Club National, qui lança la campagne, le 27 janvier. A.-E. Poirier et Rodolphe Lemieux ouvrirent le feu des discours, puis Laurier et ensuite Mercier parlèrent. Mercier répéta que son gouvernement resterait national, et que le salut résidait dans l'alliance conclue au lendemain de l'affaire Riel, et toujours solide. Horace Archambault — un sincère — félicita M. Mercier de ne pas être de ces gens à la poitrine étroite, incapables d'aimer les grandes idées et de concevoir la politique large. Mais pendant les déclarations du premier ministre sur la solidité de l'alliance, la moitié des convives étouffèrent des sourires. On savait que depuis l'algarade avec Louis-Philippe Pelletier — beau-frère d'Horace Archambault — la faille s'élargissait, se creusait un peu plus chaque jour.

Les nationaux n'avaient pas le monopole des dissensions. A Ottawa, le torchon brûlait. Hector Langevin soupçonnait Adolphe Caron d'inspirer les "Coulisses du McGreevyisme". Tarte continuait sa campagne, avec des titres sensationnels tels que: "Le coupable, c'est moi!" ou bien: "Arrière, la fripouille!" Les journaux traversaient aussi des heures difficiles. Malgré son succès relatif, la *Presse* était cousue de dettes. Les actionnaires, Nantel, Dansereau et leurs amis, craignirent des ennuis — procès, peut-être saisie — à la veille de la campagne électorale. Ils passèrent la propriété au nom de Trefflé Berthiaume, typographe économe, devenu l'associé de l'imprimeur et créancier du journal. Un vrai typo, parlant peu mais connaissant à fond son métier. Les créanciers ne s'aviseraient pas de poursuivre l'humble ouvrier, sans surface et sans fortune. Berthiaume surveilla le tirage comme un baromètre, et son administration réussit. A son tour, la compagnie éditrice de la *Minerve,* en déficit, afferma le journal à Trefflé Berthiaume. Maître de la place, Berthiaume congédia le rédacteur en chef Joseph Tassé, sous prétexte d'économie — fort plausible de sa part. Il lui substitua le poète Rémi Tremblay, avec des appointements inférieurs. Or, Rémi Tremblay, traducteur aux Communes, venait d'être révoqué par le gouvernement fédéral pour son intervention en faveur de candidats libéraux, dans des élections partielles. Aux yeux de maint conservateur, l'affront infligé à Joseph Tassé se doublait d'une imprudence. Il y eut des mécontents. Tassé, avec Désiré Girouard pour avocat, intenta un procès à Berthiaume, défendu par Cornellier, et le gagna devant le juge Gill. On soupçonna une manoeuvre de Mercier et de ses amis pour neutraliser la *Minerve,* avec un tampon de dollars. De fait, Berthiaume reconnut plus tard[1] que les libéraux lui avaient offert 600 dollars par jour, pendant la campagne, s'il acceptait des articles rédigés par Lebeuf ou par Mercier lui-même, et favorables à Laurier et à la Réciprocité; Trefflé Berthiaume aurait noblement repoussé la tentation.

---

(1) *La* Presse, 2 *juillet* 1891.

Cette querelle entre conservateurs tombait à un moment fâcheux. Joseph Tassé n'était pas le premier venu, puisqu'on avait pensé le mettre à la tête de l'opposition provinciale. Le gouvernement fédéral l'apaisa en lui donnant, au Sénat, le siège de Trudel, resté vacant depuis un an. La *Minerve* ne fit pas défaut pendant la campagne; s'il y avait eu manoeuvre des libéraux, elle échouait. En même temps que Tassé, Hippolyte Montplaisir devenait sénateur. Moins docile, Israël Tarte apporta son renfort — un peu inattendu, tout de même — à Laurier et à Mercier. Déjà, Tarte avait pris Laurier pour avocat dans son procès contre McGreevy. Le 17 février, lors d'une réception triomphale de Laurier à Québec, il déclara que, tout en restant conservateur, il se rangeait sous le drapeau du chef libéral, et présentait sa candidature dans le comté de Montmorency. Tarte disposait de deux journaux à Québec: Le *Canadien,* entièrement à lui, et *L'Evénement,* où il partageait l'autorité avec le propriétaire principal, J.-L. Demers. L'esprit délié, la plume concise, il sut exploiter l'affaire McGreevy, que Laurier appelait "une nouvelle caverne des quarante voleurs".

Un nouvel incident politico-religieux signala la campagne. Mgr Fabre rentrait de Rome, où il avait empêché la division de son diocèse. Fut-il hâtivement et mal mis au courant, circonvenu par des partisans politiques? Les laïcs les plus familiers de l'archevêché étaient des conservateurs d'une loyauté indiscutable, Taillon, Alexandre Lacoste et le Dr Desjardins. Mgr Fabre et ses amis crurent-ils sincèrement que les chefs libéraux préparaient l'annexion? La lettre pastorale publiée par l'archevêque à l'occasion de son retour contint une mise en garde contre les tendances annexionnistes. Sans doute Mgr Fabre, tout comme Mgr Laflèche et

Mgr Taché lorsqu'ils conseillaient de ne pas renverser le gouvernement sur l'affaire Riel, restait
dans la tradition du clergé canadien, qui favorise,
avec le maintien du caractère national français, le
loyalisme envers la Couronne britannique et les
institutions fédérales. Mais les ministériels assimi-
lant leurs adversaires aux annexionnistes, la lettre
archiépiscopale pouvait passer pour une condamna-
tion des libéraux. La *Presse* et la *Minerve* du 23
février publièrent en caractères gras la fin du mandement:

"*Nous ne voulons pas, Nos Très Chers Frères, terminer cette lettre sans vous exprimer avec quelle satisfaction Nous avons entendu bien souvent apprécier à
l'étranger l'ordre de choses existant en cette province.*

"*Quand il lui a plu, à la suite d'événements doulou-
reux, de nous faire passer sous l'égide de l'empire
britannique, la divine Providence ménagea admirable-
ment les choses de manière à nous assurer une existence nationale et religieuse aussi complète qu'il fût
alors permis de l'espérer. A l'ombre du drapeau qui
nous abrite, pour nous protéger plutôt que pour nous
dominer, nous jouissons d'une liberté précieuse sanc-
tionnée par des traités solennels, et qui nous permet
de conserver intactes nos lois, nos institutions, notre
langue, notre nationalité, et par-dessus tout notre sainte
Religion.*

"*C'est par suite de cette liberté sacrée et inviolable
que les pères de famille donnent à leurs enfants une
éducation chrétienne dans les maisons de leur choix;
que le pays a pu se couvrir d'édifices religieux; que
les oeuvres paroissiales et autres se fondent, se déve-
loppent sans entrave; que la construction des églises,
la propriété et l'administration des biens de fabrique,
placées sous la protection des lois, ne souffrent cependant aucun contrôle odieux; enfin que l'Eglise, indépendante dans son action, peut, comme il lui plaît, dé-
ployer la majesté et les pompes de son culte.*

"*Voilà, N.T.C.F., des avantages précieux, propres à
notre pays, que nos voisins ne partagent pas, et dont
vous devez estimer d'un grand prix la conservation.*

"Ces biens, vous avez pu les posséder jusqu'ici grâce à l'action de la divine Providence qui veille sur la mission de notre peuple; grâce aussi à la bienveillance d'un pouvoir qui les accordait volontiers en retour des sentiments et des actes de loyauté parfaite dont vous n'avez cessé de lui offrir l'hommage légitime.

"Puissions-nous, N.T.C.F., rester fidèles à nos traditions et à nos devoirs sous ce rapport, pour ne pas exposer notre patrie à perdre, dans une grande mesure, ce qui lui est favorable, et fait à juste titre l'admiration des catholiques des autres pays...."

Il existait sans doute des paysans, moins à l'aise que leurs voisins d'outre-frontière, et qui, par indifférence ou cupidité, n'eussent pas refusé l'annexion aux Etats-Unis. Ils étaient peu nombreux. Laurier et les autres chefs responsables du parti libéral repoussaient sincèrement l'idée annexionniste. Cependant, on exploita contre eux la lettre de Mgr Fabre. Ils protestèrent. David alla se plaindre à l'archevêché. Le grand vicaire Maréchal lui écrivit qu'on avait tort d'attribuer un sens politique à la lettre pastorale de Mgr Fabre. Mais on continua de lire la lettre dans les assemblées.

Puis, survint l'incident Roberge. L'abbé Thomas Roberge, secrétaire de l'évêché de Chicoutimi, appuyait le candidat conservateur, en laissant entendre qu'il suivait les instructions de Mgr Bégin, parti pour l'Europe. Or Mgr Bégin, disciple et ami du cardinal Taschereau (mais moins combatif), passait au contraire pour un des évêques les plus favorables aux libéraux. Mercier lui télégraphia. Mgr Bégin trouva la dépêche de Mercier en arrivant au Hâvre, et l'abbé Thomas-Grégoire Rouleau, secrétaire de l'évêque, répondit par la même voie:

"Monseigneur Bégin juge démarche de l'abbé Roberge impossible. Il doit y avoir supercherie."

Car, si le clergé se méfiait encore de Laurier, ancien collaborateur et continuateur de Médéric Lanctôt et de Jean-Baptiste-Eric Dorion, Mercier, plus rassurant, avait rallié les Jésuites et beaucoup de prêtres. La *Patrie* s'en gaussait: "De temps immémorial, les conservateurs avaient le monopole des anathèmes et des excommunications majeures en temps d'élection, et M. Mercier leur a soufflé leur tonnerre!" Mercier conduisait la campagne comme pour lui-même, sans se ménager, surtout aux jours où Laurier, chef fédéral, s'occupait des autres provinces. Il promettait à Laurier quinze sièges de majorité dans la province de Québec. Ce concours de Mercier atténua la méfiance du clergé — sauf dans le district des Trois-Rivières. Mais *L'Etendard* et la *Vérité,* perdus pour Mercier, qualifièrent la réciprocité d'utopie et restèrent neutres.

Cette abstention privait Mercier de quelques alliés. Il compensa en mettant au service des libéraux non seulement son prestige et son extraordinaire activité, mais aussi l'influence, toute l'influence que lui donnait le gouvernement de la province. Pacaud agit comme trésorier du parti dans le district de Québec, et Alphonse Geoffrion dans le district de Montréal.

Cependant les rouges ménagèrent Chapleau. Celui-ci n'était pas à son aise à Ottawa, centre de tradition et d'influence britanniques où peu de Canadiens français se sentent, comme Laurier, pleinement à l'aise. Il n'y avait acquis ni le prestige ni même le poste auxquels sa popularité et ses services lui donnaient droit. Depuis deux ans, il demandait en vain à sir John un portefeuille plus important que le secrétariat d'Etat[1]. Langevin combat-

(1) *Correspondence of Sir John A. MacDonald. Lettre de Chapleau,* du 4 *juin* 1888.

tait auprès de sir John cette prétention. Et Chapleau, mécontent au point d'envisager une évolution politique, avait amorcé avec Laurier des négociations indirectes — par l'intermédiaire de Dansereau, de David et de Tarte. Tout en paraissant dans plusieurs assemblées, Chapleau évita de blesser le chef libéral, qui lui rendit la pareille. Le secrétaire d'Etat s'appliqua surtout à démontrer que le gouvernement fédéral n'avait, ni par action, ni par négligence, provoqué le tarif McKinley comme une représaille.

Les élections avaient lieu le 6 mars. Avec les ministres, Langevin, Caron, Chapleau, les vedettes conservatrices étaient Bergeron, Aldéric Ouimet, Alphonse Desjardins, Désiré Girouard, Fabien Vanasse, Thomas McGreevy, sir Donald Smith. Les sénateurs Abbott, Lacoste et Tassé les aidèrent.

A ces vedettes conservatrices, on opposa des vedettes libérales, et réciproquement. A Langevin, dans le comté de Richelieu, on opposa le gendre de Mercier, Lomer Gouin; et Tarte—qui avait jadis, pour son patron Langevin, mené la campagne restée célèbre de Charlevoix, suivi le procès de La Malbaie et bravé la prison — Tarte vint à Sorel, en assemblée contradictoire, répéter ses accusations contre Langevin, en sa présence, à la même tribune. Au gendre de Langevin, Thomas Chapais, on opposa, dans le comté de Kamouraska, un grand jeune homme mince, Henri-Georges Carroll. A Montréal, l'élection la plus disputée fut naturellement celle de Montréal-Est, où l'on opposait David à Lépine. C'était une faute, de présenter cet intellectuel dans un district ouvrier; la *Presse* traita David de dilettante et d'aristo. Dans Montmorency, les libéraux accomplirent un gros effort pour Tarte, qui leur rendait service et méritait récompense; les castors firent observer qu'il eût été plus crâne, de la part de Tarte, d'affronter Thomas McGreevy dans Québec-Ouest. Deux des chefs conservateurs battus aux élections provinciales, Flynn et Faucher de Saint-Maurice, tentèrent leur chance.

Alonzo Wright, fils du fondateur de Hull, et député du comté d'Ottawa depuis la Confédération, renonçait à la politique. Les libéraux présentèrent Charles-Ramsay Devlin, affable et même charmeur, Irlandais jusqu'au bout des ongles, et ami sincère des Canadiens français. Devlin devait affronter quatre tenors conservateurs: Bergeron, Cornellier, F.-J. Bisaillon et McDougald, en assemblée contradictoire à Papineauville. Mais il se trouva retenu dans le haut du comté—de l'immense comté, difficile à parcourir. Qui le remplacerait? Laurier chargea de ce soin le très jeune maire de Montebello, Henri Bourassa. Fils d'un doux artiste — Napoléon Bourassa — et petit-fils d'un fougueux tribun — Louis-Joseph Papineau — Henri Bourassa conciliait alors, à 23 ans, la religion de son père et le libéralisme — le rougisme — de son grand-père. Il était chez lui à Papineauville, où les paysans l'appelaient "Monsieur Henri". Seul, les yeux fulgurants, il tint tête à ses quatre adversaires — quatre as, cependant! — donnant à chacun d'eux la réplique. Il fut logique, railleur, impitoyable, lyrique, émouvant, bref extraordinaire, étourdissant, et les citoyens du comté, transportés de joie par ce succès du fils de leurs seigneurs, lui firent un vrai triomphe. Les applaudissements calmés, le jeune homme se tourna vers le groupe adversaire: "Il n'y a pas d'autres gros canons de Montréal?"

Comme on le prévoyait, les campagnes votèrent pour la réciprocité, et les centres industriels votèrent contre. Les conservateurs J.-J. Curran, Donald Smith et Lépine furent réélus à Montréal, ainsi que Girouard dans Jacques-Cartier et Alphonse Desjardins dans Hochelaga. Les ministres furent réélus, ainsi que les autres vedettes conservatrices sauf une, Vanasse, le rédacteur en chef du *Monde,* battu dans son comté d'Yamaska. Mais Flynn et Faucher de Saint-Maurice échouèrent. Et le groupe libéral revint plus compact, autour de Laurier réélu par acclamation à Québec, et de François Langelier. Il perdait P.-B. Casgrain, battu par Louis-Georges Desjardins dans le comté de l'Islet; mais il s'était accru de Carroll, vainqueur de Thomas Chapais dans Kamouraska, de Louis-Philippe Brodeur (Rouville), d'Arthur Delisle (Portneuf), de Frémont, le maire de Québec à qui Flynn avait tenté de s'opposer dans Québec-Comté, de Charlie Devlin et de plusieurs autres. Tarte enlevait Montmorency; un autre conservateur passé à l'opposition comme Tarte, Louis-Zéphirin Joncas, gardait le comté de Gaspé, qui l'avait d'abord élu comme ministériel. Les conservateurs nationaux Amyot (Bellechasse), Legris (Maskinongé), Joseph Godbout (Beauce) gardaient aussi leur siège, et un autre conservateur national, Cyrille-Emile Vaillancourt, était élu dans Dorchester. Laurier, comme Mercier, tenait à réserver quelques sièges à ces alliés, et il avait refusé aux libéraux du comté de Bellechasse de substituer un "rouge" à Guillaume Amyot[1]. Mercier avait promis à Laurier quinze sièges de majorité dans la province de Québec; il lui en donna onze. Trois des députés réélus gardaient leur comté depuis la Confédération: Thomas McGreevy à Québec-

---

(1) *L'Electeur,* 28 *mars* 1891.

Ouest, Félix Geoffrion dans Verchères, et François Bourassa, le député de Saint-Jean, qui faisait ses campagnes électorales à pied, de paroisse en paroisse, les poches bourrées de bonbons pour les enfants.

En Ontario, les deux partis s'équilibraient. Le Nouveau-Brunswick, la Nouvelle-Ecosse, le Manitoba, la Colombie-Britannique et les Territoires du Nord-Ouest n'avaient presque pas élu de libéraux. De sorte que les "petites provinces" de l'extrême est et de l'extrême ouest comblaient, pour sir John, le trou creusé dans la province de Québec. Il lui resterait une majorité, réduite mais suffisante, d'une trentaine de voix. A soixante-dix-sept ans, sir John — le vieux chef, comme on l'appelait — remportait une dernière victoire, malgré Mercier. Il comprit qu'il l'avait échappé belle; il écrivit à sir George Stephen: "L'effet du tarif McKinley est si désastreux que si notre élection avait été retardée jusqu'après une autre moisson, notre ministère n'existerait plus." Laurier constata simplement: "Il faut renoncer à battre sir John de son vivant."

Mais les conservateurs avaient eu chaud, et la *Presse* respira:

"Nous avons été menacés d'une grande calamité, car l'arrivée des libéraux au pouvoir signifiait la réciprocité illimitée avec les Etats-Unis, peut-être l'annexion, dans tous les cas la ruine de nos industries et de notre commerce, la dépression de nos produits agricoles et des valeurs canadiennes."

Et la *Presse* reprocha vigoureusement à Mercier et à Mowat d'avoir, pendant cette campagne, tenté de dresser les provinces contre le pouvoir fédéral.

Selon l'habitude, les conservateurs victorieux

contestèrent quelques élections libérales, pour décourager l'adversaire. Selon l'habitude aussi, les libéraux voulurent parer cette botte par le système des représailles. Mais pour contester, il fallait faire des dépôts, et la caisse électorale de Pacaud était vide. Mercier proposa d'endosser un billet de dix mille dollars qu'une banque escompterait. Les endosseurs furent Mercier, le sénateur Pantaléon Pelletier, François Langelier, Charles Langelier et Tarte. Avec les dix mille dollars, on répondit aux contestations par des contestations. Pacaud se débrouillerait pour faire face à l'échéance, le temps venu.

Cette affaire réglée, Mercier entreprit son voyage pour placer en Europe un emprunt de dix millions. Shehyn l'accompagnait, ce qui constituait un bon choix, puisque Shehyn possédait une solide réputation de droiture et d'habileté en affaires; son nom, à Québec, évoquait la probité cossue. Un groupe d'amis leur fit la conduite jusqu'à New-York : François Langelier, Paul De Cazes, Ernest Pacaud, J.-A. Mercier, et l'associé du premier ministre, Cléophas Beausoleil, réélu député fédéral de Berthier. Honoré Beaugrand, qui allait aussi en Europe (soigner son asthme, disait-il, sans convaincre ses ennemis les castors), prit le même bateau que Mercier.

Charles Langelier et Georges Duhamel visitèrent les asiles d'aliénés aux Etats-Unis, afin de ne pas être pris au dépourvu si le gouvernement provincial décidait un jour de construire et d'administrer lui-même des asiles.

IV

LA ROCHE TARPEIENNE

---

*Brouille décisive avec Louis-Philippe Pelletier—
Mort de John-A. MacDonald — Mercier en France
et à Rome — Suite de l'affaire McGreevy —
Scandale de la Baie des Chaleurs — Angers révoque
Mercier — Second cabinet de Boucherville — Mercier écrasé aux élections du 8 mars 1892 — Coup
d'oeil sur l'état de la province à la chute de Mercier.*

En mars 1891, Gédéon Désilets, nommé inspecteur des Postes, cessa de publier son *Journal des
Trois-Rivières*. Ce journal paraissait depuis 1865.
Pendant vingt ans, Gédéon Désilets, chevalier chrétien, avait servi la cause ultramontaine, sans un
jour de défaillance. Cela ne lui valut pas sa grâce
aux yeux de Tardivel, qui lui administra, dans la
Vérité, un éreintement en règle, l'accusant de déser-
ter, de trahir les intérêts catholiques, de se vendre
corps et âme à John MacDonald, moyennant un
emploi d'inspecteur des Postes. Tardivel manquait
d'indulgence, voire de mesure.

Le *Trifluvien*, organe conservateur publié depuis la fin de 1888, continua l'oeuvre du *Journal des Trois-Rivières*. Son propriétaire, P.-V.
Ayotte, était, en bon Trifluvien, disciple de Mgr
Laflèche. Pour porter le journal à la hauteur de
sa nouvelle fortune, Ayotte engagea l'un des meilleurs collaborateurs de Fabien Vanasse au *Monde,*

Pierre MacLeod, frère de Magloire MacLeod (signataire du Programme Catholique de 1871), et
seul journaliste de la province qui eût suivi
les séances du procès Riel à Regina. Pierre Mac-
Leod, persuadé qu'on avait pendu un fou, n'avait
jamais approuvé le gouvernement MacDonald sur
ce point. Longtemps après, il en parlait encore
avec passion, presque avec rage[1]. Mais il était
aussi un disciple de Mgr Laflèche, auprès de qui le
Trifluvien, comme le *Journal des Trois-Rivières*,
alla souvent chercher son inspiration. P.-V. Ayotte avait encore acheté un petit hebdomadaire de Nicolet, le *Nicolétain*, imprimé aux ateliers du *Trifluvien*.

Mais une bien autre nouvelle mit en émoi le
monde du journalisme. La *Justice*, le journal conservateur national dont Louis-Philippe Pelletier
était le directeur politique, s'imprimait par contrat
à l'atelier de *L'Electeur*, à tarif réduit: la *Justice*
bénéficiait, indirectement, des plantureuses commandes de l'Administration. Situation normale
tant que la *Justice* soutenait le gouvernement Mercier. Mais L.-P. Pelletier en vient, en particulier
sur les asiles et sur l'emprunt, à une attitude indépendante, reflétée dans son journal. Les libéraux
n'abriteront plus une feuille quasi hostile. Avant
l'expiration de son contrat, on met à Pelletier le
marché en mains: appuyer en tous points le gouvernement, ou chercher un autre imprimeur. Même
ultimatum à la *Vérité*: son imprimeur et administrateur, menacé de perdre les commandes officielles
qui entretiennent l'atelier, doit, à regret, prier Tardivel de se débrouiller tout seul. *L'Union libérale*
aussi est étouffée, mais sous les fleurs: ses rédacteurs reçoivent des compensations.

---

(1) *Au témoignage de M. Omer Héroux.*

Louis-Philippe Pelletier dénonça "le véritable auteur de cette persécution": le premier ministre, qui avait donné les ordres avant son départ. *L'Etendard,* prévoyant son tour, dénonça aussi cet attentat contre la presse indépendante, exécuté par Pacaud et le ministre Georges Duhamel, mais ordonné par Mercier avant son départ. On eut l'impression que Mercier et son entourage — qui cherchaient à capter la *Minerve* pendant les élections fédérales — voulaient à tout prix anesthésier l'opinion. *L'Etendard* demanda:

> *"Qu'y a-t-il donc à cacher pour qu'on prenne tant de trouble afin d'étouffer la voix de ceux qui savent parler, l'heure venue?"*

Et, revenant à la charge:

> *"L'emprunt va-t-il être contracté de telle manière que* L'Electeur *aura seul le droit d'expliquer cette grande opération financière?"*

L'Electeur essaya vainement de réduire l'affaire aux proportions d'un incident personnel entre Pelletier et Mercier, car la consigne était de maintenir, autant que possible, l'alliance avec les conservateurs nationaux. Georges Duhamel, loin de défendre Pelletier, le fit attaquer par sa feuille montréalaise, le *National.* Guillaume Amyot et les autres directeurs de la *Justice,* adoptant la même attitude, acceptèrent les conditions imposées à leur journal. Une manoeuvre que *L'Etendard* appela "un coup de Jarnac" réussit à débarquer Pelletier de la présidence-direction de la *Justice.* Pelletier chargea l'avocat Charles Fitzpatrick d'intenter un procès. Fitzpatrick était libéral, de l'équipe de Mercier, mais avide de plaider toutes les belles causes; il fut retors et acharné au service de Pelletier.

C'était la fin des conservateurs nationaux, dont la petite équipe se trouva divisée. Georges Duhamel passait du côté de Mercier — et c'était un crève-coeur pour Pelletier, qui l'avait aimé comme un frère. Guillaume Amyot prenait le même parti. Garneau, ennuyé, hésitant, devinait autour de lui des combinaisons déplaisantes pour sa nature intègre; mais il admirait Mercier, approuvait sa politique dont il partageait la responsabilité, et ne voulait pas le trahir. Enfin *L'Etendard,* la *Vérité* et quelques amis de Pelletier, entre autres Cyrille-Emile Vaillancourt, député fédéral de Dorchester, et Joseph-Victor Monfette, député provincial de Nicolet, étaient rejetés à l'opposition.

La presse d'opposition reproduisit une lettre ouverte de Pelletier à celui qui avait été son meilleur ami, le ministre Georges Duhamel, ainsi terminée:

> *"Allez-y, Monsieur Georges Duhamel, faites-moi la guerre.*
> *"Soyez sans coeur tant qu'il vous plaira.*
> *"Seulement, j'aurai mon tour.*
> *"Et ce jour-là, je vous prie de bien vous tenir."*

Louis-Philippe Pelletier s'était juré vengeance.

De son côté, *L'Etendard* mit le premier ministre en accusation (2 avril 1891):

> *"Nous déclarons ici que l'honorable Honoré Mercier a délibérément manqué, depuis les dernières élections, aux engagements solennels qu'il a contractés lors de la formation de l'alliance nationale."*

D'ailleurs, ajoutait *L'Etendard,* Mercier a seulement feint, par tactique, d'abandonner ses tendances radicales; le joug des bons principes lui pesait, et le sénateur Trudel et M. Louis-Philippe Pelletier durent exercer une vigilance continuelle pour le maintenir dans la voie droite. Aujourd'hui, M. Trudel est mort, M. Pelletier jeté par-dessus bord, et M. Duhamel a trahi; on ne peut plus rien attendre de bon de M. Mercier, qui festoie à Paris avec M. Beaugrand.

Et *L'Etendard,* tout comme la *Presse,* appela le premier ministre "César-Mercier" ou "l'Autocrate de Québec". Il y avait du vrai, puisque Mercier, au faîte de sa puissance, n'admettait plus les résistances. Il n'admettait plus l'indépendance; il exigeait qu'on fût son ami ou son ennemi. La province était un peu sa chose — sa chose bien-aimée. Et les courtisans l'entretenaient dans cet état d'esprit.

Pour Pacaud, Charles Langelier et leurs amis, tout allait bien. Une compagnie nouvelle, formée par James Cooper, Angus M. Thom, et d'autres financiers montréalais, se substitue à la compagnie défaillante de la Baie des Chaleurs. On lui transfère les subsides, en terre et en argent, prévus pour la compagnie Robitaille-Armstrong. Le chemin de fer sortira la Gaspésie de sa stagnation. Et tandis qu'Alexandre Lacoste était l'avocat de l'ancienne compagnie, Ernest Pacaud est l'homme de confiance de la nouvelle.

Une difficulté, toutefois, surgit. Avant de rétrocéder son contrat, l'entrepreneur Armstrong présente une réclamation de $175,000. Pacaud prie instamment Pierre Garneau, premier ministre intérimaire, de signer des lettres de crédit pour ce montant. La transaction paraît louche au vieux Garneau, droit comme l'épée du roi. Il veut d'abord le concours de Robidoux, procureur général. Mais Robidoux, retenu par la maladie à Montréal, télégraphie: "Langelier vous dira exactement ce qui a été résolu avant le départ de M. Mercier. On me dit que tout délai dans cette affaire pourrait être nuisible aux intérêts de l'entreprise et de la province." Et Charles Langelier, ministre lui aussi, appuie les démarches de Pacaud. Cependant Garneau s'ouvre de ses répugnances au lieutenant-gouverneur, son ancien collègue du cabinet de Boucherville:

"On me menace de télégraphier à M. Mercier si je ne signe pas; j'ai envie de résigner."

Angers, fort ami de Louis-Philippe Pelletier, ressent, lui aussi, bien des répugnances, ces temps-ci. Mais le départ de Garneau — à ses yeux le plus probe et le plus sympathique des ministres — n'arrangerait pas les choses. Angers répond:

—"Vous ne pouvez pas me laisser sans aviseur. Résistez à ces pressions, et gardez votre poste."[1]

Garneau resta, mais Pacaud emporta ses résistances; le premier ministre intérimaire signa les lettres de crédit de $175,000 réclamées par l'entrepreneur Armstrong. *L'Electeur* annonça la constitution définitive de la nouvelle compagnie, l'achèvement prochain du chemin de fer de la Baie des Chaleurs, "le commencement d'une ère de progrès et de développement matériels inouïs pour la Gaspésie". Charles Langelier invita les directeurs de la compagnie à dîner au Club de la Garnison, avec Pacaud et l'honorable Pierre Garneau.

Un malaise parcourut les milieux informés.

*   *   *

----

[1] *Pour ces événements, la source principale est la longue lettre du lieutenant-gouverneur Angers au premier ministre Mercier, du 7 septembre 1891.*

Cependant on s'occupait aussi des questions fédérales; et d'autant plus que le Parlement allait siéger.

Des protestations s'élevaient contre la législation scolaire anticatholique du Manitoba. Dès la première heure, Mgr Laflèche, le grand ami de Mgr Taché, avait pris l'initiative d'écrire aux ministres canadiens-français Langevin, Caron et Chapleau, pour demander le désaveu fédéral. Il disait: "Cette question est autrement grave que celle de Riel, parce qu'elle attaque plus directement les deux sentiments qui tiennent le plus au coeur de l'homme, la langue et la foi." Par lettre pastorale lue dans les églises, le 5 avril 1891, les archevêques et évêques des provinces ecclésiastiques de Québec, de Montréal et d'Ottawa firent entendre une protestation collective.

Mais la législation anticatholique et antifrançaise soulevait un immense enthousiasme parmi la majorité manitobaine, excitée par les campagnes equalrightistes. Le procureur général Joseph Martin s'était créé des ennemis personnels par sa brutalité. Il démissionna en avril 1891, croyant déterminer une crise dont il sortirait premier ministre. Mais un autre butor prit sa place, Clifford Sifton, fils d'un disciple de George Brown. Un vrai chef selon la conception de l'Ouest américain à cette époque: astuce et volonté de fer combinées. Un lieutenant, ami et biographe de Sifton l'a cyniquement reconnu: un gouvernement manitobain, soucieux de rester au pouvoir, ne pouvait pas négliger, en 1891, la source de popularité découverte par Martin[1]. Le remaniement ministériel entraînant une élection partielle, Sifton et Martin se li-

---

(1) *John W. Dafoe: "Clifford Sifton in relation to his Times"; en particulier pages 32 et 37.*

vrèrent à une vigoureuse surenchère francophobe et antipapiste. Sifton battit son prédécesseur à ce jeu.

Et le gouvernement fédéral, se trouvait averti. Le désaveu de la charte du chemin de fer de la Rivière Rouge avait assez mal réussi. Le désaveu de la législation Greenway-Martin, endossée par Sifton, soulèverait une violente tempête — une sécession, menaçaient les plus enragés — dans l'Ouest canadien. Sir John refusa de désavouer la loi manitobaine. Laurier s'assura, des deux côtés, le bénéfice du doute, en gardant son opinion pour soi. Et l'on put croire que les libéraux, champions de l'autonomie des provinces, adversaires des désaveux, ne feraient pas davantage. A ceux qui en doutaient, les conservateurs rappelèrent le précédent des écoles du Nouveau-Brunswick, de 1871 à 1874. Alors les libéraux dans l'opposition ont brûlé de zèle pour la défense catholique, et poussé la motion Costigan; mais, portés au pouvoir par les élections, ils ont traité Costigan en fâcheux, et substitué à sa motion l'enterrement imaginé par Cauchon: "Qu'une humble adresse soit présentée à Sa Majesté, la priant de bien vouloir user de son influence auprès de la législature du Nouveau-Brunswick..."

Cette fois, il n'y eut même pas de motion Costigan ni d'amendement Cauchon. Les deux partis jouaient serré: le premier vote de la session ne donna que 9 voix de majorité au gouvernement Mac-Donald. Encore Tarte et Joncas figuraient-ils dans cette majorité, à titre exceptionnel, pour écarter le soupçon d'opposition systématique. Tarte tenait à évoluer non en politicien futé, mais en honnête homme indigné.

Car Tarte allait tenir le premier rôle. Son

procès avec McGreevy à Québec se terminait en queue de poisson; mais le directeur du *Canadien* reprendrait ses accusations devant la Chambre des communes; il s'était fait élire dans ce but, et ne le cachait pas. Il "chasserait Langevin de la vie publique". Dès le lendemain des élections, Charles Tupper, apprenant les vantardises — ou les intentions — de Tarte, s'en alarma pour le repos de John MacDonald, épuisé par la campagne électorale conduite à 76 ans. Tupper conçut le projet d'une retraite honorable pour Langevin: la succession du lieutenant-gouverneur Angers, à l'expiration de son mandat. "Accepteriez-vous cette solution?" demanda-t-il à Tarte. — "J'accepte", répondit Tarte. Tupper de présenter son projet à John MacDonald. Sir John croyait avoir besoin à la fois de Chapleau — l'homme du peuple, gagneur d'élections — et de Langevin — l'homme du clergé, maître organisateur. Il chenalait depuis longtemps entre leurs accusations réciproques. — "Comment puis-je insister auprès de Langevin, dit sir John à Tupper, puisqu'il nie les imputations de Tarte?" Langevin protestait en effet de son innocence. Et Tupper partit pour Londres, où il allait représenter le Canada, avec le pressentiment qu'il sortirait du vilain de cette affaire. [1]

Tarte présenta ses accusations devant la Chambre des communes à la séance mémorale du 11 mai. Il avait averti Langevin et McGreevy. La salle et les galeries furent combles. Tarte annonça que, pour toucher un plus grand nombre de députés, il allait parler en anglais, bien qu'il sût fort mal cette langue. Un bègue prononçant un discours dans une langue qu'il connaît mal; cette perspective fit sourire. Mais Tarte mit tant d'esprit et

---

[1] *Raconté par sir Charles Tupper dans ses "Political Reminiscences", éditées par W. A. Harkin.*

de feu, mimant son discours quand les mots lui échappaient, qu'il s'imposa dès ce début à ses collègues anglais. Il rassembla et répéta, documents en mains, la substance de ses articles du *Canadien*: M. Thomas McGreevy, entrepreneur, député et ami intime du ministre des Travaux publics, a prêté son influence politique et celle du ministre à son entreprise commerciale. Les secrets du ministère ont été violés, des soumissions raisonnables ont été écartées, des adjudications extravagantes ont été consenties, des pots-de-vin ont été versés; et le ministre a probablement partagé les dépouilles.

Les vieux parlementaires se rappelèrent la séance où Huntington avait dévoilé le scandale du Pacifique.

Langevin et McGreevy nièrent et protestèrent. "La déclaration de M. Tarte est un tissu de mensonges", dit McGreevy. "S'il y a eu des malversations, je n'en ai pas eu connaissance", dit simplement Langevin. D'un commun accord, les accusations de Tarte furent déférées au comité des Privilèges et Elections, présidé par Girouard, et qui comprenait, parmi ses membres canadiens-français, Chapleau, Laurier, Langelier, Beausoleil, et Langevin et Tarte eux-mêmes.

"M. Tarte est l'homme du jour", reconnut la *Presse*. Tarte opérait officiellement pour Laurier, mais le moins satisfait n'était pas Chapleau.

En juin, la mort de sir John interrompit l'affaire. Presque simultanément moururent: à Montréal, sir Antoine-Aimé Dorion (31 mai 1891), et à Ottawa sir John-A. MacDonald (6 juin). Dorion avait 73 ans; chef des libéraux pendant un quart de siècle, il avait représenté, avec Joseph Dou-

tre et Rodolphe Laflamme, la tendance avancée
du parti; cependant il mourut avec les sacrements
de l'Eglise. Juge en chef, il se conduisait en grand
magistrat, et ses jugements faisaient autorité. Trois
médecins réputés se rencontrèrent à son chevet, les
Drs Rottot, Hingston et Lachapelle — trois noms
liés à la grande querelle universitaire.

John-A. MacDonald avait 76 ans. Il était, sans
conteste, la plus grande figure parlementaire de
l'histoire du Canada. Venu à l'heure propice, il
avait pu jalonner sa carrière de grandes mesures,
telles que l'occasion ne s'en offrirait plus à ses successeurs. Il avait établi, agrandi et consolidé la
Confédération, acquis et développé le Nord-Ouest,
favorisé, et l'on peut dire exécuté l'entreprise gigantesque du chemin de fer du Pacifique. Il était
profondément loyaliste, et, l'on dirait aujourd'hui,
impérialiste[1]. Une de ses phrases favorites, re-
prise dans son dernier manifeste électoral, était
celle-ci: "Je suis né sujet britannique; je mourrai
sujet britannique." Les réserves possibles au point
de vue canadien-français ne doivent pas empêcher
de reconnaître l'habileté supérieure de l'homme et
la grandeur de ses conceptions. Le vieux chef avait
survécu à la tempête de l'affaire Riel; en dépit de
Mercier, il mourait premier ministre. Laurier lui
rendit un hommage dont la noblesse frappa la
Chambre et le pays. Oubliant les divergences de
méthode, il associa les deux grands partis dans

---

(1) *Bien que, plus tard, des conservateurs canadiens-
français se soient réclamés de MacDonald autant que de
Cartier, pour accuser une divergence avec Meighen et
autres chefs impérialistes de leur parti. La vie d'un chef
politique — la vie d'un homme — est tissée de contra-
dictions, et quelques épisodes de la carrière de John
MacDonald ont permis d'entretenir une légende. Mais
n'anticipons pas.*

cette communauté de dessein: servir la patrie canadienne.

Lady MacDonald reçut des messages de tout
l'Empire. Les maires du comté d'Ottawa votèrent
une adresse de condoléances, à l'unanimité des
trente présents moins une voix, celle du "jeune
et présomptueux" maire de Montebello, Henri
Bourassa, petit-fils de Papineau. Henri Bourassa
commençait, décidément, à faire parler de lui.
"Rouge" par imprégnation familiale et par admiration pour Laurier, il était aussi très "national"
et n'avait pas pardonné l'exécution de Riel.

C'est la *Minerve* qui appela "jeune et présomptueux" le maire de Montebello. "Quelle fatuité et
quelle sottise", ajouta-t-elle. Juste à ce moment,
Tassé et le groupe d'actionnaires qui s'étaient so-
lidarisés avec lui, victorieux en Cour après neuf
mois de procès, reprenaient la *Minerve*. Tassé
inaugura sa nouvelle direction par un long et fort
bon parallèle entre sir John-A. MacDonald et Dis-
raëli.

Qui deviendrait premier ministre? Trois noms
se trouvèrent mis en avant, ceux de sir Charles
Tupper, sir John Thompson et sir Hector Langevin. Tupper, haut-commissaire à Londres, se plaisait en Europe; à ce moment, il assistait à un congrès postal à Vienne, et ne songeait pas à rentrer.
John Thompson, plus doué pour la magistrature
que pour le gouvernement, était catholique, et les
equalrightistes, orangistes et autres fanatiques sou-
levèrent l'objection. Hector Langevin, doyen du cabinet, avait, à ce titre, annoncé aux Communes la
mort de sir John; il était aussi le plus ponctuel
et le plus laborieux des ministres — mais catholique comme Thompson, canadien-français par-
dessus le marché, et accroché sinon tout à fait com-

promis par Tarte dans l'affaire McGreevy. Chapleau soutenait Thompson, venu le défendre à la
difficile assemblée de Saint-Jérôme, le 20 janvier
1886, et resté son ami depuis ce jour. De toute
façon écrivait la *Presse,* le remaniement ministériel
dotera M. Chapleau d'un portefeuille plus important — celui des chemins de fer.

Tupper, Thompson et Langevin éliminés, le
gouverneur général appela J. J. C. Abbott, Lui
aussi provoquait des objections. Il avait signé le
fameux manifeste annexionniste de 1849. D'autre
part il était administrateur et avocat du Pacifique.
L'omnipotente compagnie désignait, en somme, le
successeur de John MacDonald, et le Grand-Tronc
s'inquiéta. Cependant · Abbott démissionna du
Pacifique, où Shaughnessy, déjà le bras droit
de Van Horne, le remplaça. Et l'ancien signataire du manifeste annexionniste était, quarante-deux ans plus tard, un vieillard pacifique,
aimant sa robe de chambre et le coin de son feu.
Son faible relief le fit accepter comme une solution provisoire, un premier ministre de transition.
Abbott, ancien député d'Argenteuil, ancien maire
de Montréal, serait le premier chef du gouvernement fédéral fourni par la province de Québec. Il
siégeait au Sénat; Langevin représenterait le gouvernement aux Communes.

Abbott annonça que les collègues de sir John-
A. MacDonald gardaient leurs portefeuilles; le remaniement ministériel était remis après la session.
Nouvelle déception pour Chapleau, qui accepta de
mauvais coeur. En fiche de consolation, Alexandre
Lacoste, grand ami de Chapleau, reçut la succession d'Antoine-Aimé Dorion comme juge en chef
de la province de Québec. J.-J. Ross remplaça Lacoste à la présidence du Sénat.

L'Etendard, s'écartant de toute politique de parti, jugerait le gouvernement Abbott à ses oeuvres.
Tarte ne doutait pas de "tenir" Langevin. Laurier prit l'offensive, insistant sur les liens du premier ministre avec la Compagnie du Pacifique. Il
proposa une motion de défiance, repoussée par la
mince majorité de 20 voix (22 juin 1891); Tarte
et Joncas votèrent, cette fois, avec l'opposition. La
mort de John-A. MacDonald affaiblissait le parti
conservateur.

*   *   *

Mercier et Shehyn séjournaient en Europe, où
les avaient rejoints quelques spécialistes, entre autres Bernatchez, député-maire de Montmagny,
chargé d'étudier la fabrication du sucre de betterave. Nazaire Bernatchez — l'ami Bernèche, un
gros sanguin, très "rural", content de faire un
beau voyage — n'engendrait pas la mélancolie;
personne n'attendait grand résultat de sa "mission" industrielle.

Hector Fabre et sa femme — une des plus jolies
femmes du corps diplomatique — donnèrent des
fêtes en l'honneur des ministres canadiens. Beaugrand fut de toutes ces fêtes, car il s'était rapproché
de Mercier pendant la traversée. On vit aussi Raoul
Dandurand, en voyage en France.

L'Alliance Française donna un banquet, présidé
par l'académicien de Voguë. La société parisienne
s'arracha le ministre canadien si éloquent: sociétés savantes, réunions académiques, cercles littéraires, économiques, agricoles, instituts techniques,
cercles catholiques, partout on invitait Mercier, et
il acceptait, infatigable. Dans tous ses discours,
dans tous ses gestes, Mercier s'affirma chef d'une
province française et catholique. Dans la longue

entrevue accordée au journaliste Charles Bos, et dont le texte fut publié par la *Gazette de France,* la *Presse,* le *Rappel* et de nombreux journaux de province, il dit:

> "*Les voeux des Franco-Canadiens? A vrai dire il en est un qui les résume tous. C'est de voir le Dominion conquérir son indépendance. La séparation avec l'Angleterre se fera sans secousse. En ce moment, la poire mûrit; lorsqu'elle sera arrivée à point, elle se détachera toute seule.*
>
> "*Vis-à-vis de l'Angleterre, nous avons du respect, et rien que du respect.*"

Carnot reçut Honoré Mercier à l'Elysée, et, d'officier, le promut commandeur de la Légion d'honneur. Le roi des Belges le reçut à Bruxelles et le fit commandeur de l'ordre de Léopold. En même temps Léon XIII le créait comte palatin, à titre héréditaire. Mercier était le premier laïque canadien investi de cette très haute dignité romaine. De ces titres, de ces décorations, il tirait une vanité d'enfant. A Montréal, la *Presse,* qui décidément s'acharnait, affecta de ne plus appeler le premier ministre que "Monsieur le Comte", et traita sa cravate de commandeur de "ferblanterie exotique". Sans doute la *Presse* eût-elle crié au sacrilège si l'on eût raillé de même la cravate de Chapleau, mais la politique n'a cure de logique.

Mercier se rendit à Rome. Admis en audience par Léon XIII, il reçut à son tour la visite des plus hauts prélats. Le cardinal Simeoni, préfet de la Propagande (la plus grosse influence du Vatican), Mgr Jacobini, secrétaire de la même congrégation, le cardinal Rampolla, le cardinal jésuite Mazella, le cardinal Merti, grand chambellan du pape, le cardinal Monaco, de la Congrégation des Rites, le

T. R. P. Captier, procureur général de Saint-Sulpice, et bien d'autres s'inscrivent à son hôtel.

Mercier fit respectueusement remarquer qu'au congrès de Baltimore il n'avait rencontré aucun évêque franco-américain, pour cette raison majeure qu'il n'en existait point, bien que les Franco-Américains catholiques fussent au nombre d'un million. On s'apprêtait à nommer un coadjuteur à l'évêque d'Ogdensburg, diocèse comprenant 42,500 Franco-Américains sur 63,250 catholiques: Mercier souhaita que ce coadjuteur fût un prêtre d'origine canadienne-française.

A Rome, cette démarche ne fut pas tenue secrète: les Irlando-Américains y entretenaient une organisation vigilante. Leurs organes en Amérique, en particulier le *Courrier* d'Ogdensburg, protestèrent, et Mgr Ireland, évêque de Saint-Paul, très intellectuel, très brillant, mais dont la charité évangélique ne s'étendait pas aux Canadiens français, mena la campagne. Le *Travailleur* de Worcester, le vaillant journal fondé par Ferdinand Gagnon, protesta à son tour contre les protestations du *Courrier*. Les Franco-Américains, qui s'étaient vainement adressés à Chapleau lors de l'affaire Riel, trouvaient en Mercier un défenseur. D'autres de nos hommes d'Etat ont, comme Mercier, à force de dévouement et d'amour jaloux, fini par considérer la province de Québec comme leur chose. Mais dévouement et amour s'arrêtent, pour eux, à la frontière, et quiconque l'a franchi n'appartient plus à leur famille. Mercier a eu de la mission de ce pays de Québec, centre d'attraction et de rayonnement, foyer de tous les Français d'Amérique, la conception la plus large, et sans doute aussi la plus haute.

Légitime ou non, la démarche de Mercier était

d'un patriote. Au Canada, elle lui valut un regain d'hostilité des Anglo-protestants, qui virent d'un mauvais oeil le prolongement de son séjour en France et sa faveur au Vatican. Et cette faveur même, cette influence d'un laïc à Rome, ne plaisait qu'à demi à l'épiscopat canadien.

Shehyn, pendant ce temps, négociait l'emprunt — sur un marché stagnant. La république argentine venait de faire faillite; le Portugal menaçait d'en faire autant; la grande entreprise de Panama s'achevait en scandale, après avoir drainé l'épargne française pendant six ou sept ans; un projet d'emprunt russe avortait; les prêteurs exigeaient de gros intérêts. Enfin, les agents du gouvernement fédéral s'employaient à l'échec de Mercier. Leurs moyens d'action, quasi infaillibles en Angleterre, n'étaient pas négligeables en France. "J'ai atteint mon objectif, écrivit un peu plus tard sir Charles Tupper. Mercier ne peut se procurer d'argent."[1] La transaction prévue pour dix millions fut réduite à quatre millions, prêtés par la Banque de Paris et des Pays-Bas — celle qui soutenait déjà le Crédit Foncier Franco-Canadien. Mais Shehyn fit mieux connaître aux capitalistes français les ressources du pays de Québec, et Mercier se promettait de compléter l'emprunt en un temps meilleur.

Et le premier ministre canadien continuait d'être partout. Tôt levé et tard couché, il prononça, pendant ses trois mois et demi de séjour en France, une moyenne de deux discours par jour. Il écrasait de travail son secrétaire, Alexandre Clément. Le voici à Chartres, où il répond à l'invitation de l'évêque et donne une conférence sur le Canada.

_____

(1) _Lettre à Donald MacMaster, du 21 octobre 1891. The Life and Letters of the Right Hon. Sir Charles Tupper, Vol. II, p. 160._

Le voici dans l'Orne, à Tourouvre, berceau de sa famille ;il visite le cimetière où reposent les vieux os de ses ancêtres, et offre à l'église deux vitraux. Sur l'un d'eux, on reconnaît Mercier, en costume de comte romain, et autour de lui Shehyn, l'abbé Gosselin, de Québec, qui accompagnait les ministres dans ce voyage, Bernatchez et Clément. Les légendes expliquent les sujets des vitraux. Sur celui de gauche:

"*Vers l'an* 1650, *Julien Mercier et quatre-vingts familles de Tourouvre partent pour le Canada. Le curé leur dit:* "N'oubliez jamais ni Dieu ni la France."

Sur celui de droite:

"31 *mai* 1891. *Honoré Mercier, premier ministre de Québec, vient prier dans l'église de Tourouvre et dit:* "Monsieur le Curé, nous n'avons oublié ni Dieu ni la France."

Après Tourouvre, voici Mercier, avec Dandurand et Hector Fabre, à l'Abbaye de Bellefontaine, maison-mère de la Trappe d'Oka, dans le Bocage vendéen. Au seuil de l'Abbaye, deux grands moines en robe de bure sont étalés face contre terre, à droite et à gauche de la porte, pour que Mercier passe entre eux. C'est la manière de recevoir, en signe d'obéissance, les chefs d'Etat. Mercier n'a-t-il pas décrit à Rome — à l'appui du projet d'érection de la Trappe d'Oka en Abbaye — l'oeuvre accomplie en silence, depuis dix ans, par les Cisterciens du Canada? Mais le voici reparti; il est à la foire de Caen, parmi les éleveurs basnormands, les maquignons en blouse bleue qu'il surprend par ses connaissances agricoles. Il trinque avec eux, et leur montre comment, au Canada, on attelle et conduit de fringants trotteurs sur les pistes gelées. "Vive le Canada!" crient les éleveurs et les maquignons, à qui d'accortes Normandes apportent les pichets de cidre offerts par M. Mercier. Mais vite, il regagne Paris: il fait célébrer à Sainte-Clotilde une messe pour Mgr Labelle, et c'est l'abbé Auguste Gosselin, prêtre et homme de lettres canadien, qui dit la messe. Et voici Mercier reparti pour la Basse-Bretagne, pour assister à l'inauguration de la chapelle élevée par le général de Charette, ancien colonel des zouaves pontificaux, à la mémoire de ses compagnons d'armes de Castelfilardo, de Mentana et de Patay. Le général de Charette remet à Mercier, pour qu'il les distribue à son retour, trois cents médailles décernées par le pape aux zouaves pontificaux canadiens.

Au coeur de la Bretagne royaliste, comme il l'avait fait dans le Paris du président Carnot, comme il ne manqua pas une occasion de le faire pendant tout ce voyage, Mercier représenta fièrement le Canada *français* et *catholique*. Il s'afficha comme un homme d'Etat chrétien. En certains endroits, cette franchise confinait à la crânerie, et là-devant *L'Etendard* rendit les armes (3 juin 1891):

> "*Nous avons, dans les derniers mois, beaucoup combattu M. Mercier, et nous aurons peut-être à le combattre encore; cela nous met entièrement à l'aise pour le louer aujourd'hui et pour le remercier d'avoir représenté les Canadiens français comme ils doivent l'être, c'est-à-dire comme un peuple catholique, profondément français de coeur et d'esprit, et tout dévoué à l'Eglise.*"

L'Etendard prouvait sa bonne foi en contredisant ainsi son article du 2 avril.

Mais aussi, pendant tout ce voyage, Mercier se conduisit plus en chef d'Etat qu'en premier ministre d'une simple province — et cela ne pouvait manquer de lui susciter, dans son pays, des jaloux.

Il ne quitta point la France sans un pèlerinage à Saint-Malo, d'où partit le découvreur du Canada. L'abbé Gosselin, qui avait dit la messe à Sainte-Clotilde, dit encore la messe dans la cathédrale de Saint-Malo.

Mercier et Shehyn rentrèrent à Québec le 18 juillet. Une foule les attendait au débarcadère, et tout Québec acclama le Canadien qui avait si bien figuré en Europe. Mercier voulut se rendre à Sainte-Anne-de-la-Pérade, où il avait acheté une propriété superbe, qu'il appelait Tourouvre. Mais Montréal le réclamait, car on avait préparé de longue main une grande démonstration aux flambeaux. Et cet accueil populaire valait en effet la peine de surmonter sa fatigue. Après des succès flatteurs, succès mondains, succès officiels, succès d'orateur, à Rome, à Paris, à Bruxelles, ces acclamations du peuple canadien, jaillies du coeur, sans rhétorique certes, et même avec des accès de familiarité, cela dépassait tout, cela surmontait, effaçait les plus éclatants souvenirs. En route pour Montréal ; des amis politiques montèrent avec Mercier sur le train, emportant des bouteilles de whisky. Au Champ de Mars, Mercier fut ému au point de prononcer, au lieu du discours préparé, des phrases décousues.

Des amis sérieux — il s'en trouve tout de même — conseillèrent à Mercier d'aller rendre visite au lieutenant-gouverneur Angers, et d'avoir avec lui une prompte explication. L'affaire de la Baie des Chaleurs prend mauvaise tournure. Des entrefilets commencent à paraître dans les journaux d'opposition. Pierre Garneau s'inquiète, Angers s'impatiente. Prenez garde aussi à Louis-Philippe

Pelletier, très ami d'Angers, et qui s'est juré vengeance. Mais Mercier, que tout un peuple venait
d'acclamer spontanément, et que des courtisans
flattaient encore, ne pouvait pas croire sa puissance
menacée. Il laissa les Cassandre prophétiser, Angers
se morfondre, et emmena des amis bons vivants à
Sainte-Anne-de-la-Pérade. Il leur fit les honneurs
de la ferme-modèle dont il tirait orgueil.

*   *   *

Comme Louis-Philippe Pelletier, Thomas Mc-
Greevy avait pris Fitzpatrick pour avocat. Le ministère des Travaux publics confia ses intérêts, devant le comité des Communes, à B.-B. Osler, de
Toronto — l'avocat réputé qui avait représenté la
Couronne, avec Thomas-Chase Casgrain, au procès de Riel. Mais Tarte finissait par acculer, malgré une défense acharnée, McGreevy, Fitzpatrick,
Osler, Langevin et leurs amis. Il dénonçait un système, presque un régime. Les adjudicataires de travaux publics présentaient des soumissions assez
basses, mais, au cours des travaux, on trouvait toujours quelque prétexte à revision, à expertise, à
majoration des devis. Et les bénéficiaires de ces en-
torses aux règlements versaient une part du profit
à la caisse électorale. Or, qui tenait la caisse électorale — ce que les adversaires appelaient "le fonds
des reptiles" — dans la province de Québec, sinon
Hector Langevin? Tarte en savait quelque chose,
et c'est évidemment Langevin qu'il visait. Le ministre, ordonné, assidu, ponctuel, mais sans cha-
leur, hésitait devant l'interrogatoire tourbillon-
nant de son ancien protégé. Les bras un peu courts,
le visage un peu fuyant, il commençait une réponse, sans regarder Tarte, puis s'arrêtait avec un
petit rire sec. Il semblait se dire: "Et c'est moi qui
ai sorti cette petite vipère de son trou des Lauren-

tides, quand je voulais me débarrasser de Joseph Cauchon!"

Tarte, lui, n'arrêtait pas. Il produisait un à un de petits papiers, serrés soigneusement dans une serviette qu'il ne lâchait pas. Il déclara qu'on lui avait offert cent mille dollars pour ces papiers et que, le soir, des individus de mine patibulaire — qui ne pouvaient en vouloir qu'aux précieux papiers — le suivaient dans les rues d'Ottawa. Même si l'histoire n'est pas vraie, se dirent les libéraux du comité, il faut protéger des papiers si compromettants pour les ministres conservateurs; il faut empêcher que les documents ne soient volés... ou vendus par Tarte. Ils proposèrent de mettre en lieu sûr la serviette de Tarte. Bon gré, mal gré, celui-ci dut consentir à l'expédient suivant: chaque soir, un détective privé se chargea des papiers et les emporta dans le coffre-fort d'Alfred Rochon, le député provincial du comté d'Ottawa, qui habitait Hull.

Les petits papiers de Tarte accablaient McGreevy et mettaient en cause, de plus en plus ouvertement, le ministre des Travaux publics. Israël Tarte servait-il l'ambition de Laurier ou la rancune de Chapleau? Chi lo sa? Langevin eut un mouvement de retrait en apercevant, un soir, dans un restaurant de la capitale, Chapleau, Caron et Tarte en tête à tête. Des curieux, des habiles, tournaient autour de Rochon, incorruptible gardien des petits papiers. Alphonse Nantel — le fidèle Vendredi de Chapleau — vint un jour les réclamer, avec une procuration de Tarte — leur propriétaire, après tout. Rochon ne se dessaisit point du précieux dépôt.

Il n'était toujours pas prouvé que Langevin ait participé au tripotage, mais son intimité avec Mc-

Greevy suffisait à le compromettre: l'entrepreneur avait sa chambre chez le ministre pendant ses séjours dans la capitale. Le 17 juillet, l'ancien député conservateur de Montmorency, Pierre-Vincent Valin, fut appelé à témoigner devant le comité des Privilèges et Elections. En 1880, Langevin avait promis à Valin un siège au Sénat, s'il renonçait à son mandat parlementaire pour céder la place à Angers. L'élection faite, adieu la promesse! l'ancien député attendrait longtemps sa chaise curule. Valin avait aussi présidé la Commission du port de Québec pendant douze ans, et c'est à ce titre qu'il déposait devant le comité. Il déclara que Langevin l'avait prié de suivre en toutes choses l'avis de Thomas McGreevy. — "Chaque fois que j'ai consulté le ministre, dit Valin, j'ai eu à peu près la même réponse." M. Valin assouvit sa rancune, observa Fitzpatrick. La déposition n'en portait pas moins un coup au ministre.

Le 20 juillet, une feuille conservatrice, l'*Evening Journal* d'Ottawa, demanda la démission de Langevin. Le 24, le *Star* de Montréal fit la même demande, au nom des intérêts conservateurs. Les journaux anglais mettaient un visible empressement à dénoncer un ministre canadien-français. Abbott soutint vainement son collègue. Le 10 août, sir Hector Langevin donna sa démission de ministre des Travaux publics.

C'est ce qu'avait réclamé *L'Electeur,* jouant la candeur indignée devant les révélations de Tarte. Pacaud écrivait:

"*Il n'y a pas une entreprise publique qui n'ait été convoitée et trop souvent contrôlée par cette clique... Tout leur passait par les mains. Dock d'Esquimalt, dock de Kingston, dock de Québec et de Lévis, dock d'Halifax, chemin de fer de la Baie des Chaleurs, chemin de fer de Sainte-Anne, hôpital de la Marine, etc., ils s'occupaient de tout; ils voulaient tout accaparer; ils réglaient le prix des contrats, prenaient connaissance des soumissions, faisaient nommer ou destituer des employés à leur guise. Et sir Hector Langevin laissait faire..."*

Le seul malheur, c'est qu'il eût suffi de changer les noms pour avoir le tableau de ce qui se passait à Québec, sous la direction de ce parangon de vertu, Ernest Pacaud lui-même. Tout le monde commençait à le savoir, et le gendre de Langevin, Thomas Chapais, releva l'impudence dans le *Courrier du Canada*:

"L'Electeur parle de corruption, de pourriture, de vénalité, et lui, le journal intime de M. Mercier, il est l'organe en chef du plus abominable régime de corruption, de pourriture, de vénalité, que la province de Québec ait connu!...

"...Vous trafiquez de toutes les places, de toutes les entreprises, de toutes les faveurs...

"Vous avez plumé jusqu'au sang les gens de la nouvelle compagnie du Chemin de fer de la Baie des Chaleurs..."

Le scandale de la Baie des Chaleurs éclatait, en effet, éclipsant bientôt tous les autres par ses proportions. Et cette fois, ce sont des ministres de Québec que l'on mettait sur la sellette.

L'affaire fut évoquée au comité des Chemins de fer du Sénat, parce que la compagnie recevait aussi un subside de l'Etat fédéral. Un bon avocat de Toronto, Walter Barwick, représenta la Banque d'Ontario, créancière de la compagnie dépossédée. Et Joseph Tassé, membre du comité, se montra énergique, et même acharné. Tous deux firent citer l'entrepreneur Armstrong. Le comité des Chemins de fer avait commencé d'évoquer l'affaire le 4 août: le 12 — le surlendemain de la démission de Langevin — Armstrong "mangea le morceau".

On apprit ainsi que, lors de la substitution de la compagnie Cooper-Thom à la compagnie Robitaille-Armstrong, Ernest Pacaud, directeur de *L'Electeur*, trésorier du parti libéral, ami de Mercier et lieutenant de Laurier, avait servi d'intermédiaire entre ces deux compagnies et les autorités provinciales. Intermédiaire universel, à Québec, Pacaud prélevait de forts courtages. Armstrong ayant présenté, au nom de l'ancienne compagnie, une réclamation de $175,000, et reçu cette somme — les lettres de crédit signées par Pierre Garneau, avec tant de répugnance, sous la pression de Pacaud — n'avait gardé pour lui que $75,000. Il avait versé $100,000, devant témoins, entre les mains de Pacaud. Avant cette affaire, au temps où sa compagnie bénéficiait du contrat, Armstrong avait obtenu des subventions par la même entremise, moyennant une commission de 2½ p. 100, soit 15,000 dollars. Armstrong soupçonnait Pacaud d'acquitter, avec cet argent, des dettes personnelles, et aussi des dettes de ministres et d'amis des ministres.

On attendit ce qu'allait dire, ce qu'allait faire Mercier.

Mercier, à Tourouvre, tenait table ouverte et menait train de prince. Il préparait aussi la fête au cours de laquelle il remettrait aux zouaves pontificaux les décorations du pape. Il fallait que ce fût la plus belle fête des annales de la province; elle se prolongerait sur deux journées, le 18 et le 19 août.

Le comité des chemins de fer du Sénat fit examiner des livres de banque, et trouva la trace des cent mille dollars. Pacaud aurait payé des billets de Mercier, de Charles Langelier, de Tarte et de plusieurs autres; il aurait envoyé cinq mille dol-

lars à Mercier pendant son voyage en Europe. Le
comité convoqua les principaux intéressés. Mercier désigna François Langelier pour suivre l'affaire au nom du gouvernement provincial;   et
François Langelier protesta contre l'intrusion d'un
corps fédéral dans une affaire provinciale. Il dénia
au comité le droit de scruter les actes du gouvernement de Québec. Le député de Gaspé, Joncas, protesta aussi, au nom de la population gaspésienne,
contre l'arrêt éventuel des travaux ferroviaires.
Mais les chefs de file se trahirent par leur
hésitation. Pierre Garneau passait ses vacances
à la Malbaie; il se dit malade, et refusa de compa-
raître. Mercier achevait ses préparatifs de fête.
Quant à Pacaud, convoqué aussi, il partit pour
l'Europe. Son voyage, projeté, il est vrai, depuis
quelque temps, fut précipité et donna l'impression
d'une fuite.

Le 14 août, le *Globe,* de Toronto, publia un
article très sévère sur le scandale de la Baie des
Chaleurs. Il demandait l'arrestation de Pacaud; il
engageait Mercier à "faire face à la musique", plutôt qu'à s'amuser avec les zouaves pontificaux. Le
Globe, le grand organe libéral, commandité par un
groupe où figurait Cartwright, publié sous la surveillance de Mowat et autres chefs du parti, et dirigé par un ami de Laurier, John Willison! Il est
vrai que Willison abdiquait son autorité devant le
brillant rédacteur Edward Farrer, enlevé au *Mail.*
Farrer était un esprit paradoxal, un peu à la manière de Goldwin Smith, mais moins sympathique. Ancien élève des Jésuites, ancien étudiant en
théologie à Rome, il avait jeté le froc aux orties
pour devenir farouchement anticatholique. A l'égal
du catholicisme, il détestait l'Angleterre et les Canadiens français. Ces trois haines lui tenaient lieu
de toute conviction, car pour le reste il se contre-

disait sans vergogne. On lui attribuait la rédaction
des brochures lancées par les deux partis, les tories
et les grits, aux élections de 1883. Annexionniste
par animosité contre l'Angleterre, il correspondait
avec Wiman, et c'est la réciprocité, prélude de l'annexion dans son esprit, qui le conduisit au camp
libéral. On put croire qu'en attaquant Mercier
dans le *Globe,* Farrer outrepassait ses consignes, ou
ses tolérances, et qu'il serait remis au pas; mais, les
jours suivants, le *Globe* continua.

À Tourouvre, la fête fut splendide, malgré l'absence de Mgr Laflèche, qui avait décliné l'invitation de Mercier. Cent quatre-vingts zouaves, venus par trains spéciaux de Québec et de Montréal,
se groupèrent sous la conduite de leur doyen, le
recorder de Montigny, pour entrer en rangs dans
l'allée conduisant à la résidence de Mercier. Ils
logèrent sous des tentes dressées dans le parc, et le
premier ministre et sa famille furent réveillés le lendemain par la diane. Si le curé Labelle avait vécu, il
aurait sans doute célébré la messe: c'est son ami
l'abbé Proulx, vice-recteur de Laval à Montréal,
qui prononça le sermon. À cette messe solennelle,
Mercier parut en costume de grand'croix de Saint-
Grégoire. Il y eut des discours, des fanfares, des
feux d'artifice, et la remise des médailles, et des
promenades en chaloupe; un banquet le matin dans
le parc décoré de faisceaux de drapeaux; un banquet le soir dans le parc éclairé par des lanternes
vénitiennes; et l'ordonnatrice des banquets était
Mme Duperrouzel, venue exprès de Montréal, avec
ses aides et ses marmitons. La champagne coula,
dit un zouave enthousiasmé, "comme si c'était de
la bière d'épinette!!"

Comme presque toujours autour de Mercier, le
public était un peu mêlé. D'austères ultramontains,

tels de Montigny et son camarade Prendergast, ancien administrateur du *Nouveau-Monde* devenu caisser de la Banque d'Hochelaga. Puis, le libraire J.-A. Langlais, l'un des champions du Cercle Catholique de Québec, mais qui, en affaires, n'exigeait pas des billets de confession. Et encore de vieux amis de Mercier, du temps de ses débuts à Saint-Hyacinthe, comme le juge Bourgeois et Odilon Desmarais. Enfin des amis de Montréal, comme Sauvalle et Marcil, d'orthodoxie moins sûre que celle des zouaves pontificaux. Le Dr Marcil— l'exubérant tribun à crinière de fauve — avait eu maille à partir avec Mgr Fabre, le 24 juin: il avait fait exhumer, à Saint-Eustache, les restes de Chénier, le héros de 1837, pour les transporter au cimetière de la Côte des Neiges. Mgr Fabre interdit le transfert, car Chénier et les "patriotes", indociles aux instructions de Mgr Lartigue, et morts en état de rébellion religieuse, n'avaient pas droit à la sépulture catholique. Serait-ce une nouvelle affaire Guibord? Marcil finit par décider l'incinération de Chénier; il garderait les cendres chez lui, dans une urne. Marcil, Sauvalle et Desmarais — trois bons "rouges" — durent s'amuser de cette histoire toute récente, à la fête des zouaves pontificaux. On comprend l'abstention de Mgr Laflèche. Et il faut connaître ces détails pour comprendre l'ambiance régnant autour de Mercier — et qui entraîna sa perte.

N'importe! On n'avait pas encore vu si belle fête au pays de Québec.

C'était le jour où Tardivel, qui imprimait héroïquement la *Vérité* dans une cave, concluait de cette manière un article sur le scandale de la Baie des Chaleurs: "C'est le commencement de la fin."

L'indignation était très vive; et la suspicion s'é-

Edmund James Flynn,
avocat et homme politique
(1847-1927)
(Archives d'Armour Landry)

Thomas-Chase Casgrain
(1852-1916)
(Archives d'Armour Landry)

Sir Louis-Olivier Taillon
(1840-1923)
(Archives d'Armour Landry)

Louis-Philippe Pelletier
(1857-1921)
(Archives d'Armour Landr

Nérée Le Noblet
Duplessis (1855-1926)
(Archives d'Armour Landry)

Rodolphe Lemieux
(1866-1937)
(Archives d'Armour Landr

tendait à tout le monde politique. Un grand lessivage paraissait nécessaire. A Ottawa, le comité
des Comptes publics se livrait à un travail d'épuration.

Mais les libéraux s'efforçaient en vain d'opposer ces scandales à celui de la Baie des Chaleurs.
Les conservateurs concentrèrent là-dessus leurs forces, et donnèrent à fond. Ils composaient la presque totalité du Sénat. A la Chambre, dans la presse, dans les clubs, ils rétablirent l'unanimité de
leur parti. Certes, à ce moment même, la démission de Langevin ébranlait le ministère fédéral, et
Chapleau réclamait de nouveau, et vainement, le
portefeuille des Chemins de fer. Mais devant le
scandale de la Baie des Chaleurs — c'est-à-dire
contre Mercier — il n'y avait plus de partisans de
Chapleau, Langevin ou Caron, de partisans d'Abbott, de Tupper ou de Thompson, d'Anglais ou
de Français, il n'y avait même plus de conservateurs ordinaires et d'ultramontains. La *Gazette*, le
Star, la *Minerve*, la *Presse*, le *Monde*, *L'Etendard*,
le *Trifluvien*, le *Courrier de Saint-Hyacinthe*, le
Chronicle, le *Courrier du Canada*, la *Vérité*, le
Quotidien de Lévis, et toute la presse des autres
provinces trompetèrent les révélations du Sénat.

Seul Israël Tarte recommandait le calme. Il ne
pouvait voir avec plaisir l'affaire soulevée et conduite par lui éclipsée à ce point par une autre. Ses
journaux, le *Canadien* (du matin) et *L'Evénement* (du soir), soutenaient le point de vue de la
Patrie, qui protestait toujours, au nom de l'autonomie provinciale, contre l'ingérence du Sénat.
Laissez le Parlement de Québec ouvrir une enquête,
demandaient-ils.

Beaugrand et Tarte furent à peu près isolés
dans la presse. En l'absence de Pacaud, Ulric Bar-

the rédigeait *L'Electeur*. Il ne niait pas l'encaisse-
ment des cent mille dollars par Pacaud. La grosse
question était l'emploi de cet argent. Quels politiciens besogneux ont partagé cette manne? *L'Electeur* fournit une version: Pacaud, personnellement
désintéressé, s'en est servi pour des fins de parti.
Vous rappelez-vous le billet de $10,000 endossé
par Mercier et d'autres chefs libéraux, puis escomp-
té par des banques, lorsqu'il fallut déposer cau-
tion pour contester des élections fédérales? Eh bien,
Pacaud l'a payé, avant l'échéance. Mais cette version ne justifiait pas le chèque de $5,000 envoyé à
Mercier pendant son séjour en France.

L'affaire était l'objet de toutes les conversations.
On demandait: Que dit Pierre Garneau, signataire
des lettres de crédit? Que répond Mercier?

Pacaud voguait vers l'Europe.

Pierre Garneau restait en vacances à la Malbaie.

Mercier restait en vacances à Sainte-Anne-de-la-
Pérade.

Laurier se tenait sur la réserve, car l'orateur à
la langue d'argent avait aussi l'art de se taire.

Angers s'impatientait; il n'avait pas encore reçu la visite du premier ministre, rentré le 18 juillet,
et qui lui devait de graves explications. Angers
rongeait son frein — comme, jadis, Letellier de
Saint-Just, quand Angers lui-même affectait d'i-
gnorer le lieutenant-gouverneur.

A Ottawa, des sous-ministres, des chefs de bureaux, furent congédiés, pour malversations ou
abus de pouvoir. Mais c'étaient bricoles et menu
fretin auprès de l'affaire de la Baie des Chaleurs.
A Québec comme à Ottawa régnait le système du
"carottage" — on disait encore, en anglais, le

"boodlage": commissions données à des intermédiaires officieux pour activer le règlement d'une créance sur le Trésor public. Dans l'affaire de la Baie des Chaleurs, on voyait beaucoup plus grave encore: un vulgaire détournement de fonds.

Les conservateurs fédéraux, étrillés par Mercier, happèrent cette occasion de vengeance. Les journaux orangistes, et même des journaux libéraux des provinces Maritimes, de l'Ontario et de l'Ouest, applaudirent aux embarras d'un gouvernement canadien-français patriote. Enfin, les ultramontains qui s'étaient toujours, peu ou prou, méfiés de Mercier et de son entourage, même aux plus beaux jours de l'alliance nationale, voyaient leurs pires craintes confirmées. Tardivel écrivit: "Il ne faut pas que la province de Québec passe pour être gouvernée par une bande de brigands." Et la *Presse*, mettant les points sur les i: "Il fallait de l'argent, beaucoup d'argent pour sauver le nom du premier ministre... Pacaud a volé pour son maître."

Ceux qu'on accusait, que répondaient-ils?

Pacaud arrivait en France, après une bonne traversée.

Garneau restait en vacances à la Malbaie.

Mercier restait en vacances à Sainte-Anne-de-la-Pérade.

Joseph Tassé conduisait la bataille dans la *Minerve* avec autant d'énergie qu'au Sénat. Louis-Philippe Pelletier rédigeait des articles pour *L'Etendard*. Hector Langevin contrôlait le *Monde*. Thomas Chapais, du *Courrier du Canada*, vengeait son beau-père Langevin. La *Presse* dépassait les autres journaux en violence. La *Minerve*, puis la *Presse*, imprimèrent la lettre de Lebeuf à Pacaud, du 23 avril 87, encore inédite bien qu'elle courût sous le manteau depuis quatre ans.

Parmi les "nationaux" d'hier, souffla un vent de panique. Des alliés, des courtisans, des amis, renièrent le premier ministre, qui ne se défendait même pas. Le député Monfette avait déjà fait cause commune avec Pelletier. Fitzpatrick, avocat de Pelletier et de Thomas McGreevy, ne pouvait plus compter comme ministériel, mais comme indépendant. Owen Murphy, député libéral de Québec-Ouest, affichait la même évolution. Arthur Boyer, le dernier nommé des ministres, subodorait les manigances de Pacaud, et s'en lavait les mains.

Les autres ministres restaient muets. On était surtout curieux de l'attitude de deux d'entre eux, Shehyn et Garneau, d'une intégrité insoupçonnable. Pierre Garneau, avec ses cheveux blancs et son passé sans tache, semblait dans le monde politique une incarnation de l'honneur. On le savait non seulement probe, mais scrupuleux. Finirait-il par parler? Et dans quel sens? Thomas Chapais le pressa de répudier toute solidarité avec ses collègues compromis. *L'Etendard* insista:

> "Cent soixante-quinze mille piastres ont été soustraites au Trésor pendant que M. Garneau était premier ministre intérimaire.
>
> "Que M. Garneau parle et explique ce qu'il en sait!"

Garneau hésita, pris entre les répugnances qu'il avait déjà ressenties et sa fidèle admiration pour Mercier. Il lui semblait peu chevaleresque, déloyal même, d'abandonner son chef et ses collègues, à l'heure du danger. Il dit, traduisant une locution anglaise: "Nous sommes tous dans le même bateau."

Dans la presse et dans le public, tout occupés de cette affaire, on commençait à suggérer, devant l'inaction des ministres, le recours au lieutenant-gouverneur.

A la fin d'août seulement, Mercier quitta sa résidence de Tourouvre, pour se claquemurer pendant vingt-quatre heures dans sa maison de Montréal. L'absence de Pacaud, le laissant sans nouvelles, sans renseignement, sans arguments, le mettait dans le désarroi[1]. Un rédacteur du *Star* parvint à forcer sa porte pour l'interroger.

Mercier fit au journaliste une déclaration anodine: il savait peu de choses d'une transaction opérée en son absence, et regrettait seulement le départ intempestif de Pacaud. Il parla de son propre voyage en Europe, d'un agronome qu'il avait ramené pour répandre la culture de la betterave à travers la province, de son projet de faire construire le pont de Québec par l'ingénieur Eiffel. (La Compagnie des Etablissements Eiffel, de Paris, avait étudié les plans Hoare et Bonnin, et rédigé à son tour un mémoire, daté du 21 juillet 1891). Il dit son intention de retourner en Europe avec Shehyn, après la prochaine session, pour compléter l'emprunt.

Si habitué que fût le public à l'optimisme des déclarations officielles, l'entrevue du *Star* alourdit la gêne, parmi les amis de Mercier eux-mêmes. D'une affaire retentissante, partout discutée depuis plus d'un mois, et qui le mettait en cause, le premier ministre seul ne savait rien et ne se préoccupait guère!

---

(1) *Reconnu par Mercier devant la Commission Royale, en octobre.*

Le mouvement centrifuge des courtisans s'accentua.

Un peu partout, maintenant, on entendait suggérer l'intervention du lieutenant-gouverneur. Et l'on se trouva dans cette situation paradoxale: les conservateurs, qui avaient protesté contre le renvoi du cabinet de Boucherville (où brillait Angers) par Letellier de Saint-Just, souhaitaient le renvoi du ministère Mercier par Angers. Ce qui avait constitué de la part de Letellier un "outrage à la constitution" devenait de la part d'Angers "l'exercice de la plus indéniable prérogative de la Couronne". (Nous relevons les deux expressions dans la *Presse.*) Inversement, les libéraux, qui avaient approuvé Letellier, réclamaient de la part d'Angers "le respect de la constitution et des droits du peuple".

Louis-Philippe Pelletier engageait le lieutenant-gouverneur, son ami, à la rigueur. Tarte lui conseillait au contraire l'abstention. Il écrivait: "Le lieutenant-gouverneur ne renouvellera pas ce qu'il a appelé comme nous et avec nous l'attentat de M. Letellier." *L'Electeur* soutenait le même thème, sur un diapason plus élevé: "Malheur à qui oserait commettre un pareil attentat!" Mercier avait approuvé Letellier: il redoutait et repoussait à l'avance la répétition de son geste. Angers avait blâmé Letellier: il allait suivre son exemple.

Angers pesait les conseils contradictoires de Tarte et de Pelletier. Il pesait surtout les faits. Raide, sans doute, partisan, si l'on veut, Angers était trop honnête homme pour recourir, sans raison grave, aux procédés violents contre Mercier. Mais il avait l'intégrité sourcilleuse; un détournement d'un sou l'eût choqué. Et l'attitude des accusés achevait de creuser, entre eux et lui, un gouffre. A Spencer-Wood, Angers annula toute invitation et consigna sa porte. Les journalistes, les curieux, se tenaient à l'affût, et chaque visite serait jugée compromettante, par les uns ou par les autres. Le lieutenant-gouverneur n'entretenait plus de relations avec ses ministres que par correspondance et par messagers. Les affaires furent à demi arrêtées. Les ministres et leurs amis observèrent une discrétion absolue. Cernés par des reporters avides de nouvelles, ils restaient avares de paroles. Mais ce mystère aggravait, dans le public, la gêne et l'inquiétude.

Angers demanda des explications à Mercier, dans un mémoire porté par son secrétaire, le 7 septembre. Ce mémoire tenait de la mise en accusation: "Il me semble qu'entre le gouvernement et les créanciers de la province, il y a une barrière où il faut payer tribut avant que justice soit rendue aux réclamants." (Quand le mémoire fut rendu public, les adversaires de Mercier en tirèrent une plaisanterie; le programme de Mercier comportant l'abolition des barrières de péage, on appela Pacaud "le receveur des péages".)

Angers proposait de nommer une Commission royale composée de trois juges: Louis Jetté, de la Cour Supérieure, Louis-François-Georges Baby, de la Cour du Banc de la Reine, et Charles Peers Davidson, de la Cour Supérieure. Et il terminait par cette mise en demeure:

"En attendant nouvel ordre, je vous requiers aussi de limiter l'action du gouvernement à des actes d'administration urgente, et je révoque la nomination du député-lieutenant-gouverneur faite en vertu de l'Acte du Trésor pour signer les mandats sur les fonds consolidés du revenu..."

C'était l'arrêt de la machine administrative —
la machine naguère lancée à fond de train. Tarte
n'approuva pas ce geste. La *Patrie* l'appela "un
empiétement insolent", et *L'Electeur* se déchaîna
contre Angers, "tyranneau insolent qui foule aux
pieds la constitution pour servir les fins honteuses
de son parti politique". Tous les autres journaux
estimèrent que le geste du lieutenant-gouverneur
confirmait la gravité du mal.

Mercier réunit ses collaborateurs chez lui, à Tourouvre, pour préparer la réponse. Tous les ministres étaient présents, sauf Garneau.

Angers communiqua au gouverneur général le
texte de sa lettre à Mercier, et le gouverneur à son
tour le communiqua aux ministres fédéraux. A la
requête du sénateur Bolduc, Abbott produisit le
document au Sénat.

Le 14 septembre, le comité sénatorial soumit son
rapport; il était accablant. Le sénateur ontarien
Vidal le commenta en dix minutes: "Le trait essentiel de toute l'affaire est que la réclamation
Armstrong n'aurait nullement été satisfaite s'il
n'avait pas accepté de prélever sur cette somme
$100,000 qu'il a effectivement versés à Pacaud...
Cet argent est allé dans les poches de particuliers,
pour payer à des banques des dettes particulières...
Une bonne part de l'argent volé est entre les mains
du trésorier provincial..."[1] Le comité recommandait la nomination de deux administrateurs, chargés par le gouvernement fédéral de veiller à l'emploi convenable des fonds restant à payer à la
Compagnie de la Baie des Chaleurs. Le Sénat adopta ce rapport par 43 voix contre 10. Aux Communes, le comité des Privilèges et Elections soumit

---

(1) *Débats du Sénat*, 1891.

aussi son rapport, condamnant McGreevy mais exonérant Langevin, qui n'aurait pas eu connaissance des fraudes. La minorité tint à rédiger un rapport séparé, impliquant l'ex-ministre des Travaux publics.

La réponse de Mercier fut remise le 15 septembre au lieutenant-gouverneur:

> *"Mes collègues et moi avons décidé de nous rendre au désir de Votre Honneur, et de limiter notre action, en attendant nouvel ordre, à des actes d'administration urgente. Et j'ai communiqué à M. Gustave Grenier, greffier du Conseil législatif, l'ordre de Votre Honneur.*

> *"Il ne me reste donc plus, pour me rendre au désir de Votre Honneur, qu'à:*

> *"1°—Vous donner les explications que vous demandez au sujet du chemin de fer de la Baie des Chaleurs.*

> *"2°—Examiner votre suggestion au sujet de la nomination d'une Commission Royale..."*

Les explications se terminent et se résument par ces paragraphes:

> *"L'action du gouvernement est parfaitement honorable et dans l'intérêt public... L'incident Pacaud-Armstrong est fort regrettable, et il est de mon devoir de condamner, dans les termes les plus sévères, l'étrange marché fait entre ces deux personnes, et si mes collègues ou moi en avions eu connaissance, toutes les négociations auraient cessé. Et c'est sans doute parce qu'ils en étaient persuadés que ces messieurs ont si soigneusement caché leur transaction et l'ont tenue secrète, alors qu'il aurait été si facile à M. Armstrong d'avertir les ministres de l'exaction dont il était victime... Votre Honneur résume la preuve faite devant le comité du Sénat au sujet de l'emploi d'une partie des cent mille piastres de M. Pacaud, et semble croire que les billets payés par M. Pacaud étaient faits par celui-ci, les honorables C.-A.-P. Pelletier, François Langelier, Charles Langelier et moi-même.*

"A ce sujet il est important que Votre Honneur ne perde pas de vue que, bien que les personnes ci-dessus nommées fussent responsables solidairement du paiement des billets comme endosseurs, M. Pacaud en était le seul prometteur; que le produit de ces billets n'était point destiné à des fins personnelles ni à des fins se rapportant à la politique de la province de Québec; mais devait servir, à l'exception d'un ou deux, à faire les dépôts nécessaires aux contestations d'élections fédérales, aux contre-pétitions et aux déboursés qui pourraient devenir nécessaires à la suite des élections générales du Dominion du mois de mars 1891. Quant au produit d'un ou deux de ces billets que je viens d'excepter, il devait servir à payer certaines dépenses encourues pendant lesdites élections fédérales au bénéfice d'un des partis politiques auquel appartenaient les parties au billet.

"J'avais endossé ces différents billets en blanc, au moment de mon départ pour l'Europe, dans les premiers jours de mars dernier, et les avais remis au sénateur Pelletier, aux fins plus haut mentionnées...

"...J'ai expliqué et justifié les actes de mon gouvernement au sujet de cette affaire du chemin de fer de la Baie des Chaleurs, faite en mon absence. J'aime à croire que Votre Honneur sera satisfait et des explications et de la justification; et je me tiens entièrement à sa disposition pour toute communication qu'il jugera à propos de me faire, et surtout pour discuter le mode d'une enquête au sujet de cette transaction, et l'opportunité de l'étendre à l'emploi de tout subside accordé à cette compagnie de chemins de fer depuis son existence."

En somme, Mercier présentait une défense, très modérée de ton, appuyée sur les points suivants: La transaction de Pacaud a été opérée en mon absence et à mon insu; je la regrette et la condamne. L'argent n'a pas servi à des fins personnelles, mais aux dépôts nécessaires à des contestations d'élections fédérales. Quant au chèque reçu pendant son voyage en France, Mercier, à court d'argent, avait normalement demandé à Pacaud un service, dans l'intention de le rembourser, et sans se douter que les cinq mille dollars provenaient d'une transaction louche. (M. Mercier voulait acheter des bêtes à cornes pour le domaine de Tourouvre, précisait Ulric Barthe, dans *L'Electeur;* et cette explication, prêtant au ridicule, fut copieusement moquée!)

Mercier éludait aussi le projet de nommer trois juges, car il souhaitait et espérait un autre procédé d'enquête: devant un comité de la Chambre, par exemple.

On fut surpris de ce ton de plaidoyer, de la part du premier ministre si fier. Le courage de Mercier, frappé en pleine gloire, était ébranlé. *L'Etendard* écrivit: "C'est la défense d'une mauvaise cause par un avocat retors." Mercier ne put convaincre ses adversaires, qui raisonnaient ainsi: Armstrong n'a pas commis la folie de verser $100,000 à Pacaud pour rien, pour ses beaux yeux. Tardivel écrivit dans sa *Vérité*: "Pour donner au marché Pacaud-Armstrong une interprétation qui n'implique pas les ministres, il faut supposer que M. Armstrong est tout à fait digne d'être enfermé dans un asile d'aliénés."

Le lieutenant-gouverneur répond le même jour:

"J'ai pris connaissance de vos explications, et je dois vous informer qu'elles ne sont point de nature à vous dispenser de la considération immédiate de la nomination de la Commission Royale requise par ma lettre du 7 courant."

Le sévère lieutenant-gouverneur à qui la fille de Mercier avait tourné un si joli compliment à Saint-Hyacinthe...

Mercier répond à son tour qu'il préfère un comité de la Chambre, moins coûteux; mais qu'il accepte une commission royale, en faisant des réserves sur le choix des juges. En effet, le lieutenant-gouverneur ne peut nommer les commissaires que

sur la proposition du gouvernement; Mercier estime qu'il lui appartient de proposer des noms; il
essaie de sauver un peu de prestige. Puis, s'il a toute
raison de croire à l'impartialité bienveillante de
Jetté, il peut douter de la sympathie de Baby, col-
lectionneur érudit, juge respectable, catholique très
pratiquant, mais tout de même ancien ministre
conservateur; et plus encore il peut douter de la
sympathie de Davidson, loyaliste des cantons de
l'Est, ancien président du Club des jeunes conservateurs anglais de Montréal, monté sur le Banc
depuis peu, après plusieurs candidatures politiques
et autant d'échecs, et dont les rancunes partisanes
ne sont pas apaisées. Mercier invoque un précédent, celui de 1873, lors du scandale du Pacifique;
des accusations ayant été portées contre le gouvernement de sir John-A. MacDonald, et le principe
d'une enquête parlementaire ayant été écarté, le
gouverneur général, lord Dufferin, a nommé les
commissaires proposés par le cabinet. Mercier propose un enquêteur unique: sir Francis Johnson,
juge en chef de la Cour Supérieure — et nommé à
ce poste par John-A. MacDonald.

Lors du différend Letellier-de Boucherville,
que l'affaire actuelle rappelait par tant de points
et dont plusieurs acteurs se retrouvaient face à face,
après treize ans, ayant inversé leurs positions, Angers, ministre, avait été d'une sécheresse bien hautaine, bien coupante, à l'égard du lieutenant-gouverneur Letellier; c'est même ce qui avait envenimé
les choses. Aujourd'hui, Mercier ne lui rendait pas
la pareille: il restait déférent.

Mais Angers restait autoritaire et vif; il s'impatientait des réponses dilatoires; et ses répliques
à lui étaient promptes et sèches. Le 17 septembre,
il écrit à Mercier:

"...Dans les circonstances, je dois vous informer, Monsieur le Premier Ministre, que je refuse d'accepter l'avis que vous m'offrez de ne former la Commission Royale que d'un seul juge, et d'étendre ses pouvoirs au delà des termes de ma proposition du 7 courant."

Cette fois Mercier se soumet. Il l'annonce aux députés libéraux réunis en caucus, à Québec, dans un discours où il lâche Armstrong et Pacaud par-dessus bord, et affirme sa tranquillité sur l'issue de l'enquête. Il termine: "Vous pouvez, je crois, avoir confiance aux chefs actuels, mais si après l'enquête il surgissait quelque doute en votre esprit, que les hommes disparaissent, mais non pas le drapeau. Pour ma part, je suis prêt à prendre la place la plus humble. Après avoir été chef rigoureux, je serai au besoin soldat dévoué."

Cette offre de rentrer dans le rang dut coûter cher à ses habitudes et à son amour-propre!

Le 18 septembre, à 4 heures de l'après-midi, le premier ministre aux pouvoirs restreints — restreints aux actes de pure administration — fait savoir au lieutenant-gouverneur qu'il accepte la Commission Royale telle qu'il plaît à Son Excellence de la constituer. Mercier est touché. De repli en repli, cette défensive est pathétique à suivre. La presse continue de tirer à boulets rouges. La *Minerve* annonce:

"M. Mercier s'est soumis. Il a baissé pavillon. Il a ravalé ses rodomontades, ses imprécations, ses vociférations, ses menaces d'agitation et de sédition, ses injures au représentant de la Couronne.

Il a ajourné l'inévitable..."

Et *L'Etendard*:

"Sa vanité a dû souffrir bien cruellement, mais sa position n'était pas tenable."

Charles Langelier était le plus compromis des ministres, et Angers ressentait encore la défaite — humiliante à ses yeux — que ce blanc-bec lui avait infligée en 1878, dans Montmorency. Langelier offrit sa démission à Mercier. Moins tardif, ce geste eût arrangé les choses si Angers n'avait poursuivi qu'une rancune personnelle. Tel n'était pas le cas. Et d'ailleurs, Mercier refusa la démission de son collègue; il dit: "Si nous devons partir, nous partirons tous ensemble."

Pacaud rentra au moment où la Commission Royale s'apprêtait à siéger. A ce moment aussi, Tarte publia dans le *Canadien* un article sensationnel. Il déclarait injustifiée la réclamation d'Armstrong. Cet entrepreneur n'a pas remué une pelletée de terre. Il a décroché le contrat et pris ensuite des sous-traitants. Ceux-ci ont cessé les travaux parce qu'Armstrong ne les payait pas. Il n'était rien dû à Armstrong. Pas la moitié d'un sou.

Tarte se posant en défenseur de Mercier, l'article fit d'autant plus sensation. Si Tarte disait vrai — et le plus extraordinaire est qu'il disait toujours, sinon toute la vérité, au moins des bribes de vérité — l'affaire était aggravée. Comment Garneau a-t-il signé des lettres de crédit de $175,000 pour payer une créance qui ne valait pas "la moitié d'un sou"?

La Commission Royale ouvrit ses audiences à Québec, le 6 octobre 1891. Mercier avait pris F.-L. Béique et Guillaume Amyot pour avocats. Béique plaiderait donc devant son ancien associé, puisqu'il avait débuté, tout jeune, au bureau de Jetté. Depuis cette époque — en une vingtaine d'années — les deux associés avaient fait leur chemin, et Béique, entré dans le cercle des grandes familles politiques, possédait clientèle, aisance et ré-

putation enviables. Avec son ami Rosaire Thibaudeau, Béique avait critiqué, voire combattu la politique de coalition ou d'alliance nationale de Mercier. Quant à Guillaume Amyot, député fédéral de
Bellechasse, avocat acharné de la poursuite contre
Mercier devant le comité d'enquête sur les cinq
mille dollars à l'été de 1884, colonel du 9e bataillon lors de l'expédition du Nord-Ouest, ce
n'était pas non plus le premier venu. Pacaud prit
pour avocat l'ancien procureur George Irvine —
l'avocat de Laurier dans son fameux procès contre
Sénécal. Enfin deux députés provinciaux, Ville-
neuve et Owen Murphy, ayant obtenu le droit de
se porter partie civile "au nom du peuple", se firent représenter par John-Smythe Hall et Thomas-
Chase Casgrain. Les libéraux reprochèrent furieusement à Murphy son ingratitude, car ils l'avaient
défendu lors du scandale du Table Rock. Le choix
des avocats consacrait tout de suite l'importance de
ce grand procès politique. Les juges tâcheraient
d'oublier le nom des avocats et celui des parties,
pour ne connaître que le dossier, ce qui n'est pas
toujours facile.

L'assistance fut considérable dès le premier jour.
Il y avait là des libéraux: François Langelier, Beau-
soleil, Desmarais, Delisle, Carroll. Il y avait Tarte.
Mais il y avait surtout l'état-major conservateur,
à l'exception de Jean Blanchet, nommé juge à la
Cour du Banc de la Reine. On se montrait Alphon-
se Desjardins, Flynn, Nantel, Leblanc, Duplessis,
Poupore, Riopel, Chapais, et Louis-Philippe Pelle-
tier qui suivait les séances comme correspondant de
L'Etendard.

Des notables du comté de Bonaventure vinrent
témoigner, sous la conduite du Dr L.-N. Crépault,
maire de New-Richmond, et du chanoine P.-N.

Thivierge, curé de Bonaventure. La population s'est réjouie, dirent-ils, de voir substituer des hommes actifs à la compagnie défaillante. A Maria, au temps de l'ancienne compagnie, des ouvriers impayés avaient enlevé des rails et renversé une locomotive. Le curé avait alors écrit, au nom de ses paroissiens, au premier ministre, député du comté. Aujourd'hui, les travailleurs sont payés et la construction avance. Le bon chanoine déplore les persécutions dirigées contre M. Mercier.

Mais ce n'était pas là le point crucial. Il s'agissait des cent mille dollars, de leur répartition, de leur emploi. Casgrain, l'air farouche avec sa moustache gauloise, multipliait les efforts pour impliquer Mercier.

Pierre Garneau témoigna devant les trois juges. Il avait soixante-huit ans. Comme Laurier, ce descendant d'une lignée de laboureurs, digne de maintien, racé, donnait l'impression de compter derrière lui des générations de nobles. Il voulut généreusement défendre son chef en péril. Il s'excusa sur l'imprécision de ses souvenirs, sur sa fatigue, sur son âge. Tom-Chase Casgrain le poussa dans ses derniers retranchements. Le vieux ministre finit par répondre, l'air désolé:

"Je n'ai jamais eu bonne mémoire."

L'Etendard écrivit:

> "*M. Garneau ne se rappelle rien en réponse à toutes les questions de nature à incriminer l'administration. Sur les points favorables au ministère, sa mémoire est cependant meilleure... Voilà une triste fin pour une belle carrière.*"

François Langelier fut aussi évasif. Il avait connu la transaction Pacaud-Armstrong à Ottawa, de

Adrien Turgeon, s.j.
(1846-1917)
(Archives d'Armour Landry)

Frédéric-Louis Colin,
p.s.s. (1835-1902)
(Archives d'Armour Landry)

La Justice, *17 octobre 1888*
(Archives d'Armour Landry)

la bouche du député Baker, qui lui-même la tenait du député ontarien Cockburn, qui lui-même la tenait de l'avocat Barwick...

Charles Langelier, lui, n'avait rien su du tout de la transaction. Bref, personne n'avait rien su ni rien soupçonné ; on avait laissé l'habile Pacaud se débrouiller pour régler les frais électoraux du parti.

Pacaud déposa le 20 octobre. Depuis le 6, son nom ne figurait pas à la manchette de *L'Electeur*. Il parut sûr de soi, gouailleur, presque impertinent. Pourvoyeur de fonds du parti libéral, il aurait consacré la presque totalité des cent mille dollars à régler des frais électoraux (brochures, contestations, petites subventions à des feuilles locales, frais de poste, etc.) ; en particulier des frais de l'élection fédérale. Deux mille dollars ont facilité l'élection de M. Tarte dans le comté de Montmorency (Attrape en passant, l'ami Tarte !) Puis, Pacaud a témoigné sa reconnaissance à Charles Langelier. Celui-ci l'a jadis aidé à devenir propriétaire de *L'Electeur*, en lui cédant gratuitement ses actions. Et Pacaud n'est pas un ingrat. Charles ayant fait bâtir une maison, se trouva gêné avant l'achèvement des travaux ; Pacaud lui évita le fardeau des hypothèques en lui remettant de l'argent. Cette somme a pu être prélevée sur les cent mille piastres d'Armstrong, car Pacaud, débordé d'ouvrage, endosse tant de chèques qu'il mélange parfois l'argent du parti et le sien. Mais, d'abord, si Armstrong a été assez nigaud pour me remettre cent mille piastres que je ne lui demandais pas, j'aurais été bien plus nigaud encore de les refuser. Et puis de toute manière, ni M. Mercier ni Charles Langelier n'ont connu le versement d'Armstrong et la provenance de l'argent. Pacaud a agi seul, sans en parler à personne. Il prend tout sur ses épaules. Voilà !

Thomas Chapais reconnut à Pacaud "un caractère bien trempé". On dirait, en argot parisien,
qu'il avait de l'estomac.

Mais ensuite — le 28 octobre — Mercier lui-
même dut venir dans la "boîte aux témoins", et ce
spectacle parut pénible. On verrait bien plus pénible encore.

L'Electeur essaya de la démagogie. Il accusa
Angers d'avoir, en limitant les initiatives du ministère, arrêté des travaux en cours et réduit des
ouvriers au chômage. Et si Mercier perd le pouvoir ,le pont de Québec ne sera pas construit: "Pas
de Mercier, pas de pont!"

Il est vrai que Pacaud n'était pas un ingrat, car
Mercier, un moment, avait bien paru le lâcher. Que
Pacaud se retournât contre ses chefs et ses amis
d'hier, et leur chute fût devenue verticale. Mais Pacaud s'offrit aux coups; il avait ce chevaleresque
du condottiere, pillard tant qu'on voudra, mais
loyal, à travers toutes les vicissitudes, au chef une
fois adopté.

A défaut de Pacaud, les accusateurs ne man-
quèrent pas. Les adversaires de Mercier se mirent
à fouiller les dossiers, à rechercher les correspondances imprudentes, à provoquer les témoignages
de mouchards. On ranima d'anciennes affaires, en
particulier l'affaire Whelan, en augmentant ses
proportions. Ce n'étaient plus dix mille dollars
que l'entrepreneur du Palais de Justice de Québec
avait versé en pots-de-vin, mais une centaine de
mille, toujours par les mêmes intermédiaires.
Whelan le reconnut dans une entrevue avec un
reporter de l'Empire de Toronto. Et cet aveu ache-
va de déchaîner la presse. Chaque jour, une cin-
quantaine de journaux, de Halifax à Winnipeg,
sautèrent aux chausses de Mercier.

La *Vérité* écrivit:

> "*Sir Hector Langevin et Thomas McGreevy habitaient la même maison à Ottawa. M. Mercier et Pacaud n'ont qu'une seule et même bourse.*"

Et Tardivel conclut qu'après la démission de Langevin, celle de Mercier s'imposait.

On bafouait Mercier et on lui dictait sa conduite. Le croyait-on déjà fini, déchu? Il était encore le premier ministre, prêt à traiter, comme tel, avec Ottawa, avec Washington, avec Paris, avec Rome. Et il le montrerait. Il eut une réaction aveugle, maladroite, d'homme traqué. S'appuyant sur une ancienne loi anglaise, il fit arrêter par la police provinciale, pour "libelle séditieux", John-P. Whelan et le journaliste Richard White, de la *Gazette*.

Le grand connétable Gale, de Québec, vint à Montréal appréhender Whelan et Richard White. Les clubs conservateurs, fanfare en tête, accompagnèrent les prisonniers à la gare Dalhousie, aux sons du God Save the Queen — le 25 novembre. Les journaux protestèrent. Mercier s'entêta. Le 2 décembre il fit arrêter Tardivel, à Québec. Tardivel ne voulut se rendre à la convocation de la police qu'entre deux constables, armés du bâton de rigueur. *L'Etendard*, le *Monde*, la *Minerve*, la *Presse*, le *Trifluvien*, le *Courrier du Canada*, défendirent leurs confrères de la *Gazette* et de la *Vérité*. La solidarité professionnelle joua, dans la presse, en faveur de White et de Tardivel, et des journaux neutres se joignirent aux journaux conservateurs. Mercier avait commis une maladresse. Il s'entêta. Il menaça de faire arrêter Joseph Tassé, et fit émettre un mandat contre Trefflé Berthiaume, gérant de la *Presse*. Berthiaume fournit un cau-

tionnement, et retint les services des avocats Hall
et Bergeron. Tout le personnel politique sur pied!
Tardivel prit pour avocat Louis-Philippe Pelletier,
qui exigea un procès public et mit à la défense de
son client, transformée en attaque contre Mercier,
une éloquence passionnée. Voici encore un tribu-
nal où Mercier se trouve sur la sellette! Guillaume
Amyot, avocat de la Couronne, comprit le danger et voulut ajourner le procès. Pelletier et Tardivel s'y opposèrent. Pelletier écrivit au lieutenant-
gouverneur (son ami Angers) pour se plaindre de
cette étrange arrestation d'un journaliste et des
procédés de la justice criminelle. Hall et Bergeron
réclamaient de leur côté le procès de Berthiaume.
Thomas Chapais, comme pour défier Mercier de
l'arrêter à son tour, redoubla ses coups dans le
Courrier du Canada. Il posa une nouvelle accusation, avec une vigueur ramassée de coup de poing:

"*Nous affirmons que M. Pacaud, directeur de* l'Electeur *et bras droit des ministres, a extorqué de 25,000 à
30,000 dollars à la Compagnie du Témiscouata, pour lui
faire obtenir un subside auquel elle avait droit, et qu'elle
ne pouvait obtenir sans payer tribut.*

"*C'est précis, net et catégorique.*

"*Devant une commission d'enquête, cela sera prouvé
en vingt minutes.*

"*Nous ne nous dérobons point. Nous portons l'accusation, et sur notre honneur nous affirmons qu'elle est
vraie.*"

Au même moment, Angers recevait le rapport
de la Commission Royale.

Jetté, président de la Commission, avait pris de
l'âge et de la pondération depuis le premier "parti
national" de 1872 et la fougueuse campagne de
Montréal-Est où il avait battu Georges-Etienne

Cartier, depuis la campagne de 1875 menée à fond de train avec Dorion, avec Mercier, François Langelier, Letellier de Saint-Just, à propos du scandale du Pacifique. C'était un parfait jurisconsulte, tiré à quatre épingles, et disert, savant, impartial. On sentait chez lui, dit Mme F.-L. Béique, "la volonté très ferme de rester non seulement au-dessus de la faute, mais au-dessus du soupçon." Depuis le premier "parti national" aussi, ce libéral à tendances nationalistes avait suivi la carrière de Mercier, son ancien compagnon d'armes, avec une amitié sincère. Il avait condamné McShane, et sévirait encore contre des ministres, si c'était nécessaire. Mais à la condition d'une absolue certitude. Il connaissait sa responsabilité, et n'infligerait un blâme infamant au premier ministre de la province de Québec que si, en son âme et conscience, les faits étaient hors de doute et le blâme mérité.

Au reste, la Commission achevant ses travaux et se préparant à rédiger son rapport, Jetté ne fit pas mystère de son opinion favorable à Mercier.

Juste à ce moment, Jetté tomba malade.

Il dut laisser à Baby et à Davidson le soin de rédiger un rapport intérimaire. Et Baby et Davidson ne partageaient nullement son avis.

Ils exonérèrent Shehyn, David Ross, Duhamel et Boyer, et censurèrent tous les autres ministres, Garneau pour "incurie", Robidoux pour son entremise dans les banques où Pacaud sollicitait l'escompte de billets. Ils écrivirent:

"Le marché fait entre Armstrong et Pacaud, par lequel la somme de cent mille piastres a été promise puis payée à Pacaud, était frauduleux, contraire à l'ordre public. Ce fut une audacieuse exploitation du trésor provincial...

"...Nous sommes d'avis que M. Garneau a subi une pression considérable de la part de plusieurs de ses collègues et a fait preuve d'incurie, mais qu'il agit de bonne foi et n'a bénéficié en rien de cette affaire.

"... Après avoir sérieusement pesé et considéré tous les faits se rapportant à ce monsieur, nous ne pouvons nous exempter de déclarer que M. Langelier, lorsqu'il a accepté cet argent de Pacaud, devait en connaître parfaitement la source...

"...Il n'est pas prouvé que M. Mercier connaissait l'existence du marché entre Armstrong et Pacaud..."

Le 16 décembre, Baby et Davidson remirent ce rapport au lieutenant-gouverneur, à Spencer-Wood. Angers prit le rapport, le lut, et séance tenante écrivit à Mercier :

"...En face de la persistance du ministère à demeurer en office nonobstant l'incurie et les illégalités de son action et les constatations de l'enquête, il ne me reste, pour protéger la dignité de la Couronne et sauvegarder l'honneur et les intérêts de la province en péril, que le remède constitutionnel de vous retirer ma confiance et de vous révoquer, vous et vos collègues, de vos fonctions d'aviseurs du représentant de la Couronne et de membres du Conseil Exécutif.

"En conséquence, Monsieur, je vous retire ma confiance, et je vous révoque, vous et vos collègues, de vos fonctions d'aviseurs de la Couronne et de membres du Conseil Exécutif de la Province de Québec.

"J'ai l'honneur, Monsieur, d'être votre obéissant serviteur.

"A.-R. Angers,
"Lieutenant-gouverneur."

Tout de suite aussi, Angers appela, pour former un nouveau ministère, son ancien chef, Charles de Boucherville. Sans doute il y avait parmi les conservateurs provinciaux des hommes plus énergiques, Taillon, Nantel, Leblanc, d'autres encore. De Boucherville était un honnête homme, probe

et religieux, sans éloquence et sans dynamisme.
Mais n'est-ce pas Charles de Boucherville qui avait
été congédié par Letellier de Saint-Just en 1878?
En l'appelant, Angers bouclait la boucle, achevait
une revanche parfaite.

*   *   *

Mercier, habitué à conduire de fougueuses offen-
sives, s'était d'abord trouvé mal à l'aise dans un
rôle défensif. Il avait perdu du temps, et donné
l'impression d'un homme réduit à quia, et dont la
crânerie sonne faux, prête à céder la place aux san-
glots refoulés. Il fit vite son apprentissage. Il commença de rendre coups pour coups ;et à mesure
qu'abandonné par les uns, par les autres, il se trouva moins secondé, il se multiplia davantage.

Il envoya une longue réponse à Angers. Il y ré-
cusait le "rapport de deux partisans" rédigé par
Baby et Davidson en l'absence de Jetté. Et il attaquait "le gouvernement personnel et autocratique"
imposé depuis quatre mois par le lieutenant-gouverneur:

*"Puisque vous étiez décidé à vous débarrasser de vos
ministres, vous n'aviez besoin ni de mes explications ni
d'une enquête, et celle-ci devient une farce bien coû-
teuse.*

*"Vous êtes si pressé d'atteindre votre but, de mettre
le pouvoir entre les mains de vos amis politiques, que
vous n'attendez même pas le rapport définitif de la Commission dont vous-même avez choisi les membres et
imposé la juridiction; et, abusant de la maladie du juge
Jetté, vous faites procéder ex-parte ses deux collègues
contre toutes les règles des convenances et de l'étiquette
professionnelle...*

*"Vous dites que vous me retirez votre confiance. Vous
vous faites illusion, car, vous le savez bien, vous me
l'avez toujours refusée, cette confiance. Vous êtes sorti*

des luttes actives de la politique pour monter sur le Banc, où vous êtes toujours resté partisan. Vous avez laissé le banc judiciaire pour aller à Spencer-Wood, et là encore vous avez tenu, tout le temps que j'ai été votre aviseur, la conduite d'un partisan politique.

"Je savais que je n'avais point votre confiance, mais je savais aussi que je n'en avais pas besoin. J'avais celle du peuple et de la grande majorité de ses représentants, et celles-ci me suffisaient.

"...Votre conduite, Monsieur, dans toute cette malheureuse affaire, met en danger nos institutions politiques et porte atteinte sérieusement à l'autonomie de notre province. Je vais essayer de défaire votre oeuvre néfaste avec le concours de mes ex-collègues et de mes amis politiques. Je vais dépenser dans ce but tout ce que j'ai d'énergie et de courage... J'irai bientôt devant le peuple et recevrai de ses mains puissantes un mandat nouveau, qui me permettra de reprendre le poste dont vous m'avez chassé, et de vous faire sortir, constitutionnellement mais sûrement, de Spencer-Wood,   si vous y êtes encore.

"J'ai l'honneur d'être, Monsieur, votre obéissant serviteur.

Honoré Mercier,
"Député de Bonaventure."

La *Presse* commenta cette lettre:

"M. le Comte est évidemment sous l'influence du désespoir. Il ne discute pas, il hurle, il rage."

La *Minerve*:

"C'est le langage passionné, violent, injurieux, d'un démagogue et d'un charlatan."

Le *Courrier du Canada*:

"C'est la lettre d'un fou furieux."

La presse orangiste exultait. Tarte venait de transférer le *Canadien* à Montréal, où Berthiaume l'imprimerait. (Montréal avait ainsi, avec le *Canadien* et la *Minerve*, les deux doyens de la presse française.) Tarte avait longtemps partagé le sentiment de Louis-Philippe Pelletier et de Tom-Chase Casgrain — une amitié presque filiale — à l'égard d'Angers. Il blâma le geste du lieutenant-gouverneur avec componction. Il affecta de défendre les principes, la constitution, — ce qui doublait sa force. Les seuls journaux ouvertement merciéristes — la *Justice* d'Amyot et *L'Electeur* de Pacaud à Québec; le *National* de Duhamel et la *Patrie* de Beaugrand à Montréal — déchaînaient contre Angers la même violence que les autres journaux contre Mercier.

Au coin des rues, malgré le froid, des attroupements denses commentaient la décision d'Angers, appelée "coup de balai" ou "coup d'Etat" selon les gens.

Un homme enchanté fut sir Donald Smith, député fédéral de Montréal-Ouest, président de la Banque de Montréal et administrateur du Pacifique-Canadien. Le développement économique du pays accroissait l'influence de la grande Banque, étroitement alliée au grand Réseau. Sir Donald Smith avait contraint Mercier, au faîte de sa puissance, à renoncer à la conversion de la dette. Mais les grosses firmes de la rue Saint-Jacques craignaient toujours quelque incartade du premier ministre nationaliste. On fit comprendre à de Boucherville que le trésorier provincial devait être un député anglo-canadien et montréalais. John-Smythe Hall fut agréé, sinon désigné, par la Banque de Montréal. Pour le reste, de Boucherville offrit petite part à l'élément jeune du parti conservateur. Il partagerait les responsabilités du pouvoir avec des hommes de son âge, de son caractère. Il pensa au juge Routhier, mais celui-ci préféra rester dans la magistrature. Il pensa encore à Fitzpatrick, l'un des libéraux qui lâchaient Mercier, mais les conservateurs réclamèrent pour eux seuls les portefeuilles, et repoussèrent ce transfuge. Le ministère, formé le 21 décembre, comprit:

Charles de Boucherville, premier ministre et président du Conseil exécutif; Louis-Olivier Taillon, ministre sans portefeuille; Louis Beaubien, Agriculture et Colonisation; Edmund-James Flynn, Terres de la Couronne; Thomas-Chase Casgrain, procureur général; Guillaume-Alphonse Nantel, Travaux publics; John-Smythe Hall, trésorier provincial; Louis-Philippe Pelletier, secrétaire provincial; John McIntosh, ministre sans portefeuille.

Ces hommes n'avaient pas toujours été d'accord, loin de là. On se rappelle peut-être qu'au printemps de 1882, la *Minerve* traitait les ultramontains de Boucherville et Beaubien de "faux bonshommes". Au lendemain de la pendaison de Riel, Beaubien attaquait Nantel à l'assemblée du comté de Terrebonne où l'on adoptait les résolutions du Champ de Mars. Ne parlons pas de Flynn. Au cours des dernières campagnes électorales, Louis-Philippe Pelletier, "national", a furieusement combattu Nantel, Casgrain et les autres. Mais une chaux vive cimente le bloc: presque chacun d'eux entretient un grief personnel contre Mercier.

Ce ministère ne pouvait gouverner avec une Chambre en majorité libérale. A peine assermenté, il décida la dissolution de la Législative et l'appel au peuple. Ce décret souleva une difficulté constitutionnelle. La clause 86 de l'Acte de l'Amérique britannique du Nord prescrit une réunion du Parlement tous les douze mois. Il ne doit pas s'écouler plus d'un an entre la dernière séance d'une session et la première séance de la suivante. La dernière prorogation datant du 30 décembre 1890, les Chambres devaient siéger le 29 décembre 1891, au plus tard. Au lieu de quoi, le lieutenant-gouverneur dissolvait le Parlement! Les libéraux se scandalisèrent. Les partisans d'Angers répondirent que l'article 86 était "indicatif", non "impératif", puisqu'il ne prévoyait pas de pénalité.

On s'était remis à piocher le droit constitutionnel, comme au lendemain du "Coup d'Etat" de Letellier. Les libéraux qui avaient justifié Letellier trouvèrent Angers injustifiable. Quant aux chefs conservateurs, parmi les anciens, tous avaient protesté contre Letellier, réclamé, exigé sa punition. Abbott, aujourd'hui premier ministre à Ottawa, est allé à Londres avec Langevin pour faire destituer Letellier. Aldéric Ouimet, désigné pour recevoir le portefeuille de Langevin à Ottawa, était l'un des assidus de la "maison bleue", l'un des organisateurs de la guerre à Letellier. Le juge Davidson lui-même, alors président d'un club conservateur à Montréal, a prononcé de violents discours contre le Coup d'Etat. Et voici Abbott, Ouimet, Angers, de Boucherville, Davidson, ouvertement ou tacitement coalisés pour répéter le Coup d'Etat. Angers se rappelle-t-il les scènes de 1878, le ton colère sur lequel il annonçait à la Législative:

"Le cabinet de Boucherville n'a pas résigné. Un gouvernement possédant la confiance de la grande majorité de l'Assemblée représentative et de la presque totalité du Conseil législatif n'a pas le droit de résigner s'il a à coeur les intérêts du pays et le respect de son devoir... Le cabinet de Boucherville n'a pas résigné; il a reçu du lieutenant-gouverneur un renvoi d'office."

A Montréal, les jeunes libéraux discutèrent le coup au Club National. On y voyait Beausoleil, Cloran, le Dr Marcil, Lomer Gouin, Rodolphe

Lemieux, Raoul Dandurand; on y revoyait Calixte Lebeuf; on y voyait aussi la barbiche agitée
d'Israël Tarte. Ce paradoxe vivant de Tarte était
le seul logique avec soi-même, grâce à ses change-
ments. En 1878, dans le camp bleu, il avait blâmé
Letellier; en 1891, dans le camp rouge, il blâmait
Angers. On organisa une assemblée de protestation à la salle Bonsecours. Les orateurs signalèrent
le danger couru par nos institutions les plus chères,
religieuses et civiles, si le gouvernement fédéral di-
rigeait la province à sa guise, par l'intermédiaire du
lieutenant-gouverneur. Mercier parla peu de lui-
même; défenseur de l'autonomie provinciale, il
ne souhaitait remonter au pouvoir que pour venger
le peuple. Cette séance rassembla surtout la vieille
garde, c'est-à-dire la jeunesse aux opinions avancées.

Une foule beaucoup plus considérable et plus
représentative de toutes les classes accueillit les
nouveaux ministres à la gare Dalhousie. Les mêmes citoyens qui avaient dix fois escorté aux flambeaux la voiture de Mercier escortèrent aux flambeaux la voiture de Boucherville et de Taillon. Au
Manège militaire, transformé en fourmilière humaine, une grande acclamation salua les ministres.
Taillon s'écria:

—"M. Mercier a tout ruiné. Nous voulons réparer le
mal. Voulez-vous nous donner votre concours?"
—"Oui, oui!" répondit la foule.

Louis-Philippe Pelletier mit toute sa passion,
toute sa fougue et toute sa rancune dans son discours. Joseph Tassé le dépassa encore en violence,
Charles Thibault, qu'on n'avait pas entendu depuis longtemps, prononça sa plus mordante et
sa plus terrible catilinaire. Et le tribun Cornellier
porta l'enthousiasme à son comble.

Quelques jeunes libéraux improvisèrent une contre-manifestation au Château de Ramezay; la grande foule était au Manège militaire.

1892.

Les vainqueurs n'arrivaient pas avec des dispositions au pardon. Ils commencèrent par dresser des listes de proscription. Le premier fonctionnaire congédié fut Chrysostome Langelier, le frère moins brillant de François et de Charles, commissaire du gouvernement dans l'affaire de la Baie des Chaleurs. Puis, du haut au bas de l'échelle, des shérifs, des greffiers, des inspecteurs de toute sorte, des agents de police, des portiers d'édifices publics, des balayeuses furent destitués ou congédiés. A en croire les journaux, on découvrait un parasitisme inouï: "Il y avait deux employés réguliers pour le remontage des horloges au Palais de Justice de Montréal. L'un portait la clef, et l'autre l'escabeau pour faire grimper jusqu'à l'horloge celui qui portait la clef."

Et sans doute il y avait du vrai; mais dans presque tous les cas, un fonctionnaire "bleu" remplaçait le fonctionnaire congédié.

Puis, maîtres de la place et des documents, on intensifia la recherche des scandales. On fit enquête sur tous les contrats. Chaque jour on dénicha une nouvelle "affaire", au besoin grossie: achats inutiles; prix majorés; lettres de crédit émises à la légère sans vérification des créances, et parfois sans fonds, au point que les banques refusaient de les escompter. On suspecta, on critiqua même les achats normaux, par exemple les encouragements donnés aux gens de lettres par le secrétaire provincial (Charles Langelier) sous forme d'achats de leurs livres.

Les plus retentissants de ces nouveaux scandales furent l'affaire Vallières et surtout l'affaire Langlais.

Vallières avait fourni l'ameublement du Palais de Justice de Montréal; il avait versé des pots-de-vin à Pacaud, naturellement, et, disait-on, à Mercier lui-même. Le libraire J.-A. Langlais, de Québec, avait obtenu par les mêmes procédés le contrat pour la fourniture de papeterie aux bureaux du gouvernement provincial, pendant cinq ans.

Le lieutenant-gouverneur nomma une nouvelle commission royale, chargée d'inventorier les lettres de crédit émises, faute de fonds, par le gouvernement Mercier, pour payer des dépenses non autorisées par un vote de la Législature. La commission enquêterait sur tous les contrats suspects, dont une longue liste lui était fournie, et particulièrement sur celui du libraire Langlais.

Elle fut composée du juge Michel Mathieu, de la Cour Supérieure, de MM. Donald McMaster et Damase Masson, de Montréal. Le juge Mathieu, ancien maire de Sorel, ancien député provincial du comté de Richelieu, avait été le rival, tour à tour heureux et malheureux, de Georges-Isidore Barthe. C'était un bon bleu, de la nuance castor, un fervent admirateur de Mgr Laflèche. Nous l'avons vu, en 1880, combattre la motion de Mercier pour l'abolition du Conseil législatif, en 1881 seconder Taillon dans son opposition au bill de l'Université Laval. On se rappelle aussi qu'avant les élections du 14 octobre 86, qui portèrent Mercier au pouvoir, le cabinet Ross-Taillon avait pensé se concilier les castors en offrant un portefeuille à l'un de ces trois juges: Angers, Routhier ou Mathieu; et l'intransigeance de Trudel avait fait échouer le projet. Mathieu était donc un adversaire déclaré de Mercier. Au demeurant, habile juriste, consulté par les étudiants et paternel avec eux. L'avocat Donald McMaster, ancien député conservateur d'un comté ontarien, mais inscrit au barreau montréalais, avait appartenu à l'étude d'Abbott. Enfin Damase Masson, épicier en gros de la rue Saint-Paul, n'affichait pas de couleur politique aussi nette. "C'est un brave homme, dit Tarte, dont les deux autres feront ce qu'ils voudront." Isidore Belleau (devenu maire de Lévis) fut l'avocat du gouvernement devant la Commission.

C'est avec ce handicap formidable pour Mercier qu'allait s'ouvrir la campagne électorale.

Auparavant il fallait procéder à une élection fédérale partielle, dans le comté de Richelieu. Hector Langevin, élu dans Richelieu et aux Trois-Rivières aux dernières élections, avait opté pour Trois-Rivières. Laurier et les libéraux d'Ottawa jugèrent prudent de ne pas représenter Lomer Gouin, gendre de Mercier; ils présentèrent un "enfant du comté", Arthur Bruneau, personnellement dévoué à Mercier, mais moins compromettant pour l'heure.

Parmi le personnel fédéral, les choses n'allaient pas toutes seules non plus. Tarte subissait des représailles: son élection était contestée. Il reconnut les illégalités commises par ses agents, et démissionna pour éviter la disqualification. Chapleau, la session finie, n'avait pas reçu le portefeuille des chemins de fer promis par Abbott, et faisait la grève perlée, n'assistant plus que rarement au Conseil des ministres. La *Presse* réclama carrément à Abbott l'exécution de sa promesse. Aldéric Ouimet, à qui l'on offrait le portefeuille de Langevin, refusait de se servir avant Chapleau. La *Presse,* ne cachant pas que ses articles étaient vus et corrigés par

Chapleau, écrivit que le secrétaire d'Etat attendait
la réponse à l'ultimatum posé au premier ministre.
Langevin tombé, comment Chapleau, si prestigieux
dans la province de Québec, se trouvait-il paralysé
à Ottawa? Ce sont les conservateurs ontariens, les
tories orangistes, qui empêchaient l'ascension de
Chapleau, parce que, dans l'affaire des écoles ma-
nitobaines, il eût aimé donner satisfaction à Mgr
Laflèche et contrecarrer l'action francophobe des
Greenway, des Martin et des Sifton. Chapleau retrouvait la fermeté française qui lui avait fait si
tragiquement défaut lors de l'affaire Riel. Les organes du groupe McCarthy attaquèrent le secrétaire d'Etat, et s'opposèrent à toute promotion en
sa faveur. Le Pacifique-Canadien — tout-puissant
sur Abbott — les soutenait presque ouvertement,
car, depuis le temps où la grande compagnie avait
refusé à Chapleau d'emboîter le chemin de fer de la
Rive Nord dans le réseau national, leurs relations n'étaient point bonnes. En 1885 Chapleau
avait défendu les "résolutions du Pacifique" par
solidarité ministérielle. Le cœur n'y était pas, et
tandis qu'il prononçait l'éloge des Van Horne et
des Donald Smith, Chapleau recevait les souscriptions de Wainwright, gérant du Grand-Tronc.[1]
Le Pacifique-Canadien s'en doutait. Il représentait
Chapleau comme "l'homme du Grand-Tronc";
et le veto du Pacifique pesait lourd à Ottawa. Surtout lorsqu'il s'agissait de nommer un ministre des
chemins de fer. Autour du tribun à la crinière de
lion, les émissaires des loges et ceux du grand réseau tissèrent leur trame. Rugir n'eût servi de rien;

---

(1) *On en trouve des traces dans la correspondance
de Chapleau et de Dansereau (Archives privées de M.
J.-Lucien Dansereau).*

un jour, un ami de Chapleau le trouva presque sanglotant.[2]

Chapleau s'abstint dans la contestation électorale de Richelieu. Le candidat conservateur, péniblement choisi par une convention orageuse, compta des adversaires dans son propre parti. Pour comble, les questions de "patronage" jouèrent un plus grand rôle que jamais. Les Sorelois surtout réclamaient sans cesse: des bassins, des quais, des brise-glace, des chemins de fer, des gares, des ponts, sans parler des "jobs". Les députés conservateurs n'arrivaient pas à les rassasier. L'abstention de Chapleau, la désunion parmi les organisateurs locaux, le mécontentement des électeurs exigeants, permirent aux rouges de prendre le comté: Bruneau fut élu (11 janvier).

Les conservateurs comprirent l'avertissement. Aldéric Ouimet accepta le portefeuille des Travaux publics, et Abbott calma Chapleau, en lui promettant la succession d'Angers à Spencer-Wood. Abbott communiqua cette note aux journaux:

"Une conférence eut lieu il y a quelques jours entre le premier ministre et le secrétaire d'Etat. Les amis de ce dernier insistaient pour qu'il fût mis à la tête du ministère des chemins de fer; mais M. Chapleau, comprenant que, dans les circonstances, il aurait grandement embarrassé le gouvernement en insistant sur ce point, a consenti à relever M. Abbott de sa promesse, et à ne pas presser pour le moment tout droit qu'il pourrait avoir à ce portefeuille."

*   *   *

Les élections provinciales devaient se tenir deux

---

(2) *M. Arthur Beauchesne, dernier secrétaire de Chapleau a écrit: "Chapleau a plus souffert moralement de la conduite de ses collègues que de celle des libéraux." ("La Revue Moderne", mars 1921.) L'ami de Chapleau dont nous parlons est Louis Tellier.*

mois après, le 8 mars. Malgré toutes les raisons expliquant le scrutin de Richelieu, la victoire de son ancien secrétaire Bruneau rendit courage à Mercier.

Il lui en fallait, du courage. Le gouvernement de Boucherville et le gouvernement fédéral ne montrèrent pas de solidarité ouverte, et Chapleau, nommé ministre des Douanes, persévéra dans l'abstention: il voyagea aux Antilles. Mais à défaut de cette grande vedette, les adversaires de Mercier lancèrent à ses trousses une équipe homogène et ardente.

L'un des chefs de cette équipe fut Taillon, volontiers facétieux malgré l'apparence patriarcale de sa grande barbe, mais énergique et de nouveau acharné. D'autres furent Flynn, Louis Beaubien, Thomas-Chase Casgrain, tout dévoué à Angers, son beau-frère. Casgrain — l'aspect guerrier, avec ses larges épaules rejetées en arrière et ses moustaches gauloises — était plus homme de loi qu'homme politique. Il avait une âme de procureur, de ces procureurs qu'un acquittement fait enrager; et il promettait de ne pas lâcher Mercier avant de l'avoir conduit au pénitencier. Le peloton de tête comprenait encore Guillaume-Alphonse Nantel, à qui Mercier avait fait la guerre dans Terrebonne; Evariste Leblanc, à qui Mercier avait lancé une apostrophe hautaine en pleine Chambre; Louis-Philippe Pelletier, à qui Mercier avait soustrait son journal; Thomas Chapais, qui avait son beau-père à venger; Pamphile Vallée, le prédécesseur de Chapais au *Courrier du Canada,* bon orateur d'allure méridionale, qui reparaissait après une éclipse en se portant contre Bernatchez dans Montmagny. Le peloton comprenait Duplessis, d'une influence décisive dans la région trifluvienne; Joseph Tassé, à la logique à la fois élégante et rigoureuse; le

cordial, actif et fruste Bergeron; le tribun Cornellier, négligé de mise et redoutable de talent; le
"castor" Charles Thibault, à l'esprit de repartie
si vif — si appréhendé par Laurier, au début de sa
carrière. Tout le bloc conservateur, jadis maître de
la province, dispersé par l'affaire Riel, et maintenant redevenu compact. Le vieux sénateur Bellerose déclare rompue l'alliance née de l'affaire Riel,
et conseille de voter pour le gouvernement de Boucherville. Louis-Philippe Pelletier, pour avoir un
journal bien à lui, fonde le *Matin* à Québec. Son
ami Philippe Landry l'aide de ses deniers, et devient sénateur au mois de février. Landry fournit
aussi au *Matin* son rédacteur en chef, Eugène
Rouillard, petit homme à barbiche rousse, la tête
rentrée dans les épaules, intelligent et respecté.
L'ancien rédacteur du *Nouvelliste* est un conservateur convaincu, resté "bleu" même au plus fort de
la tempête Riel.

Autour de Mercier? Peu de monde. Israël Tarte,
défenseur des principes constitutionnels, Guillaume Amyot, le conservateur national resté le plus
longtemps fidèle, et quelques jeunes libéraux dont
le plus éloquent, Rodolphe Lemieux, servi par une
jolie voix, par une sérieuse culture, ne compte encore que vingt-cinq ans. Un autre jeune, Lebeuf, à
l'exemple du vieux Pierre Garneau, se rallie généreusement à son chef en péril. Lebeuf ne veut pas
du triomphe facile qui consisterait à clamer: "Je
l'avais bien dit!" Au Club National et au Club
Letellier, il prend la défense de Mercier, invoque la
constitution menacée, et demande le ralliement des
libéraux. C'est encore un jeune homme de vingt-
cinq ans à peine, Alexandre Taschereau (l'ex-rédacteur de *L'Union Libérale*) qui s'oppose à
Louis-Philippe Pelletier dans le comté de Dorchester. Georges Duhamel, candidat dans Laprairie,

malade et complètement aphone; David, candidat dans Napierville; et Charles Langelier, à qui Tom-Chase Casgrain veut arracher son mandat de Montmorency, sont en posture trop difficile — tous trois voués à la défaite — pour secourir leur chef.

Laurier, sommé de tous côtés de prendre parti — sommé surtout par les conservateurs d'exprimer son opinion sur le scandale de la Baie des Chaleurs — Laurier pèse les faits et leurs répercussions. La camaraderie politique, l'amitié personnelle, le lient à Mercier, à Charles Langelier, plus encore à Ernest Pacaud. A cinquante ans, Laurier se reporte souvent, en pensée, aux débuts radieux de sa carrière, aux jours et aux gens d'Arthabaska. Ce sont ses plus beaux et ses plus chers souvenirs. Il n'oubliera jamais le groupe brillant, charmant, si étroitement uni autour de Mme Lavergne, cette fée. Imprudents ou ingrats, compromettants ou révoltés — Ernest Pacaud ou Armand Lavergne — les enfants d'Arthabaska que Laurier a connus, distingués, aimés, lancés, bénéficieront toujours d'une indulgence particulière. Ces sentiments doivent se concilier avec l'intérêt majeur — celui du parti libéral. Laurier peut éviter de se lancer trop avant dans la bagarre, puisque, officiellement, Chapleau et les conservateurs fédéraux restent neutres. Il lui faut tout de même parler. Il s'exécute à Québec, le 18 janvier, dans une grande assemblée présidée par l'industriel P.-T. Legaré. Le bel orateur sait à merveille nuancer son opinion, distribuer le blâme à droite et à gauche, ne pas renier ses amis tout en condamnant leurs actes, et se montrer ferme sans s'avancer, conciliant sans reculer:

> *"Je suis comme vous d'origine française, mais j'ai déclaré à maintes reprises qu'en politique j'appartenais au grand parti libéral d'Angleterre, que les principes que j'entends soutenir et appliquer sont les principes admis*

*et appliqués par l'école libérale d'Angleterre. Je n'ai
donc pas besoin de vous dire que, dans mon opinion,
l'action de Son Honneur le lieutenant-gouverneur, ren-
voyant son ministère et dissolvant le Parlement comme
il l'a fait, est arbitraire, et viole non seulement l'esprit
de la Constitution, mais la lettre de la loi. C'est un abus
d'autorité, un acte tout aussi révolutionnaire que celui
du prince Louis-Napoléon s'emparant du pouvoir, fou-
lant aux pieds la constitution qu'il était chargé, comme
président de la République, de sauvegarder..."*

Non pas que Laurier tienne le lieutenant-gouverneur pour une simple machine à signer. Le représentant de la Couronne avait droit à des explications, mais pour les soumettre aux Chambres.
Son geste trahit ses desseins politiques et constitue
un abus de pouvoir.

*"...Quant au scandale de la Baie des Chaleurs, je n'hé-
site pas à dire que c'est une fraude, une transaction malheureuse qu'il faut condamner sans hésitation, qui ne
peut être défendue.*

*"...Si les accusations portées contre M. Mercier sont
vraies, il n'y aura qu'une chose à faire, pour vous et
pour moi ce sera de réorganiser le parti libéral dans
la province de Québec. Mais je me refuse à croire
qu'elles sont vraies. J'ai trop de confiance en mon ami
M. Mercier pour cela. J'ajoute cependant ceci: quoique
je sois l'ami personnel de M. Mercier, et quoique nous
ayons combattu dans les mêmes rangs pendant longtemps, ce n'est pas à dire que j'approuve tout ce qui a
été fait par M. Mercier..."*

En conclusion, si jamais Laurier perd confiance
en son ami, cela ne lui donnera pas confiance en
ses adversaires. Et il prie les électeurs de Québec
de réélire son protégé Simon-Napoléon Parent.

Laurier était quitte. Il s'en était tiré avec maî-
trise. Mais les adversaires surent monter en épingle et utiliser les trois lignes: "Quant au scandale
de la Baie des Chaleurs, je n'hésite pas à dire que

c'est une fraude, une transaction malheureuse qu'il faut condamner sans hésitation, qui ne peut être défendue.''

Maîtres à Québec, disposant des journaux les plus nombreux et les plus répandus (à Montréal: la *Presse*, la *Minerve*, le *Monde*, *L'Etendard*, la *Gazette*, le *Star* et même le *Herald*, contre la *Patrie*, le *Canadien* et le *National*), stimulant le zèle de la commission Mathieu que les libéraux appelèrent par dérision le "p'tit banc", les conservateurs lancèrent leurs vagues d'assaut. Aux élections précédentes, personne n'avait discuté programmes, idées générales: on avait ignoré le formidable travail du gouvernement Mercier et l'essor imprimé à la province, pour écheniller les comptes publics et privés et les scandales. Ce fut bien pis cette fois. Les questions discutées dans cette campagne furent: les gaspillages du régime Mercier, le scandale de la Baie des Chaleurs et l'initiative du lieutenant-gouverneur.

Quant aux cent mille dollars de la Baie des Chaleurs, Tarte dit à Québec, en assemblée publique: "Qu'on me donne une enquête d'un quart d'heure, et je vous prouverai que les conservateurs, dans la dernière élection, ont dépensé $500,000 souscrits par des entrepreneurs." Tarte parlait à bon escient. Mais lui-même n'arrivait plus à se faire écouter d'une opinion publique travaillée à fond, et passionnée. En vain *L'Electeur* publia des "Révélations foudroyantes" d'après lesquelles la Compagnie du chemin de fer du Lac-Saint-Jean avait versé une contribution électorale de cent mille dollars entre les mains de sir A.-P. Caron. Personne ne lui fit écho. C'est de la Baie des Chaleurs qu'on voulait parler.

Et l'on ne met plus seulement en cause les cent

mille dollars de Pacaud. On s'en prend à Mercier
personnellement; on donnerait bien les cent mille
dollars pour le trouver en fraude de cent piastres.
Taillon, ouvrant sa campagne électorale à Saint-
Laurent, reproche à Mercier de vivre sur un pied
de $35,000 par an, soit sept fois ses appointe-
ments. Le cordial Bergeron l'approuve, déclarant
à son tour qu'il intervient dans cette campagne
pour effacer une tache: l'appui qu'il a un jour
donné à M. Mercier. Tous les anciens conservateurs nationaux sont entraînés par Louis-Philippe
Pelletier, qui persuade son ami Monfette de s'effacer devant Louis Beaubien. Des libéraux modérés
les suivent, et même des libéraux plus avancés. Arthur Boyer, resté ministre jusqu'au renvoi du cabinet tout en blâmant à mi-voix son chef, entretient l'équivoque, ce qui n'empêche pas les bleus
de lui susciter un rival. Le vétéran libéral P.-B.
Casgrain (oncle de Tom-Chase), se présentant
dans l'Islet, prend l'étiquette de "libéral indépendant" et répudie Mercier. Charles Fitzpatrick se
déclare "libéral et ami de M. Laurier, mais contre
la clique de M. Mercier". Dans Saint-Denis de
Montréal, contre Rainville, fidèle à Mercier, se
présente Damase Parizeau "libéral, adversaire de
Mercier et de sa clique". Le conservateur national
J.-O. Dupuis, chef des grands magasins Dupuis et
très influent dans le quartier Saint-Jacques, con-
fesse l'erreur commise en se fiant à M. Mercier, et
appuie la candidature du conservateur O.-M. Augé.
Les quelques libéraux anglais lâchent complètement
Mercier. Cameron, que nous avons déjà vu scruter sa conscience avec la même componction puri-
taine, regrette beaucoup de dire "qu'en face des
révélations faites depuis la dernière session de la
législature, il ne se croit plus justifiable de promettre son appui à M. Mercier". Cameron combat un
adversaire, G.-W. Stephens, libéral encore plus im-

pitoyable à l'égard de Mercier. Cette rigueur est indispensable auprès des électeurs anglais, libéraux ou conservateurs. Robert Sellar, que Mercier traitait naguère de "fanatique et rageur", tient sa vengeance, et répand le *Huntingdon Gleaner* dans tous les cantons de l'Est. Ailleurs, des candidats libéraux souhaitent que M. Mercier ne vienne pas les compromettre dans leur comté. Marchand lui-même, à Saint-Jean d'Iberville, sans aller jusqu'à renier son chef et ami Mercier, promet d'insister "pour qu'il n'y ait pas, à l'avenir, des boodlers à l'intérieur ni à l'entour du cabinet provincial".

Tous contre un homme! Mercier est extraordinaire. Il fait front. Il se jette au-devant de la troupe ennemie. Il va dans les assemblées où son arrivée sera saluée au cri de "A bas la clique! A bas les voleurs!" C'est aux mois de janvier et de février, et cet hiver est sibérien. Sur les routes enneigées, un traîneau nocturne emporte de village en village Mercier, miné par la maladie, des glaçons dans sa moustache, mais qui veut arriver à temps pour qu'on ne puisse, au moins, le traiter de lâche.

Taillon tient une assemblée à Marieville, le 21 janvier, avec Beaubien et Bergeron. Mercier s'y rend, avec Tarte, Desmarais et Rodolphe Lemieux. Taillon lui lance ces mots à la figure: "Avant d'arriver au pouvoir, vous n'aviez pas de propriétés, pas de voiture ni de chevaux; M. Langelier n'avait pas de château aux tourelles dorées; M. Pacaud n'avait pas de crédit dans les banques." Et les cabaleurs forts en gueule hurlent de joie.

Louis-Philippe Pelletier parle à Sainte-Claire le 28 janvier, avec Beaubien et Tom-Chase Casgrain. Mercier y court, avec Amyot, Tarte, Desmarais, Rodolphe Lemieux et le jeune candidat qui accepte sans espoir, par chevalerie pour Mercier, la candidature contre Pelletier: Alexandre

Taschereau. Pelletier dit en face de Mercier: "Vous êtes accusé de conspiration contre le trésor, crime qui, dans nos lois pénales, est passible de sept années de pénitencier." Et les cabaleurs de crier: "En prison! En prison!" Face aux hurleurs se dresse un grand jeune homme pâle aux cheveux bouclés, qui lance, sans se laisser arrêter par les interruptions:

"Vous pouvez crier. Je n'ai pas peur. Vous étoufferez peut-être ma voix, mais sachez bien que le peuple se ressaisira, et qu'il replacera sur son piédestal celui qu'un coup d'Etat a renversé. L'oeuvre de Mercier vivra, prenez-en ma parole!"

Le débutant chevaleresque est Alexandre Taschereau, à qui, quarante-deux ans plus tard, personne ne rendra la pareille.

De Boucherville parle à Sainte-Anne-de-la-Pérade, avec Beaubien, Pelletier et Duplessis, le 2 février. C'est en plein pays bleu, dans la ville natale de Mgr Laflèche; c'est aussi à deux pas de Tourouvre. Sans l'insistance de Rodolphe Lemieux et d'Arthur Delisle, qui l'accompagnent presque de force, Mercier y fût allé seul. Une assemblée nombreuse. De Boucherville paraît diffus et monotone. Beaubien quitte sa pompe habituelle pour accabler les "voleurs", et Pelletier est à l'emporte-pièce. Duplessis, grand, large d'épaules, coloré de visage, est un orateur vigoureux, très goûté dans la région, et d'autant plus redoutable. Mercier, bien en voix, est encore plus ardent que ses accusateurs. Mais s'il y a, dans les assemblées, quelque citoyen qu'émeut ce spectacle, cette énergie farouche d'un homme traqué, il n'en ose rien dire; les timides, les sensibles, les tièdes sont de gré ou de force entraînés par la clameur: "A bas les voleurs! En prison!"

L'alcool coule, comme d'habitude en période

électorale. Le 3 février, les évêques de la province publient une lettre pastorale, défendant, sous peine de faute grave, de vendre, donner ou distribuer de la boisson dans les trois jours qui précèdent et qui suivent une élection, et aussi de vendre ou d'acheter un suffrage.

Mercier se bat, dents serrées. Il lance un manifeste. Il dénonce la conspiration ourdie à Ottawa et exécutée à Spencer-Wood. Il promet de surveiller davantage, à l'avenir, ceux qui l'entourent, et d'éviter tout soupçon. Il affirme que l'intervention du lieutenant-gouverneur menace le principe de la représentation et de la souveraineté populaires, et conclut: "Défendez l'héritage que vous avez reçu de vos pères, et transmettez-le intact à vos enfants!"

Peu de journaux publient ce manifeste. Un plus grand nombre publient les comptes rendus de la Commission Royale, pourvoyeuse d'arguments pour les adversaires de l'ex-premier ministre. La Commission siège en pleine période électorale. Elle se transporte de Montréal à Québec et vice-versa. L'entrepreneur Whelan détaille les sommes remises à Mercier, à Beausoleil, à Préfontaine, à Pacaud, à Turcotte, à Achille Carrier, député de Gaspé, au sénateur Pantaléon Pelletier, pour fins électorales. Ce Whelan est, pour les adversaires de Mercier, providentiel. Il tombe malade, et ne peut venir aux audiences. La Commission se transporte chez lui, dans son hôtel particulier de la rue Durocher, l'un des plus coquets de Montréal. Et les commissaires ne se sont pas dérangés pour rien. Whelan, cette fois, énumère les "petits cadeaux" glissés dans la poche de Pacaud et des autres, quand ils étaient "cassés".

Le lendemain, la liste en paraît dans les gazettes. Le *Monde* écrit:

> "*En prison, les voleurs! Il faut que le gouvernement
> de Boucherville, sans plus de retard, fasse arrêter les
> coupables et qu'il les livre à la justice du pays.*"

Dans chaque comté, les orateurs "bleus" n'ont
qu'à répéter et commenter ces articles. Sommés
d'approuver ou de blâmer les "voleurs", des candidats libéraux s'empressent de se déclarer "indépendants". À Toronto, le *Globe* profite de ces
révélations pour accuser la solidarité de Laurier
avec Mercier, et demander un chef anglo-canadien
à la tête du parti libéral fédéral.

Il restait cependant des sceptiques, devant la par-
tialité des juges — évidente à qui gardait son sang-
froid. Le public plaisantait le "p'tit banc", et le
renom de la magistrature en souffrait. On publia
des pièces établissant que le secrétaire du juge Mathieu, nommé Latraverse, extorquait des épices aux
justiciables anxieux d'un jugement plus prompt
ou plus favorable. Lui aussi avait établi, sinon une
barrière, du moins, dit la *Patrie,* une "traverse" de
péage. Le juge Mathieu protesta qu'il n'en avait
pas eu connaissance. Mais alors, ne se trouvait-il
pas, toutes proportions gardées, dans la même situation que Mercier, ignorant la "barrière de péage" établie par Pacaud?

Le juge Mathieu tomba malade — ou bien
l'affaire Latraverse rendit sa position difficile; mais
la Commission Royale ne fut pas interrompue. Un
collègue et ami de Mathieu le remplaça comme
président: le juge Pagnuelo, ami intime de Boucherville et de Beaubien. "Le p'tit banc est raccom-
modé", écrivit le *Canadien*. L'ancien avocat de
Mgr Bourget, l'ancien compagnon d'armes de Tru-

del, était homme de convictions, et fort jurisconsulte. Adversaire de Mercier pendant la campagne Riel, il n'avait pas ménagé les coups. Monté sur le Banc, il y gardait — chauve comme un genou, le menton volontaire, l'aspect vigoureux—des opinions tranchées et une allure de combattant. La Commission redoubla d'activité.

Le juge Jetté, guéri, avait remis, le 2 février, son rapport sur l'affaire de la Baie des Chaleurs. On sut tout de suite qu'il contredisait Baby et Davidson. Mais Louis-Philippe Pelletier, secrétaire provincial, refusa de livrer ce texte à la publicité, malgré les sommations de Tarte dans le *Canadien*. Au bout d'une quinzaine de jours, le *Star* parvint à se le procurer — en payant, dit-on l'imprimeur. Hugh Graham n'aimait pas Mercier, ni les idées — mettons, pour schématiser, nationalistes — incarnées par Mercier. A vrai dire, Hugh Graham méprisait les Canadiens français. Mais il plaçait avant tout le succès de son journal, mesuré par le tirage. A cet égard, Hugh Graham avait devancé Trefflé Berthiaume. Or, un journal à l'affût de la sensation ne pouvait négliger un "scoop" tel que le rapport Jetté. Le *Star* publia le rapport; la *Patrie* le reproduisit le 18 février.

Le long rapport du juge Jetté contrastait en effet avec le rapport intérimaire de Baby et Davidson. Il exonérait tous les ministres, en faisant une demi-exception pour Charles Langelier, et concluait en ces termes:

"Prenant la preuve dans son ensemble, je constate que les faits suivants ont été établis:

"1°—La convention Pacaud-Armstrong est prouvée, et même admise, mais elle existait uniquement entre M. Armstrong et M. Pacaud, et M. Thom et M. Cooper n'en savaient rien.

"2°—*Il n'y a pas de preuve qu'aucun des ministres ait eu connaissance de cette convention avant les révélations faites devant le comité du Sénat.*

"3°—*Aucun des ministres, à l'exception de M. Charles Langelier, n'a profité en aucune manière de l'argent de M. Armstrong.*

"4°—*M. Langelier ne semble pas avoir connu la provenance de l'argent qu'il a reçu de Pacaud.*"

En refusant d'adhérer au rapport de ses collègues, Jetté lui infligeait un blâme implicite. Or, des trois membres de la Commission Royale, Jetté — l'homme d'esprit et de coeur qui avait présidé le banquet offert au comte de Paris — était le plus réputé, le plus connu du public. Son mémoire pouvait être d'un grand secours à Mercier, dans sa campagne. C'est Tarte qui s'en servit le mieux. Le geste du lieutenant-gouverneur n'avait-il pas été prématuré? Aurait-il osé l'accomplir après le rapport du juge Jetté? Tarte, qui avait contribué plus qu'homme de la province au choix d'Angers comme lieutenant-gouverneur, lui reprochait amèrement sa hâte à "violer la constitution". Mercier reprit les belles phrases de Chapleau lors du coup d'Etat de Letellier: "Faisons taire la voix de Spencer-Wood, et écoutons la grande voix du peuple!"

Mais on étouffa le rapport Jetté, pour intensifier la publicité donnée aux découvertes du "p'tit banc". Devant le juge Pagnuelo, des entrepreneurs et des courtiers continuaient d'énumérer les sommes versées au fonds électoral du parti de Mercier. On inventoriait les commissions payées au "garde-barrière" Ernest Pacaud par le chemin de fer de Hereford, puis par le chemin de fer de Témiscouata. *L'Electeur* tentait vainement de lancer, en représaille, une "affaire Caron". Les journaux publiaient sous le titre ironique: "Emparons-nous du sol!" la liste des terrains achetés par les membres de la famille Mercier, par les Langelier (frères, femmes, fils, filles), les DeCazes, etc., dans les régions où la construction des voies ferrées devait provoquer une plus-value. *L'Etendard* (dont le tirage et l'influence baissaient) et la *Vérité* rivalisaient de violence avec la *Minerve*, le *Monde* et le *Courrier du Canada*.

Flynn, T.-C. Casgrain, Nantel, Leblanc, Beaubien, parcourent la province, en promettant de livrer Mercier à la justice; et cette promesse soulève une tempête d'acclamations. On continue aussi de produire dans chaque assemblée quelque homme politique jouant le rôle du libéral indigné. D'anciens partisans notoires de Mercier, plus aidés par lui, naguère, qu'ils ne l'ont aidé, viennent sur les estrades, en face de lui souvent, pour souhaiter sa défaite. P.-B. Casgrain écrit dans son manifeste que les ministres doivent rendre l'argent dont ils savent maintenant la provenance. *L'Electeur* lui répond qu'une partie de cet argent a été dépensée en sa faveur, dans sa dernière campagne (malheureuse), et lui demande: "Allez-vous le rendre?"

A Saint-Hyacinthe, on déniche un scandale local: un protégé du député Desmarais a vendu au prix fort au gouvernement des milliers de gallons de peinture pour repeindre les ponts de la province. La peinture a même été payée, mais non livrée. Le *Courrier* cogne de toutes ses forces. Il attise l'aversion du clergé contre Desmarais, qui veut supprimer l'exemption de taxes des propriétés religieuses. Des libéraux de Saint-Hyacinthe se déclarent indépendants.

Mercier se bat désespérément. Le 10 février, il parle à Hull, en faveur de Rochon, resté fidèle; le 22 à Québec; le 25 à Louiseville; le 27 au mar-

ché Bonsecours, à Montréal. Il va chez l'adversaire. Mais un adversaire, à son tour, le talonne,
vient à chacune de ses assemblées: Charles Thibault, blessé d'un mot vif et qui s'est juré vengeance.

Mercier avait un moment caressé l'espoir de garder l'appui du clergé. Il tablait sur ses visites à
Rome, son influence au Vatican, son titre de comte romain, les fonctions attribuées à Mgr Labelle,
l'indemnité des Jésuites, l'amitié du R. P. Turgeon, la solution du problème universitaire. Mais
cette influence d'un laïc à Rome porte ombrage à
l'épiscopat. Et puis, la citadelle des Trois-Rivières
n'a pas désarmé.

Le *Trifluvien,* où l'on cherche habituellement
les directives de Mgr Laflèche, publie un long
article à tournure de consultation théologique,
pour conclure "qu'il n'est pas permis, en conscience, de voter pour M. Mercier et ses suppôts".
Ces hommes politiques sont inculpés de détourne-
ments, vols, pillages; leurs électeurs seraient leurs
complices.

Le *Chronicle* reproduit cet article sous le titre:
"L'Eglise contre Mercier — Mgr Laflèche parle —
Il n'est pas permis en conscience de voter pour M.
Mercier."

Le *Courrier du Canada* écrit:

"*C'est une sorte de consultation, ayant la forme et le
cachet d'une opinion théologique, qui a d'autant plus de
force que le journal* Le Trifluvien, *sans être l'organe de
Mgr des Trois-Rivières, a toujours fait écho aux ensei-
gnements de Mgr Laflèche, et s'est toujours montré fi-
dèlement soumis à la direction épiscopale.*"

Le *Matin* présente aussi l'article comme l'opinion de Mgr Laflèche. De déformation en défor-

mation, le bruit court que Mgr Laflèche a publié un mandement contre Mercier et ceux qui voteraient pour lui. L'abbé Stanislas Tassé est mort, mais son frère le curé de Longueuil fait ouvertement campagne contre "la clique"; beaucoup d'autres suivent *L'Etendard* ou la *Vérité*. Dans l'ensemble, le clergé soutient un cabinet auquel Taillon, Beaubien, et surtout de Boucherville — religieux au point d'être surnommé "le grand chrétien" — donnent une nuance ultramontaine.

De Montmagny, Philippe-Auguste Choquette télégraphie deux fois à l'évêché des Trois-Rivières (29 février et 1er mars) pour demander si Mgr Laflèche prend la responsabilité de l'article du *Trifluvien*. Il le fait sans doigté; Mgr Laflèche juge la démarche impertinente, et ne répond pas.

A Rome même, le *Moniteur* publie un article contre Mercier. *L'Univers* de Paris le relève, sous la plume de son principal rédacteur, Auguste Roussel. Il semble à Roussel — et à presque tous ceux qui voient les choses de loin, au-dessus de la mêlée — qu'on oublie trop la grande politique de Mercier, homme d'Etat catholique, et qu'on met contre lui de l'exagération, de l'acharnement, de l'injustice.

Dix députés sont élus par acclamation. Nantel, conservateur, à Terrebonne. Beaubien, conservateur, à Nicolet. Leblanc, conservateur, dans Laval. Duplessis, conservateur, dans Saint-Maurice. Charles-Alfred Desjardins, conservateur, dans Kamouraska. McIntosh, conservateur, dans Compton. Fitzpatrick, indépendant, à Québec. Félix Carbray, conservateur, à Québec-Ouest, Benjamin Beauchamp, conservateur, dans les Deux-Montagnes. Parent, à Saint-Sauveur, est le seul député favorable à Mercier élu par acclamation: un sur dix. Des

négociations auxquelles ont pris part T.-C. Casgrain et Thomas Chapais ont abouti à laisser élire
par acclamation à Québec un bleu: Carbray, et un
rouge: Parent.

Il reste une grande semaine. Les ministres élus
par acclamation profitent de leur liberté pour concentrer leurs efforts contre Mercier. Lui, se défend
toujours, contre-attaque même: les derniers coups
de boutoir du sanglier coiffé par la meute. Le
laissera-t-on, au moins, élire sans concurrent dans
Bonaventure? On ne lui donne pas cette chance:
on lui suscite comme rival un "enfant du pays",
Nicolas Arsenault, maire de Carleton et préfet du
comté, soutenu par des orateurs venus de Québec.
Mercier doit quitter le centre de la province pour
aller se battre en Gaspésie. Charles Thibault le
suit, s'attachant à lui comme son ombre, village
par village, assemblée par assemblée, pas à pas. Ce
que Mercier a fait à Chapleau, lors de la campagne
Riel, on le lui rend avec usure.

De Carleton à Port-Daniel, sur la côte assaillie
par les rafales d'hiver, les pêcheurs interrompent le
raccommodage des filets, la réparation des nasses,
pour écouter et peser ces accusations. De temps à
autre, pour une élection, des messieurs viennent
leur promettre la fin de leur isolement, ou de meilleurs prix pour leur morue. C'est bien M. Mercier
qui a le mieux tenu ses promesses, en activant les
travaux du chemin de fer. Et voici que ce Thibault, un homme bien instruit, bien capable, dit
que M. Mercier est un voleur et qu'il ira en prison.
Pour en juger il y a, même en Gaspésie, de la graine
de politiciens: ceux qui, l'été, laissent les camarades pêcher au large, et les attendent en fumant
leur pipe, jambes pendantes sur la jetée de bois,
mais sont les premiers, au retour, à discuter la valeur de la pêche.

Le visage de la Gaspésie est grave, adouci cependant par la courbe gracieuse des anses. C'est de Paspébiac que Mercier lance par dépêche, le 5 mars, un dernier appel à la province.

Le 8, jour du vote, il fait un temps gris et doux de dégel. On patauge dans la neige fondue. Dans les villes, les affaires sont suspendues, les bureaux fermés. Des voitures chargées d'électeurs — fiacres, charrettes, tombereaux, fardiers, réquisitionnés par les partis — sillonnent les rues de Montréal, mais dans un surprenant silence. On s'épie sans mot dire. Autour des urnes, les cabaleurs toisent chaque nouvelle fournée d'arrivants, comme pour supputer leur opinion, mais de part et d'autre on reste muet.

On apprend des résultats. Louis-Philippe Pelletier est élu par une forte majorité. Thomas-Chase Casgrain a battu Charles Langelier dans Montmorency. A Lévis, où François-Xavier Lemieux renonce à son mandat pour se consacrer au barreau, le conservateur Angus Baker bat Nazaire Ollivier, ex-rédacteur de *L'Union libérale*. Taillon triomphe dans Chambly. A Montréal, François Martineau a battu Béland, Augé a battu Joseph Brunet, Damase Parizeau a battu Rainville... les six divisions élisent six conservateurs, dont l'un, le trésorier J.-S. Hall, par une écrasante majorité de 2,000 voix. David est battu dans le comté de Napierville. Rochon — l'avocat, l'ami, l'idole des colons! — est battu dans le comté d'Ottawa. A l'autre extrémité, Flynn est élu à la fois dans Gaspé, contre Carrier ,et dans Matane, contre Pinault, pourtant taillé en hercule, dévoué à ses électeurs et jouissant d'une bonne popularité locale. Dans les cantons de l'Est, il est vrai, le nationalisme porte ses fruits, malgré Robert Sellar, ou grâce à ses provocations: Jérôme-Adolphe Chicoyne, premier maire canadien-français de Sherbrooke, succède au père Picard comme député de Wolfe; et la ville même de Sherbrooke élit pour la première fois un député canadien-français, Louis-Edouard Panneton, vainqueur de Robertson. Mais Chicoyne et Panneton, soutenus tous deux par Mgr Racine, sont des conservateurs, aussi bleus, aussi hostiles à Mercier que leurs prédécesseurs.

Et voici peut-être le comble: Desmarais est battu à Saint-Hyacinthe.

Mercier garde à grand peine son siège de Bonaventure. Autour de lui, c'est la déroute. Voici des chiffres à peu près définitifs: 52 ministériels, 18 partisans de Mercier, et l'"indépendant" Fitzpatrick. Ont survécu au naufrage, autour de Mercier: Shehyn, Turgeon, Bernatchez, Jules Tessier, Bourbonnais, Dechène qui, après une lutte énergique, déjoue le "traître" P.-B. Casgrain dans l'Islet.

Quatre ministres du cabinet Mercier restent sur le carreau: Charles Langelier, Robidoux, Duhamel et Boyer. Le même jour, aux élections fédérales de Berthier et de Chambly qu'il a fallu re faire, Beausoleil et Préfontaine perdent leur mandat.

A Montréal, Taillon, le sénateur Tassé et d'autres chefs du parti vainqueur convertissent en tribune les marches du château de Ramezay. Taillon s'écrie: "Il fait encore bon être Canadien!" D'autres haranguent la foule des fenêtres de *L'Etendard*, d'autres encore des fenêtres de la *Presse*. D'aucuns prétendent que Mercier va se retirer de la vie publique.

"Il ne le faut pas! s'écrient les plus enragés. Il faut qu'il paye sa dette!"

Mercier vient de rentrer à Québec. Des manifestants montés de la basse-ville le conspuent. Ce doivent être les mêmes qui l'ont acclamé à son retour d'Europe. Ils crient: "A bas les voleurs!"

Mercier écrit. Comme le jour du suprême appel à Chapleau, avant la pendaison de Riel, sa plume écorche le papier:

"Québec 9 mars 1892.

"A mes amis,

"M. Angers est victorieux. Son coup d'Etat a reçu l'approbation des électeurs. La calomnie a eu le dessus sur la constitution, et le peuple a refusé de blâmer l'homme qui s'est substitué aux Chambres du Parlement et les a dissoutes sans raison. Tout le bien que j'ai fait a été mis de côté, et l'ingratitude est ma seule récompense. Le verdict du peuple est injuste, et sera sévèrement blâmé par l'histoire.

"Mais en attendant je dois me soumettre et retourner dans la vie privée. La province demande du repos, après l'agitation des six derniers mois.

"Je pardonne à ceux qui m'ont calomnié. Je m'efforcerai d'ignorer toujours les noms de ceux qui m'étaient attachés et qui m'ont trahi, en me souvenant de ceux qui m'ont été fidèles dans l'adversité comme dans la prospérité.

"Je vais retourner aux travaux des champs, afin de recouvrer la santé s'il est possible, et à mon bureau d'avocat pour soutenir ma famille.

"Je vous souhaite à tous, mes amis, le bonheur que vous méritez, et j'espère ardemment que notre chère Province ne souffrira pas trop de la violence qui a été exercée contre ses institutions."

Des amis, on n'en voit plus guère. Mercier est seul et las. Toute la fatigue accumulée dans cette campagne, les coups reçus, les affronts subis, les nuits sans sommeil, les morsures du noroît, c'est maintenant qu'il en souffre. Des souvenirs d'enfance traversent son esprit, des incidents de classe et de jeu au collège Sainte-Marie, de ces détails insignifiants et précis dont on se demande pourquoi ils reviennent à la mémoire, plutôt que d'autres, aux heures endolories. Sous les fenêtres de Mercier, un groupe vocifère: "A bas les voleurs!"...

* * *

"Coup de balai!" annonce *L'Etendard*. La *Presse* écrit:

> "Le peuple canadien, dans un haut-le-coeur formidable, a rejeté avec dégoût les hommes qui, après avoir capté sa confiance, l'avaient trompé et avaient compromis son honneur."

Le *Star*:

> "Le nom historique de Québec ne sera plus synonyme de corruption."

Le *Courrier du Canada*:

> "Quel châtiment pour la bande de brigands qui saignalt la province depuis quatre ans. Quel soulagement, quelle délivrance pour tous les honnêtes gens!"

La *Patrie*, cette fois, ne se retient pas d'observer qu'elle l'avait prédit. De l'Ontario, on télégraphie des félicitations à la province de Québec. Le *Moniteur de Rome* se réjouit aussi: "Les fautes indéniables de M. Mercier avaient jeté du discrédit sur la race française et catholique qu'il était censé représenter." Les scandales financiers affligent cependant tous les pays, tous les régimes. Notre affaire de la Baie des Chaleurs reproduit, sur une échelle réduite, les scandales qui secouaient, vers la même époque, les grandes démocraties d'Europe et d'Amérique. A l'heure où Mercier tombe, l'affaire de Panama entre dans sa phase dramatique. Une instruction s'ouvre contre Ferdinand de Lesseps, l'ingénieur Eiffel et trois administrateurs de la compagnie dissoute. L'affaire atteindra plus d'un homme politique et plus d'un financier rencontrés par Mercier pendant son voyage.

La société Belleau et Cie, société éditrice de *L'Electeur* formée le 22 mars 1887, pour cinq ans, venait justement à terme, et son contrat pour l'impression de la *Justice* expirait en même temps. Pacaud redevint seul propriétaire de *L'Electeur*. La *Justice* disparut: Guillaume Amyot y avait englouti quelques milliers de dollars.

"La justice de Dieu a passé", écrivit encore le *Courrier du Canada*. "Le doigt de Dieu est là", écrivit le *Courrier de Saint-Hyacinthe*. Et *L'Electeur* de répondre: "Pourquoi ne disent-ils pas tout de suite que ce sont les anges qui ont déposé une majorité de bulletins bleus dans les urnes?"

Le rédacteur du *National,* Gonzalve Désaulniers, maintenant aux antipodes des idées de *L'Etendard* où il avait débuté — attribua la défaite à la coalition des Anglais et de l'élément castor, renforçant le vieux fonds du parti conservateur. Gonzalve Désaulniers était jeune, et Pacaud, pour l'heure, déconsidéré. Mais Tarte, devenu le porte-parole de Laurier, se plaignit de "l'influence indue" en homme qui pèse la gravité du sujet:

"Durant la dernière campagne, une partie nombreuse du clergé s'est publiquement jetée dans la mêlée.

"Nous avons le droit de connaître la vérité. L'épisco-

pat a-t-il secrètement relevé les prêtres de la défense
publique qu'ils avaient reçue? Ou les membres du clergé qui se sont faits agents d'élection ont-ils méconnu
les ordres donnés par NN. SS. les évêques et le Saint-
Siège? La question est grave, et nous avons confiance
qu'elle ne restera pas sans réponse.

"Si l'Episcopat a donné un mot d'ordre au clergé, nous
traiterons avec l'Episcopat, et nous tâcherons d'être
compris avant que de trop sérieuses divergences se
soient affirmées.

"Si les ordres des évêques ont été méconnus — et c'est
notre conviction — nous demanderons aux évêques d'in-
tervenir sans retard...

"La foi n'était nullement en péril dans la récente élection. Ni l'Eglise ni ses droits n'y ont été attaqués. Il s'a-
gissait purement d'une question de liberté constitutionnelle. Or Nos Seigneurs les évêques admettront que peu
de leurs curés et vicaires ont des connaissances éten-
dues en droit constitutionnel.

"Etre dénoncé dans les chaires en pareille circonstance
nous semble hors de raison, de convenance et de droit,
et de nature à susciter les malentendus les plus pénibles
comme les plus dangereux."[1]

Un autre aspect des événements fut souligné par
Guillaume Amyot, à la rentrée du Parlement fédéral. Amyot, le dernier conservateur national des
Communes, venait de faire campagne pour Mercier. A la séance du 28 mars, il annonça son retour
au parti conservateur, et lâcha Mercier "mort dans
la boue". L'affaire Riel est terminée, déclara-t-il;
le peuple en a ainsi décidé; et il n'y a plus de parti
national.

Avec ce qu'il faut bien appeler le régime Mercier, l'affaire Riel était terminée. Le second parti
national — le premier remonte à 1872 — abou-
tissait à ce mécompte. Les conservateurs avaient

---

(1) Le Canadien, 18 mars 1892.

reformé leur bloc, retrouvé l'alliance du clergé, repris le pouvoir.

On pouvait croire que les lèvres de la coupure ouverte par l'affaire Riel se refermaient, que les traces du passage de Mercier allaient s'effacer, et que le train des choses allait reprendre comme avant. On pouvait le croire, mais à tort.

*   *   *

Les événements de la politique provinciale avaient été assez dramatiques pour occuper, seuls, le premier plan de l'actualité. Dans les autres domaines — religieux, universitaire, etc. — la période était, au contraire, d'organisation, de consolidation.

Les journaux du 13 juillet 1891 publièrent ce communiqué final:

"En vertu du bill adopté par la législature à sa dernière session, l'union universitaire est depuis le 1er juillet un fait accompli. L'Ecole de Médecine conserve son existence corporative spéciale, son autonomie, ses privilèges, et devient, avec l'addition de tous les titulaires de la Faculté Laval, la Faculté de Médecine de l'Université Laval à Montréal. La nouvelle Faculté a procédé vendredi à l'élection de ses officiers, et le scrutin a donné le résultat suivant: Président: Dr L.-B. Durocher; secrétaire: Dr E.-H. Desrosiers; trésorier: Dr A. Demers."

Afin d'éviter l'apparence d'un succès unilatéral, on avait convenu de n'élire à la présidence ni le Dr Rottot, doyen de la Faculté Laval, ni le Dr Hingston, président de l'Ecole. Mais le Dr L.-B. Durocher, conservateur ultramontain, était un des champions les plus irréductibles de l'Ecole, le professeur le plus longtemps réfractaire à la fusion. Il sauvegarderait, pour l'Ecole et pour ses collègues, la plus grande autonomie possible. D'ailleurs, on gardait le titre: Ecole de Médecine et de Chirurgie de Montréal, avec le sous-titre: Faculté de Médecine de l'Université Laval de Montréal. L'Ecole de Médecine se donnait ainsi l'illusion d'absorber la Faculté Laval, et les amours-propres étaient saufs.

Près de trois cents étudiants s'inscrivirent à la nouvelle faculté, pour la rentrée du 5 octobre. L'ouverture des cours se fit à l'Hôtel-Dieu, dans le calme. Mgr Fabre, l'abbé Proulx, le Dr Durocher et le Dr d'Orsonnens, doyen de la profession médicale dans la province, prononcèrent des allocutions. À titre de président, le Dr Durocher déclara:

> "Tous nos professeurs sont chrétiens; nous ne voulons pas d'autre enseignement que l'enseignement catholique; la science médicale doit être soutenue, éclairée et dirigée par la philosophie chrétienne, c'est-à-dire par la foi."

Avec le règne de Mercier, un chapitre de l'histoire universitaire était bien clos, celui qu'emplit la querelle Laval-Victoria.

Cependant la querelle ne pouvait pas ne pas renaître entre Laval de Québec et Laval de Montréal. L'annuaire de l'Université pour l'année 1891-92, publié à Québec, contenait cette note, à la page 25:

> "Depuis le 1er juillet de la présente année 1891, l'Université Laval n'a pas le droit de faire enseigner la médecine à Montréal. En vertu d'une loi passée à la dernière session de la législature de Québec, avec l'agrément du Saint-Siège, le titre de Faculté médicale de l'Université Laval à Montréal a été donné à l'Ecole de Médecine et de Chirurgie de Montral, qui seule a désormais le contrôle de l'enseignement médical catholique à Montréal, et qui, en vertu de la loi précitée, s'est adjoint tous les pro-

fesseurs de l'ancienne section montréalaise de la Faculté
de Médecine de l'Université Laval. Tout ce qui concerne
l'enseignement médical catholique à Montréal est déter-
miné par la loi susdite."

Il semblait que Laval, vexée, voulût répudier
la faculté montréalaise qui fonctionnait sous son
nom et, en théorie, comme sa succursale.

—Ces gens-là ne sont pas logiques, dit l'abbé
Proulx; ils se plaignent que nous cherchons notre
indépendance, et ne nous imposent-ils pas, par
cette note, l'indépendance pratique?

Car les Montréalais considéraient l'union des
facultés comme une étape vers l'université indépendante. Et sans doute on peut s'étonner des
lenteurs et des formalités qu'ils subirent, puisque
leur dessein était clair dès le début. On est tenté
de les houspiller — rétrospectivement: "Vous
voulez fonder une université? Eh bien, fondez-la,
et n'en parlons plus!" Mais non; il fallait se dé-
pêtrer dans un réseau de coutumes, de contrats, de
chartes et de lois; et, de plus, se livrer au même
travail auprès des conciles provinciaux et des con-
grégations romaines, qui ajoutaient aux coutumes, contrats, chartes et lois, force mandements,
décrets et constitutions apostoliques. Comme cette
province d'Amérique était restée européenne à
beaucoup d'égards! Mais à travers ce dédale, on
cheminait vers le but. Répondant aux félicitations
de l'abbé Proulx après son élévation à la présidence, le Dr L.-B. Durocher écrivit:

"Permettez-moi de vous remercier de votre bienveil-
lante appréciation de mes efforts, soutenus par des con-
frères et amis, pour obtenir une Université indépen-
dante pour Montréal. Il est probable que nous poursui-
vons le même but..."[1]

---

(1) *Pour ce passage et les suivants: Abbé J.-B. Proulx:*
"Mémoires et documents".

,'Chut! Chut!'' disait l'abbé Proulx — lui-même un peu trop exubérant: ''Parlez plutôt de ''liberté''; évitons le mot ''indépendance''.

Le vice-recteur savait ses paroles rapportées; et la méfiance ne régnait pas moins à Québec. Mgr Paquet refusait de parler à l'abbé Proulx sans témoins. En faisant part de cette décision à Mgr Fabre, l'abbé Proulx écrivit:

"J'amènerai mon témoin; je lui écrirai de choisir le sien; et nous nous rencontrerons là où il voudra, comme deux preux en champ clos. C'est profondément ridicule."

Et le recteur Paquet, admettant que, par la force de la loi, les professeurs de médecine de l'institution montréalaise étaient *professeurs de la Faculté de Médecine de l'Université Laval à Montréal,* introduisait cette distinction qu'ils n'étaient pas *professeurs de l'Université Laval.*

Ces querelles se compliquaient d'embarras financiers. Les ressources de la succursale montréalaise ne couvraient pas tout à fait les émoluments des professeurs. Restait à payer: chauffage, éclairage, taxes municipales, entretien des locaux prêtés par le gouvernement provincial, employés, outillage des laboratoires, frais de bureau, etc. Le Séminaire de Québec ne tenait pas à combler le déficit d'une institution aux allures indépendantes, presque rivales. Dès la nomination du vice-recteur, il avait abandonné la gestion financière de la succursale, non sans lui réclamer les vingt mille dollars dépensés pour elle ces dernières années.

Il eût fallu à Laval de Montréal des souscriptions de catholiques riches, comme McGill recevait des souscriptions de protestants riches. Mais les catholiques riches de Montréal ne consentiraient dons ou legs qu'à une université indépendante;

tout au moins voulaient-ils la certitude que l'argent ne serait pas détourné au profit d'une institution québécoise. M. Colin, Supérieur de Saint-Sulpice, était formel sur ce point. Saint-Sulpice est riche; le casuel, capitalisé d'année en année, atteint un joli montant; et le Séminaire s'inscrit en tête de toutes les souscriptions. N'est-ce pas Saint-Sulpice qui a donné aux Cisterciens le vaste terrain où s'élève aujourd'hui la Trappe d'Oka? Mais si le Séminaire de Québec ne veut pas subventionner une institution montréalaise, Saint-Sulpice ne veut pas non plus subventionner une université québécoise. M. Colin, l'abbé Proulx — ces deux prêtres, de caractères différents, collaboraient sans sympathiser — les juges Jetté et Pagnuelo, le Dr Rottot, ex-doyen de la Faculté Laval, et le Dr Hingston, ex-président de l'Ecole de Médecine, mirent au point un projet de loi créant un syndicat financier autonome, habile à recevoir et à gérer des fonds pour l'institution montréalaise. L'aspect juridique étant essentiel, le juge Pagnuelo accomplit la tâche principale. Mgr Fabre et ses suffragants: Mgr Racine et Mgr Moreau, approuvèrent le projet — nouveau pas vers l'indépendance. On le soumit à Rome.

Mais le cardinal Taschereau et Mgr Hamel — pro-recteur pendant un congé de Mgr Paquet — se choquèrent qu'une fois encore on ne les eût point consultés. NN. SS. Fabre, Racine et Moreau protestèrent de leur déférence, et l'abbé Proulx demanda, un peu tard, les suggestions du cardinal. Son Eminence répondit (15 octobre 1891):

"Sous prétexte de faire incorporer civilement les Administrateurs de l'Université Laval à Montréal, le projet de loi que vous présentez à l'approbation du Conseil Supérieur de l'Université (sans nous dire ce qu'en pense le Saint-Siège, auquel vous l'avez soumis avant de nous demander notre avis) crée réellement à Montréal une

*université tout à fait indépendante de l'Université La-
val, telle que constituée par sa Charte Royale et son
institution canonique. Dans ces conditions, je ne puis,
pour ma part, en ma qualité de chancelier apostolique
de l'Université Laval, approuver ce projet de loi, et je
ne l'approuverai qu'autant qu'il me sera authentique-
ment démontré que telle est la volonté du Saint-Siège."*

L'abbé Proulx revenant à la charge — respectueusement — le cardinal répéta:

*"Le syndicat financier est le prétexte, ou si vous l'ai-
mez mieux l'à-propos; le but final est de créer un corps
qui n'ait pas besoin du Conseil universitaire."*

Le vice-recteur protesta de ses intentions. Mais
Son Eminence (23 octobre):

*"Permettez que je termine ici une correspondance
inutile. Je vous ai dit tout ce que la position que vous
me faites me permet de vous dire... Je ne puis, non plus
que l'Université, proposer au projet de loi aucun amendement. J'ai du reste soumis mes doutes au Saint-
Siège..."*

Les évêques Fabre, Racine et Moreau s'étaient
attachés à l'œuvre montréalaise confiée à leurs
soins. Puis, ils raisonnaient ainsi: le sentiment
montréalais est trop fort. Si nous quittons la partie, si nous abandonnons la tête du mouvement,
des laïcs se substitueront à nous, et finiront par
créer une université non seulement indépendante,
mais laïque. Un groupe de jeunes avocats — entre autres, Gonzalve Désaulniers, Honoré Gervais,
Camille Piché — caressaient en effet cette idée. Le
danger était assez grave pour transformer deux
vieux évêques, bons et même saints, en combattants
intrépides. D'ailleurs l'abbé Proulx les entraînait.
Mgr Moreau, qui s'était pourtant trouvé du côté
de Mgr Taschereau pendant ses démêlés avec Mgr
Laflèche, écrivit au vice-recteur: "Continuons

contre vents et marées!" Et Mgr Racine, grand
fondateur et bâtisseur, au style volontiers oratoire: "Son Eminence le cardinal Taschereau a choisi
le terrain de la   lutte: Rome. Impossible de reculer."

Et tandis que Mgr Hamel adressait à l'abbé
Proulx une dernière lettre de hautains reproches,
attribuant les malentendus au caractère, aux pré-
ventions et aux récriminations du vice-recteur, les
évêques de la province ecclésiastique de Montréal
donnèrent délégation à l'un d'entre eux, Mgr Racine, pour aller à Rome, avec l'abbé Proulx.

Mgr Racine et l'abbé Proulx devaient faire approuver le projet de loi — à temps pour la prochaine session provinciale, si possible. Ils averti-
raient franchement le Saint-Siège: l'opinion montréalaise irritée   demandera une université laïque
plutôt qu'une institution dont la vie et la mort
dépendent chaque jour de Québec.

Le chanoine Bruchési remplacerait l'abbé Proulx
en son absence. "Surtout", lui recommanda le vice-
recteur, "ne laissez pas dire que nous demandons
une université indépendante — ce qui fournirait
un argument à Québec — mais simplement *la
liberté d'agir dans nos affaires locales.*" Le vice-
recteur conseillait la prudence à plus discret que
lui. Sa recommandation n'empêcha pas la presse
et le public de conclure qu'il sollicitait l'indépendance absolue de l'université montréalaise.

L'un des mémoires soumis au Saint-Siège par
Mgr Racine et l'abbé Proulx portait sur "le peu
de bonne volonté que le Recteur et le Conseil de
l'Université Laval ont apporté au fonctionnement
de l'Université à Montréal". Et l'abbé Proulx
écrit dans une note de ses mémoires: "Plusieurs

Canadiens à Rome et au moins deux Romains avaient été chargés, *officiellement ou officieusement,* de combattre, sous une forme ou sous une autre, notre demande; et je puis dire qu'ils se sont acquittés de la mission qu'ils avaient acceptée *consciencieusement.''* Mais on s'appliquait, sans toujours réussir, à cacher au public l'acuité de ces dissentiments.

Peu après l'arrivée des nouveaux missionnaires de Montréal, en janvier, le cardinal Simeoni mourut; Mgr Jacobini, l'ami de l'abbé Proulx, n'était plus secrétaire de la Propagande, mais délégué apostolique en Espagne. Avec les retards causés par l'hostilité de Québec, les chances de réussite s'amenuisaient. Mgr Racine prit une résolution hardie: il écrivit (le 23 janvier 1892) une supplique à la fois modérée, ferme, suppliante et pressante, au pape. L'initiative réussit: le projet fut approuvé.

A son retour, en avril, l'abbé Proulx dit aux questionneurs qu'il s'était gardé de *trop* demander, et qu'il avait obtenu *tout* ce qu'il demandait.

Le nouveau chapitre de l'histoire universitaire ouvert par ce voyage ne devait pas tellement différer du précédent.

Les grands évêques, Mgr Taschereau, Mgr Laflèche, et, dans l'Ouest, Mgr Taché, vieillissaient d'âge, sinon de tempérament. Le cardinal Taschereau avait 71 ans, dont 21 ans d'épiscopat — vingt et un ans de silence et d'action. Il se fit nommer un coadjuteur, ainsi désigné pour lui succéder, et qui fut Mgr Bégin. A. Mgr Bégin succéda, sur le siège épiscopal de Chicoutimi, l'abbé Michel-Thomas Labrecque, directeur du Grand Séminaire de Québec et professeur de théologie à Laval. Ainsi

l'Université gardait ses points d'appui dans l'é-
piscopat. Mgr Laflèche, lui, avait vingt-cinq ans
d'épiscopat. Cet anniversaire donna lieu à de grandes fêtes aux Trois-Rivières, où l'on célébra en
même temps les noces d'or de Mgr Charles-Olivier
Caron, grand vicaire, lieutenant et ami dévoué de
l'évêque. Mgr Laflèche — le visage creusé, la
claudication un peu accusée — reçut, avec les dé-
monstrations d'amour de sa ville, les hommages
de Mgr Fabre, de Mgr Duhamel, de Mgr Racine
rentrant juste de Rome, de Mgr Moreau, de Mgr
Blais, de plusieurs prélats romains, d'une trentaine
de chanoines, de représentants du cardinal Taschereau et de Mgr Taché, des prêtres venus de toute la
province et des Etats-Unis. L'équipe de choc des
laïcs ultramontains, dispersée par la mort, par la
lassitude, par les ruptures politiques, ne figurait
pas en groupe, en carré, comme autrefois, autour
du successeur authentique de Mgr Bourget. Et le
cardinal Taschereau offrait une relique à Mgr Laflèche. Décidément, une époque se liquidait, dans
la province de Québec, en 1892.

Les fêtes des Trois-Rivières durèrent trois jours,
les 23, 24 et 25 février. A ce moment, le projet
de créer un diocèse de Saint-Jérôme était bien mort
avec Mgr Labelle. Par contre, on annonça (5
avril) la création du diocèse de Valleyfield, par
division de l'archidiocèse de Montréal, dont le
nouvel évêque resterait suffragant. Le diocèse de
Valleyfield engloberait les comtés de Beauharnois,
Vaudreuil, Soulanges, Châteauguay, Huntingdon,
c'est-à-dire une des régions fertiles et florissantes
de la province. Mgr Fabre souhaitait pour nouveau
suffragant, non pas un expansif à la manière des
Labelle et des Proulx, mais un des jeunes chanoines formés auprès de lui, et qui donnaient à sa maison un cachet de bonne compagnie — les Emard,

les Bruchési, les Archambault, les Racicot, épisco-
pables en tous points. Ce fut le chanoine Joseph-
Médard Emard, chancelier de l'archevêché. Il n'a-
vait que 39 ans. Affable, cultivé, "littéraire" même, très brillant, il devançait au bénéfice de l'âge
son confrère, émule et ami le chanoine Bruchési.

*   *   *

Cette création d'un neuvième évêché correspon-
dait-elle à un mouvement démographique — accroissement ou déplacement de la population?

Un coefficient d'inexactitude peut affliger les
chiffres du recensement; mais les causes et les chances d'erreur restant les mêmes d'un recensement
à l'autre, les chiffres officiels sont valables pour
notre dessein, qui est surtout de les comparer,
afin de suivre les progrès de la province.[1]

De 1881 à 1891, la province avait accru sa
population de 1,359,027 âmes à 1,488,535 âmes
(un million et demi, en chiffres ronds), soit une
augmentation de 9½ p. 100, sensiblement égale
aux 9¾ p. 100 de l'Ontario (2,114,321 âmes).
Mais la natalité restait très élevée; les familles ca-
nadiennes-françaises comptaient une moyenne de
7 à 8 enfants, contre 3 ou 4 chez les Anglais de
la province ou de l'Ontario. L'excédent des nais-
sances sur les décès — un des plus forts au monde,
malgré la mortalité infantile — alarmait les sen-
tinelles loyalistes—Robert Sellar et ses correspondants ontariens. Dans la ville de Québec et dans
les cantons de l'Est en particulier, la proportion
des Canadiens français croissait régulièrement. Ce
phénomène est d'importance majeure. Il a permis,
ou favorisé, le rôle du grand foyer canadien-fran-

----

(1) *Recensements du Canada*, 1890-91 (4 *volumes*).

çais en Amérique — ce trait essentiel qui se dégage des conflits, des polémiques, des avances, des reculs, de la querelle universitaire, de l'affaire Riel, du règne de Mercier. Cependant, l'enrichissement démographique ne correspondait pas à la fécondité des familles. La plaie de l'émigration saignait toujours. On avait, un moment, espéré la guérir: on se rappelle que le coefficient d'accroissement, tombé à 7.2 p. 100 entre 1861 et 1871, était remonté au delà de 14 p. 100 entre 1871 et 1881; et voilà que, l'hémorragie reprenant, il retombait.

Ce sont les campagnes qui en souffraient. Quelques aspects majeurs caractérisent la lente et régulière transformation de la province: les gains de l'industrie sur l'agriculture; les gains des villes sur les campagnes; la prépondérance de la minorité anglaise dans la vie économique. Le développement industriel, phénomène universel, est d'ailleurs plus rapide en Ontario. C'est que la position géographique avantage la province voisine, à l'époque où le charbon — et non pas encore l'énergie électrique — fournit la force motrice. Le charbon de Pennsylvanie est, par les Grands Lacs, d'accès facile et de transport peu coûteux pour l'industrie ontarienne.

Depuis longtemps déjà, le rôle essentiel dans la vie économique n'est plus joué par la fourrure, mais par le bois. Ce sont les "trains de bois" descendus des Laurentides, au fil de la Gatineau, qui alimentent les usines de Hull. Le labeur des "hommes de chantier", à des lieues au nord, explique la croissance de cette petite ville, au confluent de l'Ottawa. Nous l'avons déjà signalé: les exploitants du bois, insoucieux de l'avenir national, ne prennent pas assez garde au double phénomène qui réduit insensiblement la valeur du domaine forestier: la disparition des essences les plus recherchées, remplacées par d'autres moins précieuses, et le recul de la forêt, diminuant l'accessibilité et augmentant les frais de transport.

Le bois n'en reste pas moins la matière première des principales industries.

Celles-ci, cependant, se diversifient. Le nombre des établissements industriels est passé de 15,574 à 23,027, représentant un capital double et un personnel plus nombreux de quarante pour cent. On compte 479 établissements d'une mise de fonds supérieure à $50,000 (contre 377). La législation ouvrière de la province n'est pas en retard. Une loi de 1885 sur l'inspection des usines est modifiée en 1890, pour renforcer la surveillance au point de vue hygiène. On en profite pour interdire le travail des garçons de moins de 12 ans et des filles de moins de 14 ans dans les manufactures — limites élevées à 14 ans et 15 ans dans les industries réputées peu salubres, comme les manufactures de tabac. Une Société d'Economie Sociale, où les juges Baby et Jetté rencontrent de vieux parlementaires comme Alphonse Desjardins, étudie les rapports du capital et du travail, les moyens d'améliorer la condition ouvrière. L'épiscopat s'en inquiète aussi, car l'encyclique *Rerum novarum*, publiée par Léon XIII, le 15 mai 1891 — en partie sous l'influence du cardinal anglais Manning et du cardinal américain Gibbons — a lancé le "catholicisme social". Mais le mouvement qui aboutira au syndicalisme confessionnel n'est pas encore déclenché au Canada français. Des associations ouvrières se fondent et se développent. Nous avons, à plusieurs reprises, constaté leur influence électorale. Mais elles s'affilient au Con-

grès des Métiers et du Travail du Canada, fondé
en 1886 et qui se modèle, par la force des choses,
sur la Fédération Américaine du Travail, fondée
cinq ans plus tôt. Le Congrès se réunit à Montréal en 1889, à Québec en 1891. Il réclame la
journée de huit heures. Des ouvriers canadiens s'af-
filient directement à une autre organisation américaine, celles des Chevaliers du Travail, mi-secrète et
considérée avec méfiance par le clergé. A l'automne
de 1890, les ouvriers du chantier naval Davie, de
Lévis, réclament la congédiement de deux d'entre
eux, qui ne paient pas leur cotisation aux Chevaliers du Travail. Davie menace de transférer à Halifax des travaux prévus à Québec. On finit par
s'entendre, et la paix se rétablit, mais non sans
peine.

Montréal abrite la majorité des industries de la
province. Métropole financière du Canada, elle
abrite aussi le siège des entreprises d'envergure nationale, en tête desquelles se détachent le Pacifique-
Canadien et la Banque de Montréal. Enfin son
port reçoit en 1892, pour la première fois, un
tonnage de navires océaniques dépassant le million. En dix ans, la ville est passée de 150,000
âmes en chiffres ronds à 216,000 — soit une
augmentation de 39 p. 100. Et sa banlieue s'enfle
encore bien plus vite: Saint-Henri, par exemple,
a plus que doublé, pour atteindre 13,415 âmes.
Les champs de melons reculent. De vieux murs
tombent sous la pioche. Mais au nord de la rue
Sherbrooke s'étendent encore des cultures maraî-
chères et des vergers de pommes. Les tramways
électriques sillonnent Montréal à partir du 19 septembre 1892.

Nul Canadien français ne figure parmi les quinze
administrateurs du C.P.R., ni parmi les huit administrateurs — en partie les mêmes — de la Ban-

que de Montréal. Faute de capital, ces entreprises
énormes — et puissantes au point de peser sur la
politique fédérale — ont échappé, dès le début,
aux Canadiens français. Nous avons vu la minorité anglaise empêcher Cauchon de former le premier gouvernement provincial, renverser le cabinet Ouimet sur l'affaire des Tanneries, embarras-
ser Chapleau à certaines heures de son règne, obliger Mercier, en pleine force, à renoncer à la conversion de la dette, désigner le trésorier provincial
du cabinet de Boucherville. Dans ces deux derniers cas surtout, les puissances financières avaient
parlé. Si un mouvement démographique favorable
s'était ajouté à cette prépondérance économique, la
province aurait-elle pu maintenir son caractère et
son rôle français?

En 1892, Austin Mosher, correspondant montréalais de l'*Empire,* compte trente et un millionnaires à Montréal, c'est-à-dire 31 personnes possédant plus d'un million de dollars. Le plus riche
est sir Donald Smith, avec vingt-cinq ou trente
millions, suivi par George Stephen (devenu lord
Mount Stephen). Ces grosses fortunes prennent
source dans les chemins de fer (Pacifique et Grand-
Tronc), dans les banques, enfin dans l'industrie:
un fabricant de cigares compte au nombre des
millionnaires. Aucun nom français parmi ces trente
et un. Anglais sont les propriétaires des plus belles
résidences et des plus fringants équipages: anglaises
sont les amazones qui foulent, de bon matin, les
allées cavalières du Mont Royal. Mais Mosher re-
cense quinze Canadiens français de Montréal possédant un demi-million ou un peu davantage, —
plusieurs de fortune récente. Ce sont: Joël Leduc
et son associé Louis Tourville, aux intérêts mul-
tiples: banque, assurance, propriétés foncières,
commerce d'importation, moulins de Pierreville,

etc.; Louis Tourville, fondateur de la Banque d'Hochelaga, est écouté dans les conseils du parti libéral; le courtier L.-J. Forget, écouté dans les conseils du parti conservateur; le propriétaire foncier Joseph Comte; le fabricant de biscuits Charles Viau; le fabricant de cigares J.-M. Fortier; puis, Alfred Thibaudeau (fils d'Isidore), Louis Beaubien, Charles Berger, l'ex-échevin Généreux, l'avocat F.-L. Béique, le juge Berthelot, le fabricant de savon Joseph Barsalou, A. Cantin et Mme Victor Beaudry.

Toronto (181,220 âmes) rivalise avec Montréal, laissant Québec marquer le pas très loin derrière (de 62,446 en 1881 à 63,090 en 1891). Non pas que les Québécois soient inactifs; sans accroître sa population, la ville s'est fort transformée et embellie sous l'administration du maire François Langelier (1882-1890). On a construit des trottoirs, pavé et surtout élargi des rues — qui en avaient besoin. Les voies principales s'éclairent à l'électricité, comme à Montréal. On substitue le plus possible les constructions en brique aux maisons de bois, qui flambent comme des allumettes. Des Canadiens français accomplissent ces efforts, en même temps qu'ils continuent d'accroître leur proportion dans la ville. On n'y compte plus que vingt pour cent de citoyens de langue anglaise. Le dimanche, les pensionnaires des Ursulines se promènent en rangs de deux, les petites en avant, les grandes derrière, et deux religieuses à la queue. Devant la porte du palais épiscopal, des collégiens à ceinture verte saluent un grave ecclésiastique, leur professeur de belles-lettres. Ernest Pacaud descend comme un ouragan la Côte de la Montagne, d'où l'on aperçoit le fleuve par-dessus les toits. Il se heurte à Faucher de Saint-Maurice, montant la même côte de son pas de chasseur à pied. Et voici

qu'Israël Tarte, les ayant vus de l'autre trottoir,
traverse pour se joindre à eux, en agitant les bras
et en bégayant des appels. Nul ne pourrait s'y
tromper et se croire en pays anglais.

Ernest Pacaud, Israël Tarte et Faucher de Saint-
Maurice s'entretiennent d'un grand projet, discuté à Québec depuis plusieurs années et sur le point
de se réaliser: la construction d'un vaste et luxueux
hôtel, propre à retenir les touristes. A plusieurs reprises, on a tenté de constituer une compagnie.
Comme il y faut beaucoup d'argent, et partant de
nombreux souscripteurs, des rivalités s'en mêlent
toujours, des désaccords font tout échouer. Enfin,
au début de 1892, le Pacifique-Canadien offre de
construire, à l'emplacement du vieux Château
Saint-Louis, un des plus beaux hôtels du continent. Le Château Saint-Louis, fort délabré, abrite
l'Ecole Normale, mais on a décidé de l'évacuer
pour construire l'Ecole Normale ailleurs, de préférence sur les plaines d'Abraham. Le Pacifique
pose deux conditions: cession du terrain à bon
compte ($25,000); exemption de taxes municipa-
les sur l'hôtel pendant dix ans. Le maire Frémont
convoque une "assemblée civique", où les offres
du Pacifique sont acceptées d'enthousiasme. En
février, Shaughnessy, vice-président du Pacifique,
vient à Québec conclure les accords; l'Ecole Normale déménage — dans un immeuble de l'Université, en attendant mieux — et l'on démolit le
Château Saint-Louis pour construire le Château
Frontenac. Qui déniera aux Québécois l'esprit moderne?

Québec est moins heureuse pour l'autre grand
projet qui lui tient à coeur, celui du pont.

À la session des Communes, le 21 mars, le député-maire Frémont demande: [1]

"Si le gouvernement a l'intention de prendre, au cours de la présente session, des mesures pour exécuter les promesses faites par feu sir John-A. MacDonald, sur le parquet de cette Chambre, le 17 avril 1884, relativement à la construction d'un pont de chemin de fer à Québec ou aux environs, pour relier l'Intercolonial au Pacifique-Canadien, et pour lequel des études préliminaires ont été faites?"

Chapleau se félicite peut-être, ce jour-là, de ne pas détenir le portefeuille des chemins de fer. Le nouveau ministre, John Graham Haggart, n'éprouve aucun embarras pour répondre:

"Je puis dire à l'honorable Monsieur qu'en lisant soigneusement les déclarations de sir John-A. MacDonald, à la Chambre des communes, le 17 avril 1884, je n'y trouve pas de promesse faite par lui pour la construction d'un pont de chemin de fer à Québec ou aux environs, et la politique du gouvernement est la même que celle exprimée en cette occasion par sir John-A. Mac-Donald."

C'est un refus, un enterrement. *L'Electeur* n'avait pas tout à fait tort en affirmant: "Pas de Mercier, pas de pont!" Car l'énergie de Mercier eût bousculé l'obstacle, et sa chute retarde bien, cela n'est guère douteux, la construction du pont de Québec.

Pour les autres villes de la province, à part Saint-Henri, le recensement donne ces chiffres:

	1881	181
Hull	6,890	11,374
Sherbrooke	7,227	10,110

(1) *Débats de la Chambre des communes, 1892. Vol. I, p. 291 de la version anglaise.*

Trois-Rivières	8,670	8,334
Saint-Hyacinthe	5,321	7,016
Sorel	5,791	6,669
Saint-Jean	4,314	4,772
Lachine	2,406	3,761

La population urbaine, passée de 19.5 p. 100 en 1871 à 22.8 p. 100 en 1881, atteint 29.2 p. 100 en 1891. Ces chiffres correspondent à ceux de l'ensemble du Canada. Montréal et sa banlieue absorbent la moitié de l'augmentation totale de la province. Québec et Trois-Rivières ne bougent plus, mais d'autres villes, Hull et Sherbrooke en particulier, prennent leur part. La province de Québec devient moins agricole et plus industrielle. Les cantons de l'Est, le Lac-Saint-Jean, la vallée de l'Ottawa et la région de Hull (industrie du bois) bénéficient d'une relative prospérité. Sherbrooke s'éclaire à l'électricité depuis le 5 mai 1888. Elle élit en 1890 son premier maire canadien-français, Jérôme-Adolphe Chicoyne, qui méritait cet honneur. Sherbrooke est le centre de ce mouvement d'expansion grâce auquel les Canadiens français, au grand dam de Robert Sellar, reconquièrent les cantons de l'Est. Mgr Racine a divisé la paroisse en deux, puis en trois — deux paroisses françaises et une irlandaise. Il a fait reconstruire l'hôpital, pour l'agrandir. Il a provoqué la fondation d'un monastère des Ursulines, à Stanstead. En 1892, la Société d'Industrie Laitière fonde l'Ecole de Laiterie de Saint-Hyacinthe, avec l'aide du gouvernement provincial. La Banque Nationale, de Québec, ouvre une succursale à Chicoutimi. Dans ses brochures de propagande, Buies appelle le Lac-Saint-Jean "le grenier de la Province". Le chemin de fer a aidé au miracle.

Songez en effet qu'à la Confédération, le Grand-Tronc constituait toute la richesse ferroviaire de la province. Sous le règne de Mercier, on compte 2,800 milles de voies ferrées, tributaires de deux grands systèmes, celui du Pacifique-Canadien sur la rive nord du Saint-Laurent, celui du Grand-Tronc sur la rive sud, faisant jonction avec l'Intercolonial à Lévis. Au premier système on peut rattacher les 200 milles de chemin de fer du Lac-Saint-Jean. Au second on peut rattacher les 145 milles du Québec Central, de Lévis à Sherbrooke, et le chemin de fer inachevé de la Baie des Chaleurs. Nous avons vu cette armature s'édifier, ni très vite, ni très lentement si l'on n'oublie pas la faiblesse numérique et la pauvreté relative de la population. Trop lentement au gré du curé Labelle et de Mercier, qui comprenaient l'importance du rail. Mercier projetait de compléter cet ensemble a) par l'achèvement et le raccord de diverses voies d'intérêt local; b) par la construction du pont de Québec, qui eût soudé à l'est les deux grands réseaux déjà soudés à l'autre extrémité par le pont Victoria de Montréal; et c) par un tracé circulaire, reliant les points septentrionaux des diverses lignes de colonisation, encore à l'état de tronçons.

Ces projets sont longs à mûrir. Au prix d'efforts gigantesques, le curé Labelle et ses émules n'ont replanté qu'un petit nombre de familles. L'émigration aspire la sève des campagnes. On compte déjà aux Etats-Unis une population d'origine canadienne (française et anglaise, mais surtout française) égale à 30 pour cent de la population totale du Canada. Richard Cartwright en tire argument contre le gouvernement fédéral.

Ce ne sont pas seulement les jeunes hommes, fils de familles nombreuses, qui nouent leur baluchon et partent. On lit dans *L'Union* de Saint-Hyacinthe, en 1890:

"L'aspect de nos campagnes est des plus désolants. Nos villes ont bien aussi à regretter de nombreuses désertions, mais c'est surtout à la campagne que se manifeste ce regrettable état de choses. Des cultivateurs jouissant d'une aisance satisfaisante, et sur la solvabilité desquels on eût parié le quart de sa fortune il y a quelques mois, habitent maintenant les villes américaines. Nous ne pouvons prendre passage à bord d'un train sans voyager en compagnie de familles émigrantes."

Sans doute l'*Union*, journal d'opposition (au fédéral), insiste sur l'émigration causée par la mévente des produits agricoles, pour l'attribuer au tarif McKinley, et par ricochet à la politique protectionniste d'Ottawa. Mais tous les journaux s'alarment. Au printemps de 1891, après les élections fédérales, *L'Evénement* publie une série d'articles sur l'émigration, calamité nationale. Le fléau sévit même dans les cantons de l'Est. Mgr Antoine Racine, évêque de Sherbrooke, lui consacre un mandement spécial, terminé par cette mise en garde contre l'annexionnisme:

"Soyez soumis et fermement attachés à la constitution de votre pays; ne travaillez pas imprudemment à détruire notre belle nationalité canadienne. Notre pays n'est pas à vendre; le Canada est pour les Canadiens."

A la retraite annuelle des prêtres, Mgr de Sherbrooke et Mgr de Saint-Hyacinthe, chacun de son côté, engagent les curés à lutter contre le dépeuplement des campagnes. La même année encore, le rapport du Crédit Foncier Franco-Canadien, qui compte toujours Chapleau parmi ses directeurs, signale la crise de la propriété foncière rurale, et conclut: "Dans ces conditions, nous avons cru devoir redoubler de prudence, et n'accueillir de demandes de prêts ruraux que dans les localités exceptionnellement favorisées."

Les exhortations du clergé, les campagnes de

presse, le regain de fierté nationale dû à Mercier, l'effort continuel et les progrès réels de la province, n'enrayent pas la fascination de la prospérité américaine, des hauts salaires, des gros bénéfices, de la vie facile.

La vie facile. C'est bien ce que l'on va chercher aux Etats-Unis. L'existence est rude dans nos chantiers, dans nos paroisses de colonisation, et l'esprit de sacrifice des pionniers a peu à peu disparu. En septembre 1890, au comité catholique du Conseil de l'Instruction publique, François Langelier signale que les cultivateurs, achetant à crédit, comptent en grand nombre dans la clientèle des marchands de pianos. Les filles de fermiers apprennent la musique et rêvent d'élégances citadines.

La lente progression du pays de Québec ne correspond pas à l'accroissement et aux exigences des familles canadiennes.

Progression jugée trop lente. Handicap subi par les Canadiens français. D'aucuns s'en prenaient à l'enseignement, trop classique, pas assez pratique. On voit l'évolution des idées depuis un quart de siècle, depuis le temps de la querelle gaumiste, où des critiques de sens contraire criblaient le même enseignement. L'offensive avait changé de camp. A la séance du Conseil de l'Instruction publique où il signalait les achats de pianos par les cultivateurs, François Langelier souhaitait que, dans les couvents, on enseignât aux jeunes filles la sténographie, la dactylographie et la télégraphie au lieu de la musique, l'alphabet morse au lieu des gammes. A la même époque, *L'Electeur* demandait une réforme de l'enseignement, qu'il voulait plus vivant, adressé à l'intelligence plutôt qu'à la mémoire.

Ainsi n'est-ce pas d'hier que les réformateurs chargent l'enseignement classique de toutes les lacunes et de tous les retards dont le peuple canadien-français peut souffrir. Cependant cet enseignement ne donnait pas que des fruits secs. Nos groupes de jeunes gens n'innovent pas tant qu'ils le croient; nos littérateurs ne foulent pas des sentiers aussi vierges que parfois on le dit.

A l'époque dont nous avons tracé l'histoire, il existait, dans la province, des écrivains sachant tenir leur plume. La muse de Fréchette n'était pas tarie; la librairie Granger publia ses "Pages volantes" en même temps que les "Pages d'histoire" de Benjamin Sulte. Mais le greffier du Conseil législatif — car telles étaient les fonctions de Fréchette — avait atteint son zénith. Inégal comme les grands lyriques ses modèles, il témoignait encore, dans ses meilleures strophes, de qualités proprement épiques: la fécondité, le jet, la puissance, la sonorité de frappe.

Nous avons assez parlé des journaux. La *Revue Canadienne* avait disparu, mais le *Canada français* se publiait au Séminaire de Québec depuis 1888, avec Mgr Hamel pour gérant, et l'abbé Casgrain, Gérin-Lajoie, Benjamin Sulte parmi ses collaborateurs. En 1889, l'ancien lieutenant-gouverneur Masson avait publié ses "Bourgeois de la Compagnie du Nord-Ouest" — une des contributions les plus utiles à l'histoire du Canada. L'abbé Georges Dugas avait publié "Monseigneur Provencher et les missions de la Rivière Rouge", bonne étude sur les missions du Nord-Ouest et l'origine des Métis. Faucher de Saint-Maurice et Joseph-Edmond Roy publiaient des souvenirs de voyage. Napoléon Legendre tenait une critique littéraire à *L'Electeur*. "Le 38e fauteuil" de Joseph Tassé compte parmi les bons livres de souvenirs poli-

tiques parus au Canada. Adolphe Germain et le
juge Michel Mathieu soutinrent la publication de
la *Revue légale* de 1869 à 1892. Deux jeunes avocats du barreau de Montréal, Raoul Dandurand et
Charles Lanctôt, firent paraître en collaboration,
en 1890, un excellent traité de droit criminel. La
collection du *Naturaliste canadien* de l'abbé Pro-
vancher, les études de Charles-Eusèbe Dionne sur
les "Oiseaux du Canada" (1883), son "Catalogue
des Oiseaux de la province de Québec" (1889) et
un tout petit nombre d'autres oeuvres constituaient
un embryon de littérature scientifique.

Ce sont les études historiques qui comptaient
les plus nombreux adeptes, ainsi qu'en fait foi cette
liste de travaux présentés à la section française de
la Société Royale du Canada, lorsqu'elle tint ses
assises à Ottawa en juin 1893:

1. *Un historien oublié: Le Dr Jacques Labrie* (1784-
1831), *par l'abbé Auguste Gosselin.*

2. *L'amiral Byng devant ses juges et devant l'histoire,
par Faucher de Saint-Maurice.*

3. *Odyssée de deux Français au XVIIe siècle, par N.-
E. Dionne, présenté par Joseph Marmette.*

4. *Etude sur le baron de La Hontan, par J.-Edmond
Roy.*

5. *Le capitaine Maillé, par Joseph Royal.*

6. *Monographie du comte d'Elgin, gouverneur général
du Canada, par J.-M. LeMoine.*

Un très bon sculpteur canadien, Philippe Hébert,
recevait — et exécutait le plus souvent à Paris —
les commandes du gouvernement provincial. C'est
aussi à Paris que se perfectionnait le peintre Charles Huot, né à Québec; il exposait au Salon des
scènes canadiennes. A Québec, le relieur Victor La-

france, artisan probe, n'avait pas seulement un mérite de précurseur.

Comment un peuple de race française se serait-il désintéressé des choses de l'esprit et du goût? Il n'y a pas eu de trou, il n'y a pas eu solution de continuité dans la tradition intellectuelle canadienne-française — au pays de Québec où l'on a tant travaillé, défriché et lutté. Certes, le Canada ne produisait pas de ces génies qui modifient la vision, élargissent le domaine artistique de l'humanité. On pourrait s'en étonner en songeant aux traits originaux et puissants de ce pays: vastes dimensions, saisons tranchées, vertige des chutes d'eau, fracas de la débâcle, fanfare de l'automne. Ni cette nature, avec une faune allant du castor à l'orignal, ni l'épopée des découvreurs, le geste des défricheurs et celui des draveurs, la vie sylvestre et solitaire des trappeurs et des prospecteurs, n'ont trouvé leurs peintres ou leurs poètes. La plupart de ceux mêmes que nous venons de nommer n'ont guère de couleur locale bien prononcée. Le Canada offre des couleurs, des paysages, des scènes, éléments de beauté, source d'émotion et d'inspiration qui ne se voient nulle part ailleurs. Il manque encore les grands artistes. On pourrait s'en étonner si l'on croyait au génie spontané. Le génie doit beaucoup plus à son époque et à son milieu que son époque et son milieu ne lui doivent; il naît en sol préparé; il naîtra au Canada lorsque, dans des couches de terreau accumulées, ses fortes racines pourront puiser la sève. Et les couches de terreau s'accumulent. Si les résultats sont encore imparfaits, les efforts ont été incessants, le rêve ininterrompu. En 1891, puisque c'est l'époque où, pour l'instant, nous relevons le point, Montréal, avec ses usines, ses magasins, ses bureaux, ses banques, ses rues où se succédaient les charrois, Montréal bourdonnait, grondait d'activité. Mais parmi les machines les plus nouvelles, de production la plus intensive, il y avait les presses d'imprimerie.

Cette même année, au mois d'avril, Sarah Bernhardt avait donné à Montréal une nouvelle série de représentations. La *Minerve* lui consacra de longs articles, au point d'offusquer la *Vérité*. La *Minerve* défendit victorieusement son point de vue contre Tardivel. D'ailleurs la comédienne avait remporté son plus grand triomphe dans la "Jeanne d'Arc" de Jules Barbier. Elle avait, ce soir-là, fait oeuvre pie. Mais dans un rôle purement profane, elle eût — que les mânes de Tardivel nous pardonnent! — remporté autant de succès.

————

INDEX

A

Abbott (John-Joseph-Caldwell). Maire de Montréal, 102. — Sénateur, 198. 200. 208. — Premier ministre du Canada, 225. 235. 241. 248. 267. 271. 272. 273.

Albani (Nom de théâtre d'Emma Lajeunesse). 61. 62.

Allan (Sir Hugh). 198.

Alliance Française (L'). 144. 226.

Amiante (Mines d'). 186.

Amyot (Guillaume). Député de Bellechasse, 14. 44. 89. 126. 127. 142. 210. 215. 216. 254. 255. 260. 265. 275. 280. 294. 295.

Angers (Auguste-Réal). Lieutenant-gouverneur, 31. 42. 43. 49. 50. 59. 146. 153. 163. 218. 221. 232. 233. 235. — Affaire de la Baie des Chaleurs, 242. 246 à 262. — Révoque Mercier, 262 à 271. 274. 285. 292.

Annexionnisme. 199. 200. 204 à 206. 315.

Archambault (Horace). Conseiller législatif, 22. 37. 44. 77. 150. 169. 202.

Archambault (Abbé Joseph-Alfred). 17. 77. 305.

Archambault (Louis). Conseiller législatif, 22.

Armand (Joseph-François). Sénateur, 65.

Armstrong (Charles-Newhouse). Entrepreneur, 173, 217. 236. 237. 248. 249. 251. 253. 254. 257. 261. 284. 285.

Arsenault (Nicolas). 289.

Asiles d'aliénés (Voir aussi: Asile de Beauport; et: Asile de Saint-Jean-de-Dieu). 33, 38. 62. 63. 145. 166 à 173. — 179. 188. 189. 212. 214.

Asile de Beauport. 33. 166. 173.

Asile de Saint-Jean-de-Dieu. 33. 63. 166. 171. 173.

Asselin (Louis-Napoléon). Député prov. de Rimouski, 112.

Augé (Maurice-Olivier). Député de Montréal, 279. 290.

Autonomie des provinces. Soutenue par Mercier, 39. 141. 152. 268. — par Laurier, 75. — Invoquée par la Patrie, 241.

Ayotte (Pierre-Victor). Editeur du Trifluvien, 213. 214.

B

Baby (Louis-François-Georges). 111. 247. 252. 261 à 263. 284. 307.

C

E

F

G

H

L

M

N

O

Q

R

U

Z

TABLE DES MATIERES

CHAPITRE I

LE CURE LABELLE

CHAPITRE II

"CESSONS NOS LUTTES FRATRICIDES;

UNISSONS-NOUS!"

CHAPITRE III

LE CAPITOLE

CHAPITRE IV

LA ROCHE TARPEIENNE

*Achevé d'imprimer à Montréal par Les Presses Elite
pour le compte des Éditions Fides,
le vingtième jour du mois de février de l'an
mil neuf cent soixante-quatorze.*

Dépôt légal — 1er trimestre 1974
Bibliothèque nationale du Québec